Юмор живой, дет
В солнечных книж

P9-DTN-638

Отдых прекрасный душе и уму!
Да, это стоит прочесть! Почему?

Отличное
настроение
обеспечено!

ДАРЬЯ
ДОНЦОВА

Хищный
аленький
цветочек

ЭКСМО
Москва
2014

УДК 82-3
ББК 84(2Рос-Рус)6-4
    Д 67

Оформление серии *С. Груздева*

Донцова Д. А.

Д 67   Хищный аленький цветочек : роман / Дарья
Донцова. — М. : Эксмо, 2014. — 320 с. — (Иронический детектив).

ISBN 978-5-699-69291-0

Почему все мечтают по-своему устроить личную жизнь визажиста Степаниды Козловой? Вот и бабуля Белка, прознав,
что любимая внучка собирается замуж за провинциального дизайнера Егора, тут же подняла на уши всю родню. Белке невдо-
мек, что Егор полицейский и на самом деле Степа выполняет
важное задание! Они с «женихом» должны втереться в доверие
к хозяйке художественной галереи Елене Козиной — именно к
ней ведут следы похожих преступлений: кто-то убил двух человек, устроив им перед смертью настоящий суд. Жертв ничего
не связывало, кроме странных картин-открыток, полученных
незадолго до отправки в мир иной. Их могли написать только
в студии при галерее Козиной!.. Степа еще не знала: Егор — не
самое страшное испытание. Впереди ее ждет вечеринка зна-
комств с целой вереницей женихов, один из которых продавец
селедки, второй — Кентавр, а третий — Терминатор!

УДК 82-3
ББК 84(2Рос-Рус)6-4

ISBN 978-5-699-69291-0

Глава 1

— Если девушка овца, то она непременно выйдет замуж за барана, даже если у нее под окном все время стоит лев с букетами роз.

Мне следовало сделать вид, что не услышала обидную фразу, но по утрам я не всегда способна справиться с эмоциями, поэтому села в кровати, зажав в руке телефон, звонок которого разбудил меня, и сердито спросила:

— Что ты сказала?

— Ну... ничего, — сразу дала задний ход моя коллега Настя Поветкина.

— Про овцу и барана, — уточнила я. — А еще интересно, кто у нас лев с цветочками? Сделай одолжение, назови его фамилию, имя, отчество, год рождения, адрес и номер телефона. Может, я и овца, но мне стало очень любопытно, о ком ты сейчас говоришь. И кто у нас лев?

— Степа, не обижайся, — заныла Настя. — Знаешь, зачем подруги нужны? Чтобы остановить тебя, если ты делаешь глупость.

— Спасибо за трогательную заботу, — еще сильнее разозлилась я. — Как-нибудь сама наведу порядок в личной жизни. Меня пугают люди, которые, не сняв грязные ботильоны, лезут в чужую душу и пытаются устроить там все по собственному усмотрению.

— Я тебе добра желаю! — возмутилась Поветкина. — Можешь сколько угодно злиться, но твой Егор натуральный козел!

Я потянулась за халатом.

— Овцы не заводят шашни с козликами, значит, либо Бочкин баран, либо я коза.

— Смейся-смейся, — закричала Настя, — можешь навсегда со мной разругаться, но я скажу правду: ты и Егор — это как бриллиантовое колье и коровник, то есть несовместимые понятия. Знаю, неприятно это слышать, но лучше открой глаза и внимательно посмотри на жениха. Мало того что он осел...

— Баран, козел, осел, — перебила я. — Ты уж определись с парнокопытным, а?

Но Поветкина не отреагировала на мою фразу, а договорила свою:

— Так еще подбивает невесту на глупости. Весь «Бак» гудит: Козлова увольняется.

— Нечего слушать сплетни! — огрызнулась я, идя в ванную. — Я не собираюсь расставаться с Франсуа Арни, мне и в голову не придет уходить от Звягина. Просто я взяла отпуск. До свидания, дорогая, о дате свадьбы извещу заранее. Хочешь поймать букет новобрачной? Могу швырнуть его прямо тебе в лапки.

Настя издала стон, но я быстро ткнула пальцем в экран телефона и уставилась в зеркало. Доброе утро, Степа, прекрасного тебе дня! Правда, похоже, ничего хорошего сегодня не произойдет — при таком-то приятном пробуждении.

Я выдавила из дозатора немного пенки для умывания, намылила лицо и услышала бодрую мелодию, извещающую о вызове от бабушки. Изабелла Константиновна словно чует, когда внучка встала под душ, уютно устроилась в туалете или впервые за день собралась быстренько перекусить! Иногда мне кажется, что три-четыре раза в сутки у Белки перед носом загорается лампочка, а потом в ушах раздается голос: «Степа пошла в сортир! Немедленно звони ей!»

К сожалению, проигнорировать вызов бабули нельзя. Если я сразу не отвечу, она занервничает, в ее голове начнут возникать картины одна страшнее другой. Ну, например, меня похитили марсиане, или схватили на улице посланцы страны Тумбо-Мумбо и отвезли в гарем своего царька, или заманили в салон автомобиля, и теперь он спешит в лабораторию, где мне вырежут почки, печень, желудок, легкие, сердце и мозг до кучи, чтобы пересадить их больному олигарху...

Не знаю почему, но Белке всегда представляются фантастические ситуации. И не понимаю, отчего бабуля не нервничает, когда в принципе действительно следовало бы напрячься. Ну, например, не думает об авиакатастрофах. Я летаю по всему миру, иногда вместе со своим шефом Франсуа Арни, и порой меняю за неделю несколько стран. Но Изабелла Константиновна, узнав, что ее внучка направляется из Мельбурна в Париж, а затем в Токио, лишь заботливо советует:

— Не бери в лайнере на обед рыбу, она может оказаться несвежей. Лучше овощи съешь, от них меньше вреда для здоровья.

Один раз я сказала бабушке по телефону:

— Прости, не могу сейчас говорить. В Нью-Йорке полночь, льет дождь, одна иду по Гарлему, такси нигде нет. Соединюсь с тобой чуть позже, когда выберусь из одного из самых неблагополучных районов Большого яблока[1], где не рекомендуют доставать из сумки мобильный, — выпалила я.

И тут же разозлилась на себя: сейчас бабушка испугается, заахает-заохает, зачем я заставила ее нервничать! И что вы думаете? Белка отреагировала иначе. Она бодренько поинтересовалась:

— Ты прихватила зонтик? Смотри, не простудись. Ладно, звякни, когда освободишься.

Хорошо зная эту ее особенность, я с пенкой на лице зажмурилась и схватила трубку.

— Привет, ба.

— Как дела? — воскликнула Изабелла Константиновна. И, не дожидаясь моего ответа, затараторила: — Степашка, мы с Димой рады, что ты познакомилась с приятным молодым человеком.

Вот здорово! Слух о моем романе с Егором Бочкиным добрался и до Белки, причем много времени ему на путешествие не понадобилось. Всего три дня назад Егор появился в «Баке», и я на вопрос Насти «что это за чудо в красных носках со стразами?» спокойно ответила: «Мой жених Гоша». Естественно, языки коллег заработали со скоростью электрокофемолок. Я понимала, бабуля непременно узнает новость, потому что весной сама привела на работу в бутик дочь одной из ее подруг, которая тут же доложит матери о матримониальных планах Степаниды Козловой,

---

[1] Большое яблоко — самое известное прозвище Нью-Йорка, появившееся в 20-х годах прошлого века. По одной из версий, оно возникло в среде джазовых музыкантов, которые говорили: «На дереве успеха много яблок, но если тебе удалось завоевать Нью-Йорк, ты получил Большое яблоко». (*Прим. автора.*)

а та в свою очередь Белке, но все же надеялась... А на что я, собственно, надеялась?

Вздохнув, я включила громкую связь, положила трубку на край мойдодыра и начала умываться под аккомпанемент речи бабули.

— Когда ты приедешь к нам в гости? Мы с Димой соскучились.

Вода попала мне в нос, и я чихнула.

После того как бабушка вышла замуж за режиссера Барашкова, она перестала осознавать себя отдельной личностью. Раньше Изабелла Константиновна часто употребляла личное местоимение единственного числа, а теперь «я» изгнано из ее лексикона, вместо него Белка предпочитает «мысдимой».

Только не подумайте, что я принадлежу к категории эгоистичных особ, которые, узнав, что их мама-папа или бабушка-дедушка, долгое время жившие в одиночестве, собрались в загс, капризно ноют: «Бросаешь меня! Не любишь! Не смей расписываться с посторонним человеком!» Нет, я довольна, что Белка счастлива. Просто как-то раз я работала с Барашковым в одном проекте и никакого удовольствия от общения с ним не получила. А потом я некоторое время жила у Димы дома, и ничего хорошего из этого не вышло[1]. Нет, мы с ним улыбаемся друг другу при встречах и мило беседуем, но весь политес исключительно ради Белки, которая наивно считает внучку и супруга наилучшими друзьями. Однако справедливости ради скажу: Барашков обожает жену, и за это я

---

[1] Ситуация, о которой вспоминает Степа, описана в книге Дарьи Донцовой «Княжна с тараканами», издательство «Эксмо».

готова сидеть с ним по праздникам за одним столом
и изображать самые теплые к нему чувства.

— Прекрасно, что твоя личная жизнь налаживает-
ся, — щебетала бабуля. — Кстати! У меня маленькая
просьба. У одной из наших с Димой родственниц
есть сын. Чудесный, красивый, интеллигентный,
достойный во всех отношениях парень. К тому же
без материальных проблем — квартира, машина,
собственный бизнес с великолепной перспективой.

Мыло попало мне в глаза, и я, стараясь не запи-
щать, начала горстями плескать в лицо воду.

— Дала ему твой телефон, — пропела Белка.

Я непроизвольно разинула рот, пена незамедлительно сползла на язык, стало горько.

— Он непременно позвонит, — не останавлива-
лась Изабелла Константиновна. — Мальчик хочет купить хороший костюм, сменить имидж. Мы с Димой
сказали ему, что у тебя лучший вкус в Москве, что
ты работаешь в фэшн-бизнесе. Ты меня слушаешь?

Пуская мыльные пузыри, я откликнулась:

— Очень внимательно, бабуля.

— Поможешь пареньку? Он замечательный человек.

— Конечно, — заверила я, — пусть звякнет.

— Белка, нам пора, — послышался на заднем фо-
не голос Барашкова, и бабуля, забыв попрощаться,
отсоединилась.

Я вытерла лицо полотенцем и, посмотрев в зеркало, скорчила рожу. Все понятно!

Настя действовала напролом, дипломат-то из
Поветкиной никакой. Поэтому она позвонила мне
с утра пораньше и высказалась в отношении Егора

вполне конкретно: Бочкин, по ее мнению, козел, баран и осел, а я овца, раз собралась за него замуж.

Белка же намного умнее и воспитаннее моей коллеги по работе. К тому же бабуля расчудесно знает, что если сказать мне: «Боже! Где ты откопала такого претендента на свою руку? Ведь полный же идиот!» — то я из простого человеческого упрямства прямо сегодня поставлю в паспорте штамп и стану мадам Бочкиной. На следующий день, конечно, горько пожалею о совершенной глупости, но, сцепив зубы, проживу с мужем пятьдесят пять лет и пять дней, чтобы доказать всем, что я беспредельно счастлива. Изабелла Константиновна знает, что я терпеть не могу, когда люди пытаются заставить меня поступать так, как хотят они. Да, на работе я идеальный сотрудник, быстро и четко выполняющий указания Романа Звягина и Франсуа, но лезть в свою личную жизнь не разрешу никому. Потому Белка и пошла на хитрость.

Она насторожилась и расстроилась, узнав о скоропалительной помолвке внучки, принялась пить успокаивающие капли. Барашков бросился утешать любимую жену, а потом небось обзвонил своих знакомых со словами: «Необходима помощь. Степа попала под влияние неподходящего мужчины, думайте, как нам расстроить ее предстоящее замужество. Они успели оттащить заявление в загс, надо поторопиться».

Я уже говорила, что не в восторге от супруга бабушки, но ради объективности следует отметить необычайно широкую душу режиссера. К близким родственникам он причисляет, например, четвертую жену пятого мужа племянницы своего троюродного брата. К слову сказать, все Барашковы таковы. Если ты, случайно проходя мимо, коснулась краешком платья руки девятого внука дедушки тети второй супруги Диминой бабушки от его седьмого отчима, то все, ты теперь родная навек. Тебя станут опекать, хвалить, ругать, воспитывать, никогда не бросят ни в беде, ни в радости и доведут заботой и вниманием до нервного припадка. Если с кем-то из гипертрофированно разветвленного клана Барашковых случается неприятность, все его члены перезваниваются, сплачиваются, выстраиваются боевой колонной и, размахивая копьями, идут спасать терпящего бедствие.

Что же в этом плохого, спросите вы? Ведь, наоборот, здорово, когда вокруг тебя много неравнодушных людей. Оно так, но в каждом мешке со вкусной и полезной гречневой крупой всегда лежит мышиная какашка. А в случае с Барашковыми какашка довольно большая. Семья мыслит коллективно, и если она пришла к мнению, что я выбрала неподходящего жениха, то ей плевать на мои чувства. «Надо уберечь девушку от глупости!» — думают все члены клана. Наверняка спешно созванный Димой семейный совет решил: «Степа взбрыкнет, если мы ей просто начнем капать на мозг. Клин клином вышибают, познакомим неразумную внучку Белки с хорошим парнем, и она бросит своего неандертальца». Вот по какой причине бабуля дала мой телефон прекрасному во всех отношениях кадру и спела песню про покупку для него костюма.

Ладно-ладно, если и коллеги, и Барашковы, и бабуля продолжат свои происки, мне в самом деле придется выйти замуж за Егора. Может, он и не столь противен?

Я схватила зубную пасту, попыталась отвинтить колпачок у тюбика, испытала прилив злости, вылетела из ванной и помчалась в комнату, где временно поселился Бочкин. Нет, связать свою судьбу с таким человеком, как Егор, невозможно! Он ужасен! Ну почему я согласилась на эту авантюру? Отчего пошла на поводу у Вадима Олеговича и Николая Михайловича?

Я пнула дверь спальни и закричала:

— Бочкин! Хватит дрыхнуть!

Глава 2

Гора одеял на кровати зашевелилась, показалась голова с всклокоченными волосами и лицом, украшенным огромными, черными разводами туши под глазами.

Я сунула Егору под нос тюбик.

— Это что?

— Зубная паста, — ответил тот и зевнул.

Меня подбросило на реактивной метле.

— Почему тюбик завернут внизу? Какого черта ты пропихнул содержимое наверх?

Бочкин сел, и мне неожиданно стало смешно. Интересно, где он раздобыл пижаму с принтами в виде разноцветных собачек? Неужели сам купил? Или это подарок девушки? Впрочем, сомневаюсь, что таковая у Егора имеется — мужчина, который носит красные носки, коричневые мокасины и синие джинсы, совершенно точно одинок. У него нет даже кошки, любую киску стошнит от вида хозяина.

— Доброе утро, — прохрипел Егор. — Чего ты раскипятилась?

Я попыталась говорить дружелюбно.

— Что ты сделал с зубной пастой?

Бочкин потер щеки ладонями.

— Ничего.

— Нет! — топнула я ногой. — Она так раньше не выглядела!

— В стакане стояло нечто пережмаканное, — пожал плечами женишок. — Ты, похоже, давишь пасту с середины тюбика, а надо сверху.

— Да ну? Окончил в университете факультет правильного использования содержимого банок, бутылок, тюбиков и прочего? — зашипела я. — Не смей наводить порядок в моей ванной, ничего там не трогай! Не хватай мои шампунь, гель, кондиционер, купи свои. И опускай круг унитаза. Кстати, подбери носок, который валяется у корзинки для белья. И не вздумай ею пользоваться!

— Куда же мне бросать грязное белье? — заморгал Бочкин.

— Не знаю. Развесь на кухне, на люстре самое подходящее место, — фыркнула я.

Егор приоткрыл рот, но я уже не могла остановиться:

— Почему ты похож на панду? Можешь не отвечать, сама вижу, что вчера не смыл с глаз тушь, подводку и тени. Я же тебя предупреждала о необходимости тщательно снимать на ночь макияж, дала кучу очищающих средств. И что? Значит, так! Сейчас я пойду в душ, через пятнадцать минут приду на кухню. Там уже должен сидеть ты — умытый, выбритый, с чистой головой и ласковой улыбкой, слегка пахнущий одеколоном. Слегка! Не выливай на себя литр парфюма!

— Где же мне помыться, если ты займешь ванную? — робко поинтересовался женишок.

Я пошла к двери.

— Выйди из квартиры на лестницу, спустись на один пролет, увидишь в стене дверь, за ней санузел. Отныне будешь пользоваться им. Я предупрежу Несси, она не станет возражать.

— Несси? — повторил парень. — Тут живет Лохнесское чудовище? И ты шутишь по поводу ванной между этажами?

— Я серьезна, как никогда, — ответила я. — Действуй, времени мало. Нам через час убегать.

— Кто такая... — начал Егор.

Но его дальнейшие слова заглушили грохот и счастливый собачий лай. Потом раздалось резкое «бум». Следом послышались лязганье, скрип и громкий голос Агнессы.

— Ну вы и разожрались! Этак я скоро авек ву[1] нишьт ин кабин путешествовать не смогу[2].

— Это что было? — прошептал Бочкин.

Я обернулась. Надо все-таки дать парню некоторые объяснения.

— Шумел лифт. Он находится на внешней стороне здания. В доме две квартиры. Внизу живут Агнесса Эдуардовна, ее сын Николай, внук Василий, которого все зовут Базиль, и собака Марта. Здание построено очень давно не совсем нормальным родственником Несси. Как я заполучила тут жилье, не

---

[1] С вами — испорченный французский.

[2] В кабине путешествовать не смогу — до невозможности исковерканный немецкий.

важно[1]. Особняк — памятник архитектуры, и он очень странный. Душевая на общей лестнице не самый большой его прикол.

Я перевела дух. Рассказать Егору, что в моей квартире есть тайный ход, пройдя по которому можно оказаться довольно далеко от дома? Нет, незачем Бочкину это знать.

Снова раздались грохот, лай, лязг, скрип...

— За фигом собака в лифте катается? — протянул Егор.

— Неужели не понятно? Она выходит пописать. Несси тоже пользуется, как она говорит, ассансером[2], остальные ходят пешком.

— Женщине неприлично ругаться, — неожиданно сказал Бочкин. — Понимаю, почему твоя соседка подъемник асесором называет, в нем псина на прогулку едет, но слово не очень-то хорошее.

— Бочкин, ты каким иностранным языком владеешь? — хихикнула я.

— Английским. Читаю со словарем, — похвастался суженый.

Мое раздражение неожиданно испарилось.

— И что вы со словарем больше всего любите? Пьесы Шекспира в оригинале или текст «Моя комната»? В отличие от тебя Несси в детстве активно вдалбливали в голову два языка — немецкий и французский. И теперь она изъясняется особым, лично

---

[1] История, как Степанида стала собственницей апартаментов, рассказана в книге Дарьи Донцовой «Княжна с тараканами», издательство «Эксмо».

[2] А с с а н с е р — лифт, испорченный французский. (*Прим. автора.*)

ею изобретенным суржиком. Родители хотели как лучше, а получилось странно. Все, времени нет, я побежала в ванную. А тебе вниз по лестнице.

Встав под душ, я закрыла глаза и начала себя уговаривать. Степа, Егор ни в чем не виноват, он такой, какой есть. Бочкин не умеет одеваться, говорит глупости, плохо воспитан и похож на полного идиота. Остается удивляться, почему умный и серьезный Николай Михайлович Дергачев выбрал для выполнения задания именно этого парня. Человека, менее подходящего на роль эпатажного модельера, чем Егор, не сыскать. И странно, что Вадим Олегович Панов, заместитель начальника отдела, тоже посчитал Бочкина идеальной кандидатурой для столь непростой работы. Может, они видят в туповатом полицейском то, чего не замечаю я? Хотя я умная девочка и, спасибо Белке, никогда не ем котлету ложкой. Не то что некоторые... Представляете, вчера мы с женихом пошли в ресторан, и я там чуть не сгорела со стыда, когда он решил расковырять бифштекс столовым прибором, которым следует есть суп. На мое тихое замечание: «Возьми вилку», — последовал ответ: «Какая разница, чем хавку до рта нести?»

Я выключила душ, схватила полотенце. Нет, Степанида, ты совсем не умна. Мыслящая девушка никогда не наступит дважды на одни грабли... Ладно, сейчас попытаюсь вкратце объяснить вам происходящее.

Некоторое время назад я познакомилась со следователем Игорем Сергеевичем Якименко. Не стану рассказывать, где нас столкнула судьба, скажу лишь, что очень благодарна Игорю и его подчиненному Михаилу Невзорову. Потом Якименко попросил меня о помощи — ему потребовалось внедрить Михаила в театр «Небеса», где я тогда гримировала артистов (как и почему ведущий визажист фирмы «Бак» очутилась за кулисами, объяснять здесь не стану[1], это вам не интересно). Следователь решил, что лучше всего объявить Михаила моим женихом, по профессии стилистом. И я, желая отплатить им за все хорошее, что они для меня сделали, согласилась. Никто не намекнул мне: «Дорогая, некоторые поступки могут иметь непредсказуемые последствия, и прежде чем произносить «да», хорошенько подумай». А мой ангел-хранитель, похоже, ушел в тот момент в отпуск.

История с театром «Небеса» закончилась так плохо, что я стараюсь о ней никогда не вспоминать. А те самые «непредсказуемые последствия» не заставили себя ждать.

Игорь Якименко рассказал обо мне своим приятелям, тоже следователям, и... И я поняла, что влипла в новую передрягу, когда не так давно, войдя в кабинет своего шефа Романа Звягина, увидела двух мужчин в строгих костюмах и услышала от них:

— Нам нужна ваша помощь.

На сей раз «нет» я выпалила сразу. Но Вадим Олегович с Николаем Михайловичем притворились глухими и начали вводить меня в курс дела. Попробую передать вам услышанную от них историю.

В прошлом году в одно из отделений полиции поступило заявление о пропаже Жанны Сергеевны Львовой. Женщина владела разветвленной сетью

---

[1] Эту историю читайте в книге Дарьи Донцовой «Укротитель медузы Горгоны», издательство «Эксмо».

косметических салонов, постоянно расширяла бизнес, много работала, отличалась крайней пунктуальностью, никогда не болела, не опаздывала на совещания, не баловалась алкоголем, не бегала по мужикам. Личной жизни у Жанны не было, она являлась типичным представителем племени трудоголиков. Поэтому, когда Львова в пятницу вдруг не появилась на службе, окружающие сразу забеспокоились и забили тревогу. У Жанны много высокопоставленных клиентов, которые прекрасно относились к ней, они-то и надавили на полицейское начальство, и Львову стали искать сразу.

Дело поручили не особо талантливому, но исполнительному Геннадию Петровичу Малкину, а тот действовал по отработанной схеме. Памятуя, что в пропаже людей очень часто заинтересованы их ближайшие родственники, следователь решил опросить семью Львовой, но не смог исполнить задуманное по простой причине: Жанна давно похоронила отца с матерью, не имела ни братьев, ни сестер, замуж никогда не выходила, близких подруг не заводила, а о ее любовниках никто не слышал.

Львова прекрасно зарабатывала, но Геннадий Петрович, войдя в ее квартиру, здорово удивился — успешная бизнесвумен жила в типовой «двушке» с небольшой кухней. Когда-то эти вовсе не роскошные хоромы получил ее отец, мастер одного из московских заводов. После кончины родителей Жанна не улетела из гнезда, а просто сделала ремонт, причем далеко не шикарный, и оставила мебель, которую приобрели когда-то родители.

В древнем трехстворчатом гардеробе болталась на вешалках одежда, стояла обувь, однако следователь не увидел изделий от мировых брендов, модных туфель и дорогих сумок. Львова любила джинсы, серые свитера, простые футболки. У нее имелся всего один выходной туалет, так называемое маленькое черное платье, и было видно, что надевала она его нечасто. В допотопном советском холодильнике лежали самые простые продукты российского производства, а в ванной обнаружились две банки с кремом, мыло и бутылочка шампуня. Единственным предметом роскоши, которым владела Львова, можно было бы считать автомобиль. Но машина была крохотной малолитражкой корейского производства, более подходящей людям с небольшим достатком.

Сначала Малкин решил, что Жанна патологическая скряга, одна из тех, кто не способен тратить деньги даже на себя любимую. Но потом просмотрел ее банковские счета и понял: она неоднократно переводила большие суммы денег разным медицинским центрам, оплачивала операции тяжелобольным детям, кому в России не могли помочь, а потом щедро спонсировала их родителей. Львова оказалась удивительно милосердной дамой, она почти все заработанное отдавала нуждающимся и не кричала на каждом перекрестке о своей благотворительности. Никто из ее подчиненных понятия не имел, что шефиня спасает малышей.

И, кстати, служащие считали Львову идеальной начальницей, совсем не жадным, даже щедрым человеком. В генеральном офисе и в салонах царили удивительные для сегодняшнего дня порядки: все работники получали двадцатичетырехдневный отпуск, тринадцатую зарплату, оплаченный бюллетень, талоны на обед. Неудивительно, что косметологи и стилисты, разговаривая с полицией, в один голос твердили: «Скорее найдите Жанночку. Ее не могли похитить, она никому зла не делала, поищите в больницах, может, Львовой на улице плохо стало, лежит сейчас в палате без сознания, имени своего назвать не может».

Но подчиненные Малкина уже проверили клиники с моргами и знали: Жанны там нет.

Глава 3

Бизнесвумен не пришла на работу в пятницу, а в понедельник строители, которые планово разрушали одну из выселенных пятиэтажек, нашли в здании тело женщины. Убитую опознали, ею оказалась Жанна Львова. Перед смертью беднягу не мучили. Ее посадили на стул посреди комнаты, привязали и сделали укол лекарства, передозировка которого вызывает остановку сердца. Тот, кто совершил убийство, даже не пытался замаскировать его под случайную смерть от инфаркта или суицид. Наоборот, на несчастной словно табличка висела: «Это убийство».

В комнате, где обнаружили труп, остались от уехавших жильцов письменный стол со свежей вмятиной в центре столешницы и несколько стульев, на окнах висели темно-красные занавески. Мебель была не новой, а вот шторы, похоже, купили недавно. Можно только удивиться тому, что люди бросили столь хорошую вещь.

И тут следователь Малкин вспомнил, как пару лет назад сам перебирался в купленные хоромы и отчаянно поругался с женой — она категорически отказывалась забирать из коммуналки два книжных шкафа. Геннадий Петрович объяснил Люсе, что у них сейчас не очень хорошо с деньгами, и попросил: пусть книги постоят временно на старых полках. Но жена уперлась. А потом заплакала.

— Не хочу вносить в новую жизнь рухлядь. Лучше пускай библиотека пока на полу поживет. А то, если втащим старые «дрова» в новую гостиную, боюсь, они с нами навсегда останутся.

Малкин был почти стопроцентно уверен, что хозяйка предназначенной на уничтожение квартиры, как и его Люся, решила «не вносить в новую жизнь рухлядь». Но, будучи опытным профессионалом, попросил экспертов как следует осмотреть все вокруг, изучил их отчет и призадумался.

Криминалисты утверждали, что раньше в комнате ни стола, ни стульев не было. На полу обнаружились следы от кровати, тумбочки, кресла и большого гардероба. Занавески оказались совершенно новыми. И они не висели на карнизе — их прибили гвоздями к стене над рамой. След на столешнице был недавний, скорей всего, его оставил некий круглый деревянный, покрытый темным лаком предмет. Им яростно стучали по поверхности, так сильно, что отлетело несколько микрощепочек. За спинку стула, придвинутого к столу, зацепилось несколько скрученных колечками искусственных волосков серожелтого цвета. Вероятно, от какой-то накидки.

Геннадий Петрович отыскал семью, которая выезжала из хрущевки, и узнал, что эксперты не ошиблись. Помещение, где нашли труп, служило спальней пожилой женщине, там стояли железная кровать, тумбочка, шифоньер и кресло. Бабушка не пожелала расстаться с привычной обстановкой, всю ее мебель перетащили на новую квартиру. Стол у хозяев был только на кухне. Во второй комнате спали сын пенсионерки с женой и их маленький сын. Бордовые занавески на окно семья не вешала. Но даже если бы и решили это сделать, никогда бы не стали прибивать их к стене. Получалось, что преступник перед тем, как убил Жанну, решил навести в помещении некое подобие уюта. Зачем? Ответа на этот вопрос Малкин не нашел.

Дело тихо превратилось в висяк. Никаких свидетелей, видевших, как Жанну ведут в выселенное здание, не отыскали, вокруг дома стояли такие же пустые пятиэтажки. Ткань занавесок была родом из Китая, стоила недорого, продавалась повсюду, пользовалась спросом. Мебель произвели в России, ею торговали в магазинах, коих только в столице было двенадцать. Письменный стол и стулья являлись ходовым товаром, их производили в больших количествах, а почти на всех строительных рынках есть комиссионные лавки, где можно за смешные деньги приобрести подержанные кровати, диваны, столы и прочие предметы обстановки. Скорее всего, в одной из таких торговых точек и отоварился преступник. В подобных магазинчиках всегда толпится уйма народа, многие расплачиваются наличными, а потом сами увозят приобретенное: за транспортировку надо заплатить, а тот, кто едет в комиссионку за мебелью, экономит каждый рубль. У стола можно легко открутить ножки, стулья не столь велики, убийца мог спокойно запихнуть все в легковой автомобиль. Понимаете, почему напасть на след киллера не удалось?

Хоронили Львову подчиненные. В бумагах покойной они нашли завещание, она оставила квартиру и бизнес своей подруге Оле Бирюковой, матери пятерых детей.

Папки с делом переместили в архив. Геннадий Петрович занялся другой работой, но, странное дело, Львова никак не шла у него из головы, следователь нет-нет да и вспоминал о ней.

Не так давно Малкин решил пойти с женой в кино. Люся выбрала какой-то нудный, тягомотный английский фильм, и супруг не слишком внимательно наблюдал за приключениями главной героини, которую обвиняли в не совершенном ею убийстве. А потом задремал. Но был разбужен Люсей — та схватила мужа за руку.

— А? Чего? — заморгал спросонок следователь.

— Очнись, — зашептала Люся, — самое интересное пропустишь — Мэри судят. Один раз в кино выбрались, а ты дрыхнешь!

Геннадий Петрович послушно уставился на экран и увидел толстого мужика в мантии, со смешным, завитым трубочками, седым париком на голове. Тот поднял деревянный молоток, стукнул им по столу, за которым восседал, и объявил:

— Да будет так.

У Малкина по спине побежал озноб: вмятина на столешнице, стулья, бордовые занавески. Это же...

— Суд! — неожиданно громко произнес следователь. — Ей зачитывали приговор!

По окончании сеанса жена устроила ему скандал. А Малкин, пропустив все ее упреки мимо ушей, едва дождался утра. Поехал он к Вадиму Олеговичу, своему хорошему знакомому, который занимался особо опасными преступлениями, — чтобы посоветоваться по поводу дела Львовой, сданного в архив.

Тот, услышав его рассказ, позвал своего начальника Николая Михайловича, а потом со словами: «Вовремя ты, Гена, появился», достал из сейфа папку.

Оказалось, что недавно в предназначенной на снос пятиэтажке строители обнаружили тело Валерия Яковлевича Сизова, бывшего военного, некогда воевавшего в Афганистане и получившего орден за совершенный во время боевых действий подвиг. Он был инвалидом, в последнем бою потерял ногу. Жил с дочерью Катей и маленьким внуком Андрюшей (жена к тому времени скончалась). Комната, в которой обнаружили труп Сизова, была слегка облагорожена — там находились письменный стол с вмятиной посередине, стулья, красные занавески, прибитые гвоздями к раме... Правда, знакомый интерьер?

Валерий Яковлевич не работал, получал пенсию, Катя служила в бухгалтерии, Андрюша ходил в садик. Семья жила довольно бедно. Ничего плохого о Сизовых соседи не сообщили, наоборот, в один голос повторяли:

— Валерий был героем, в советское время о нем в газетах писали и по радио говорили.

Какой конкретно подвиг совершил Сизов, никто не знал, но все пребывали в уверенности: он мужественный человек. И возмущались:

— Когда государство потребовало, Валера воевать пошел. А потом власть переменилась, и Сизов оказался никому не нужен, ему платили копейки. Герой не мог себе даже лишнюю бутылку кефира позволить.

Естественно, Вадим Олегович решил пообщаться с Катей. Однако дочери убитого дома не было, а из бухгалтерии она уволилась примерно за неделю до гибели отца. Тихая, неприметная Екатерина не имела на службе подруг. Начальнице Сизова сказала, что выходит замуж, уезжает жить к супругу в Питер, и очень просила не заставлять ее отрабатывать положенное по закону время. Заведующая пошла навстречу сотруднице и рассчитала ее. За день до исчезновения Екатерина Валерьевна позвонила в садик и сообщила воспитательнице Ирине Павловне:

— Андрюша приболел. Ничего особенного, насморк и кашель, дней через десять вернется в группу.

— Что-то он у вас постоянно хворает, — заметила Ирина. — Понедельник, вторник ходит, потом две недели отсутствует.

— Иммунитет у ребенка слабый, — вздохнула мать.

На том разговор и завершился.

То, что Катя исчезла, никого не взволновало. Бывшие коллеги полагали, что Сизова перебралась к мужу, а в садике не встревожились из-за отсутствия воспитанника. Определить, когда, куда и почему уехали женщина с малышом, не представлялось возможным: с соседями Екатерина не общалась, о своих планах им не рассказывала, билетов на поезд-самолет-автобус не покупала — она словно растворилась в воздухе.

Вадим Олегович, зайдя в квартиру Сизовых, обнаружил там почти стерильную чистоту. Все вещи не просто лежали на местах — интерьер напоминал солдатскую казарму, где верховодит крайне придирчивый сержант. В шкафу высились идеально ровные стопки белья, кружки на кухне смотрели ручками в одну сторону, полотенца в ванной висели по линеечке, а продукты в холодильнике стояли, как солдаты на плацу. Следователь, имевший кроме юридического еще и психологическое образование, хорошо знал, что патологическая аккуратность часто присуща садистам, социопатам или людям, лечившимся в психиатрических клиниках. Не совсем здорового душевно человека врачи обязательно приучают поддерживать порядок в палате, что дисциплинирует больного. К сожалению, многие из бывших пациентов, очутившись на свободе, перестают принимать предписанные медиками лекарства, а вот аккуратность демонстрируют по-прежнему, им от этого делается спокойнее.

Вадим Олегович и Николай Михайлович поняли, что в семье Сизовых не все было хорошо, и тут появился Малкин со своим рассказом про суд.

— Похоже, у нас ангел-мститель? — спросил Панов.

— Вероятно, — кивнул Дергачев.

— Это кто такой? — не понял Геннадий Петрович.

— Особый вид серийного маньяка. Он защищает обиженных, — пояснил Вадим Олегович. — Ну, например, убивает родителей-наркоманов, которые издеваются над своими детьми.

— Я бы их сам придушил, — мрачно буркнул Малкин.

— Понятное желание, — согласился Дергачев. — Но понимаешь, наш «ангел-мститель» может посчитать за обиду подзатыльник, который любящая мать в сердцах отпустила своему сыну, в очередной раз получившему двойку. Или убийца нацелится на учителя, который пишет ученикам замечания в дневник, на врача, сделавшего маленькому пациенту серьезную операцию.

— «Ангелы» встречаются разные, — уточнил Вадим Олегович. — Например, так называемые герои. Они часто работают пожарными, сотрудниками МЧС, то есть по долгу службы обязаны спасать людей из огня или вытаскивать из-под завалов.

— Что плохого в спасении пострадавших? — удивился Геннадий Петрович.

— Если огонь вспыхнул от неисправной электропроводки, а дом рухнул во время землетрясения, то ничего, — пожал плечами Панов. — А вот когда человек поджигает школу, чтобы потом на глазах у людей кинуться внутрь здания и вывести детей, то это «ангел-герой».

— Медсестра, которая сидит у постели умирающего и читает ему вслух книгу, чтобы немного отвлечь несчастного от тяжелых мыслей, прекрасный, милосердный человек, — продолжил Дергачев. — Но если она вводит больному смертельную дозу морфия, решив, что пациента нужно избавить от страданий, то она «ангел смерти». Вот недавно в одном крупном медцентре вычислили одну такую, отправившую к праотцам десять человек, попавших под ее опеку после оперативного вмешательства. Все выздоравливали, ничего критичного в их состоянии не наблюдалось, а красавица прикончила бедолаг, посчитав, что те невыносимо страдают.

— Она же сумасшедшая, — удивился Геннадий Петрович. — Как ей разрешили работать?

— Все «ангелы» производят на окружающих самое положительное впечатление, — стал растолковывать Панов. — Это, как правило, скромные люди, хорошие работники, слегка замкнутые, часто без семьи. Всякий раз при аресте «ангела» можно услышать от его коллег и знакомых: «Вы ошибаетесь! N прекрасный человек, любит детей, животных, готов всем помочь, совсем не жадный». И наши случаи очень уж похожи на действия мстителя — он старается оборудовать место казни как зал заседания суда. Волоски, найденные на спинке стула на месте убийства Львовой, вероятно, от парика, а вмятина на столе действительно от удара молотком. Преступник — судья и палач в одном лице.

— И он определенно мужчина, — сделал поспешный вывод Малкин.

— Статистика показывает, что среди «ангелов» примерно поровну лиц как слабого, так и сильного пола, — терпеливо пояснил Николай Михайлович. — Теперь нам надо понять, что связывает Сизова и Львову. По какой причине «ангел-мститель» решил именно их осудить на смерть? И необходимо найти Катю с сыном. Куда могли запропаститься молодая женщина и мальчик? Вероятно, дочь Валерия Яковлевича расскажет нечто интересное.

Глава 4

Вадим Олегович решил сам осмотреть квартиру Львовой. Он соединился с Олей Бирюковой, наследницей, и спросил:

— Вы, наверное, сделали ремонт? Никаких вещей Жанны уже не осталось?

— Нет, — после небольшой паузы ответила Ольга, — я пока ничего не трогала. В жилье все осталось по-старому.

Панов обрадовался.

— Разрешите побывать в доме? Откроете нам дверь?

— Ну... ладно, — без особой радости согласилась Бирюкова. — А что вам там надо?

— Нужно прояснить некоторые детали, — обтекаемо ответил Вадим Олегович.

Переступив порог квартиры, Панов сразу понял: наследница не заглядывала в «двушку», тут все осталось так, как было в день исчезновения хозяйки. В деревянном коробе обнаружился сгнивший хлеб, в холодильнике стоял вроде бы совершенно свежий по виду йогурт, чей срок годности истек больше года назад. Следователь посмотрел на баночку и решил, что больше никогда не купит ничего произведенного фирмой, выпустившей «бессмертный» молочный продукт.

На подоконнике в кухне среди бесплатных газет, которые распихивают по почтовым ящикам, Панов обнаружил конверт без каких-либо надписей из белой бумаги, приятной на ощупь. Внутри лежал рисунок. Вернее, следователю сначала показалось, что перед ним обычная открытка, но, рассмотрев ее внимательно, он понял, что держит в руках небольшую, размером с ладонь, картину. На ней была изображена комната с окном, прикрытым роскошной красной бархатной шторой. В центре помещения на скамье сидела женщина, одетая в длинное платье с пышной юбкой. Вадим Олегович плохо разбирается в истории моды, но ему подумалось, что такой наряд могли носить в восемнадцатом веке. Руки дамы были привязаны к стулу, талию тоже обвивала грубая веревка. В левом углу композиции находился стол со стопой фолиантов в кожаных переплетах. За ним сидел судья в мантии, в седом парике, с деревянным молотком в руке. Лицо его было размытым, неясным. А вот дама очень походила на... Львову. Кроме нее и представителя судебной власти, художник нарисовал нескольких детей, стоящих на коленях. За каждым ребенком маячила фигура взрослого, у всех вместо лиц были серые пятна. Возле стула дамы с одной стороны громоздились мешки, из коих высыпались деньги, а с другой располагалась огромная мышеловка, где находились женщина и маленькая девочка, судя по всему — мать и дочь.

Панов незамедлительно соединился с Геннадием Петровичем, описал ему находку и поинтересовался:

— Как ты мог не обратить внимания на столь важную улику?

— Да вроде там ничего такого не было, — забубнил Малкин.

— Ты не понял, что живописец изобразил сцену суда над Львовой? — вскипел Панов.

— Не помню никаких картинок, — признался Геннадий Петрович.

Вадим Олегович поднял материалы дела Львовой и прочитал в них, что в момент проведения обыска на подоконнике в кухне лежала гора разных вещей: лекарства от головной боли, градусник, три детектива Милады Смоляковой, жестяная коробочка с леденцами, пульт от телевизора и конверт, внутри которого находилась открытка без текста, кипа рекламы, газеты. Итак, Малкин допустил оплошность. Похоже, он все-таки видел сделанный на плотной бумаге рисунок, но, не обнаружив на нем никакого письменного сообщения, запихнул его назад, не рассмотрев как следует, принял за обычную почтовую карточку.

Панов отдал находку экспертам, попросил выжать из нее как можно больше информации. А затем позвонил Бирюковой, договорился о встрече и задал ей прямой вопрос:

— Почему вы не хотите пользоваться полученным наследством?

— Просто времени нет, — забормотала Бирюкова, — руки никак не доходят до квартиры Жанны.

— Вы с мужем и пятью детьми ютитесь в тесной «трешке», давно стоите в очереди на новое жилье, но государство не спешит вам его дать. Наверное, трудно всемером ютиться на столь малом пятачке, скученность провоцирует семейные скандалы, — вздохнул Панов.

— Да уж, нелегко. И ссоры бывают, — согласилась Ольга. — У сыновей большая разница в возрасте — Юре пять, Леше десять, Сереже шестнадцать, мальчикам неудобно жить в общей спальне. Да и Соня с Наташей иногда ругаются.

— Странно, что вы по-прежнему живете на старом месте, — протянул Панов. — Вы же давно могли продать свою квартиру и ту, что принадлежала Жанне, купить просторные апартаменты. Но отчего-то не сделали этого. Почему? Если причина вашего нежелания воспользоваться наследством как-то связана со Львовой, мне необходимо ее знать. Вы же не хотите, чтобы преступник, лишивший жизни прекрасную милосердную женщину, остался на свободе?

Бирюкова неожиданно заплакала и прошептала:

— Ладно, я расскажу. Но мы с Сережей ее не убивали! Честное слово! Мы не способны на пре-

ступление. Только Жанна вовсе не такая, какой вы
ее считаете. Она была вампиром, высасывала из нас
жизнь, поставила на колени и ребят, и меня с мужем. Незадолго до смерти Львовой моя Сонюшка
сказала: «Лучше бы я умерла, из-за меня все муча-
ются». Представляете, какие мысли в голову дочери
залетели? Я ненавидела Львову, но старательно ей
в пол кланялась. Потому что знала: Соня погибнет,
если Жанна от нас отвернется. Вот Воробьева не выдержала. Так, думаете, Львова их пожалела? Хренуш-
ки! Помню, я в гости к вампирше впервые пришла,
и в тот момент к ней Зина Воробьева буквально на
коленях вползла, головой о пол биться начала...

— Жанночка Сергеевна, золотце, извините Хри-
ста ради! Не права я была, вы для нас столько сделали, а я черную неблагодарность проявила! Простите
меня! — умоляла женщина.

Львова бросилась к ней, подняла с коленей, под-
держивая под руку. Потом обняла, поцеловала и сказала:

— Ну что вы, Зинаида Егоровна, разве можно так?
Успокойтесь, я не держу на вас зла. Да что такого
страшного вы совершили? Ничего особенного. Просто расхотели со мной общаться. Это ваше право,
значит, я вам надоела. Бывает.

Зина аж затряслась.

— Вы меня простили? Снова Егорушке поможете?

А Жанна в ответ:

— Сказала уже, я никогда не злилась на вас. Как
Егор? Надеюсь, он окончательно выздоровел?

— Лекарство купить не можем, — всхлипнула Зинаида, — а без таблеток сынишке совсем плохо. Тот
препарат, что бесплатно дают, на него не действует,

а на покупку зоофрила[1] средств нет. Вы же в курсе, как мы живем: я за сыном ухаживаю, не работаю, у мужа двадцать две тысячи оклад. Не бросайте нас, мы все поняли, готовы для вас что угодно сделать!

— И рада бы оказать вам поддержку, — нежно пропела Львова, — да не могу. Когда вы со мной порвали отношения, я взяла под крыло другого ребенка, доченьку Оли. Средства у меня ограничены. Увы-увы, мое имя не стоит на первых позициях в списке «Форбс». Поверьте, тогда бы я всем приобрела медикаменты. Но вы упустили свой шанс, я теперь поддерживаю Сонечку, очень благодарную девочку с прекрасными, нежно любящими меня родителями.

— Егорка без вашей помощи умрет, — прошептала Зина. — Неужели у вас хватит совести мальчика на тот свет отправить?

Жанна Сергеевна заморгала.

— Вы меня упрекаете? За что? Я оплатила Егору операцию в Германии и ваше пребывание вместе с сыном за границей. Кормила-поила вас, покупала подарки, сделала ремонт в квартире, чтобы мальчик не дышал пылью, приобрела новую мебель... И ничего взамен не просила. Помогала совершенно бескорыстно. И как вы на это отреагировали? Полгода назад приехали сюда, заявили: «Хватит, сыты по горло вашей благотворительностью, оставьте нас в покое». Вы произнесли эти слова или я сейчас выдумываю?

— Да, — прошептала Зинаида, — я так высказалась.

— И что мне следовало делать? — развела руками Львова. — Несколько раз я звонила вам, а вы труб-

---

[1] Лекарства с таким названием не существует.

ку не снимали. Не могла же я неблагодарных людей у подъезда ловить, просить: «Примите денежки Егорушке на таблетки». Сами оттолкнули дающую руку, и я взяла шефство над другим ребенком. А теперь вновь заводите речь о милосердной помощи. Но у меня нынче есть Сонечка, двоих патронировать я не смогу. Предлагаете бросить Софью и опять заняться Егором? Я должна обречь на смерть девочку Ольги ради спасения вашего мальчика?

— Вы чудовище! — закричала Зина. — Мерзкий монстр, подпитывающийся чужой бедой! Расцветаете от нашего горя!

— Вот и договорились, — кивнула Жанна. — Не испытываете добрых чувств ко мне? И не надо. Оленька, проводи Зинаиду Егоровну, она уходит.

Бирюкова довела гостью до двери. Стоя уже на пороге, Воробьева схватила ее за руку, прошептала:

— Давно тебя эта акула приголубила?

— Ступайте прочь! — возмутилась Ольга. — Не смейте про Жанну Сергеевну гадости говорить. Она святой человек, а вы, похоже, неблагодарная сволочь.

Зинаида мрачно усмехнулась.

— Ну-ну, значит, ты с ней только-только познакомилась. Через пару месяцев поймешь, с кем связалась. Попала в капкан, теперь не вздумай побег замыслить. Видишь, что с нами вышло? Ох, не жить Егорке из-за моей несдержанности. А ты терпи ради дочери, дай тебе бог сил...

Бирюкова примолкла.

— Пока ничего ужасного я не вижу, — нарушил тишину Панов. — Львова зарабатывала хорошие деньги, большую часть из них отдавала больным детям, но, вероятно, ей не по карману было помогать двум малышам одновременно. Если Зинаида нахамила Жанне Сергеевне, та имела полное право обидеться.

Оля подняла руку.

— Ага, сверху да издалека все так и выглядит. И я, когда Зинаида ушла, очень ее осудила, сказала Жанне: «Встречаются же такие гадкие люди. Делаете им добро, а в ответ комья грязи летят». Но потом, как и предсказывала Зина, глаза у меня открылись. Слушайте, что Львова с нами сделала. Начиналось-то все замечательно, я ей руки целовать была готова, ноги мыть и воду пить...

Глава 5

Когда у маленькой Сонечки обнаружили тяжелое заболевание, которое очень плохо лечится в России, но вполне успешно могут победить в Германии, Бирюковы сначала впали в панику. Потом кинулись в разные фонды, обратились в газеты, создали сайт в Интернете в надежде на человеческую доброту. Но особой материальной помощи семья не получила. Деньги на счет ребенка поступали, вот только очень медленно, а врачи постоянно твердили испуганным родителям:

— Времени мало, продавайте квартиру и везите девочку в Мюнхен.

А у Бирюковых, кроме Сони, еще четверо детей, нельзя же лишить их жилья. Положение казалось безвыходным, и тут Ольге позвонила Львова.

— Вам сумму на лечение в евро переводить? — спокойно, совсем буднично спросила женщина.

— Да, пожалуйста, — ответила Оля. — Сколько сможете, будем вам очень благодарны.

— Я полностью оплачу все расходы, — уточнила Жанна.

Несчастной матери показалось, что она ослышалась.

— Простите, что вы сделаете?

— Полностью оплачу все ваши расходы, — повторила бизнесвумен.

Дальнейшее напоминало сказку: Львова действительно дала деньги, Соню удачно прооперировали. Причем владелица SPA-салонов не оставила Бирюковых, полностью взяла их на содержание — покупала необходимое девочке очень дорогое лекарство, снабжала семью продуктами, за свой счет отправляла больную с мамой в Мюнхен на консультацию с врачом раз в три месяца. Понимаете, как родители относились к благодетельнице?

А потом Жанна сказала:

— У меня двадцать девятого сентября день рождения, самый грустный праздник в году.

— Почему? — удивилась Оля. — Надо позвать друзей.

— Ни с кем, кроме вас, я не общаюсь, — тихо пояснила Львова. — Я очень одинокий человек.

И Бирюкова устроила для спасительницы торжество. Дети выучили стихи, Ольга накрыла стол, а отец купил подарок. Когда Жанна вошла в квартиру, все зааплодировали, запели песню и целый вечер хвалили Львову, поднимали тосты за ее здоровье, говорили о своей любви и благодарности к ней. А маленькая Соня обращалась к благодетельнице не иначе как «мама Жанна». Отличный получился праздник.

Спустя сутки Львова позвонила вновь. Высказала благодарность за поздравления и заметила:

— Первого октября у меня день ангела.

Оля снова затеяла веселье.

Через неделю у Жанны была годовщина создания фирмы, и она отмечала ее не с подчиненными, а с Бирюковыми. Затем Львова пожаловалась на депрессию, которая всегда начинается у нее в ноябре, когда умерла ее мать, тогда семья организовала что-то вроде поминок...

Медленно, но верно жизнь Бирюковых превратилась в проведение постоянных вечеринок для спасительницы Сонечки. И дети, и Сергей, и сама Оля были заняты по уши. Два-три, а то и четыре раза в неделю они выпускали специальную стенгазету, разучивали стихи-песни, готовили угощение, покупали подарок, а затем на все голоса нахваливали Жанну Сергеевну за ум, красоту, милосердие, клялись ей в любви, присягали на верность, падали ниц. Ольга устала от череды праздников, ей надоело славить Львову. А еще категорически не нравилось, что все ее дети, которых бизнесвумен заваливала подарками — купила им крутые мобильники, ноутбуки, обещала оплатить их учебу за границей, стали звать ее «мамой Жанной».

Бирюкову нельзя назвать неблагодарным человеком, она прекрасно понимала, что делает для их семьи Львова, поэтому всегда старательно готовила очередное пиршество. Но ей хотелось побыть с мужем и ребятами в своем доме наедине, без благодетельницы. А тут еще старшие девочка с мальчиком начали проситься переночевать у Львовой... Ольге стало казаться, что Жанна Сергеевна потихоньку отнимает у нее детей, разрушает их семью. Милосердная дама представлялась многодетной матери похожей на плющ, обвивающий каменную стену дома, — он, конечно, придает зданию внешнюю красоту, но расшатывает «усами» кирпичную кладку.

В конце концов Оля решила слегка остудить отношения и сказала Львовой:

— На зимние каникулы нас пригласила в гости моя подруга из Киева.

— Вот здорово! — обрадовалась Жанна. — Когда летим? Или едем на машине? Хочется полюбоваться на один из самых красивых городов мира.

— Мы уедем на десять дней, — уточнила Бирюкова.

— Без меня? — сообразила бизнесвумен.

— Простите, — соврала Ольга, — но у приятельницы крохотная квартирка, там с трудом мы-то поместимся. Вы не обидитесь?

— Конечно, нет, — засмеялась Жанна. — Ненавижу скученность.

Бирюковы отключили телефоны, приказали детям не говорить «маме Жанне», что они не покидали Москву, и провели праздники в полном восторге в свое удовольствие, без посторонних.

На одиннадцатый день Оля звякнула Львовой и сообщила:

— Мы тут!

— Отлично, — вяло ответила благодетельница. — Хорошо повеселились?

— Ой, какое там! Оказывается, приятельнице требовалось помочь с ремонтом, мы клеили обои, циклевали паркет, — изобретательно солгала Бирюкова. — Устали, измучились. Вы к нам приедете?

— На этой неделе вряд ли, дел по горло, — сухо заметила Жанна и отсоединилась.

Тринадцатого января на счет Бирюковых должны были упасть деньги на лекарство для Сони, но сумма не пришла. И тут Оленька вспомнила визит Зины, ее слова: «Не жить Егорке из-за моей несдержанности». Бирюкова перепугалась до полусмерти и вместе с детьми и мужем помчалась к Львовой.

Увидев компанию в разноцветных шапочках, с цветами-подарками в руках и узнав, что Бирюковы в полном составе явились к ней домой, дабы отпраздновать Старый новый год, Жанна криво улыбнулась.

Всю ночь гости хвалили хозяйку, танцевали вприсядку, целовали-обнимали «мамулечку», и в конце концов Львова оттаяла.

Деньги на лекарство пришли, Оля перевела дух и поклялась себе никогда более не пытаться прервать череду праздников.

С того дня Бирюковы стали личными скоморохами бизнесвумен. Жанна оказалась эмоционально ненасытной, развлекать ее требовалось постоянно. Обращаться к благодетельнице иначе как «наша любимая мамочка» запрещалось. Утро Бирюковой начиналось со звонка в дом Львовой. Оля спрашивала:

— Как спалось нашей любимой мамочке?

— Ничего, вот только спина побаливает, — капризно сообщала Жанна.

— Боже! Дети, Сережа, нашей любимой мамочке плохо! — кричала Ольга. И обещала собеседнице: — Сейчас приедем к тебе, сделаем массаж, сварим куриный бульон.

— Нет, я убегаю на работу, — останавливала ее порыв Львова. — Сама к вам вечером загляну.

Жизнь Бирюковых превратилась в постоянное прислуживание той, от кого зависела жизнь Сони. Сергей делал в квартире Львовой мелкий ремонт, мыл-заправлял ее машину, привозил продукты. Оля убирала, стирала, готовила. Жанна Сергеевна очень часто говорила:

— Я на себя трачу копейки, лишь бы Соня осталась жива.

У бедной матери после этих слов появлялось некомфортное ощущение, что ради своей дочери она отнимает у Львовой честно заработанные ею тяжелым трудом деньги. Но противнее всего было изображать любящих родственников. Однако Бирюковы очень старались, потому что понимали: Сонечке пить лекарство надо не менее пяти лет, месячный курс стоит четыреста пятьдесят тысяч рублей, и если Жанна перестанет давать деньги, ребенок окажется в могиле.

На второй год такой жизни Сергей начал прикладываться к бутылке, а Олю стали мучить боли в желудке. Ни один врач не мог понять, что с ней — анализы хорошие, а женщина ничего съесть не может.

А еще Ольге пришлось бросить занятия по истории искусства, которые были организованы владелицей одной из художественных галерей. Сами понимаете, у многодетной матери нет особого времени на самосовершенствование, но Оля после рождения Сони, чтобы не превратиться в робота, исполняющего домашние обязанности, записалась на бесплатные лекции, каждый четверг с семи до десяти вечера ходила слушать рассказы о живописцах и картинах. И вот из-за общения с Жанной лишилась единственного любимого досуга.

Бирюкова подошла попрощаться к владелице галереи, не выдержала, расплакалась, рассказала, почему больше не сможет посещать занятия. Но чем искусствовед могла помочь слушательнице? Она подарила Бирюковой авторский экземпляр книги об импрессионистах, на том и расстались.

Изменилось и отношение детей к благотворительнице. Вначале и старшие, и младшие были в эйфории от дорогих подарков, которые им покупала Львова, но потом градус восторга начал падать. Ребята поняли, что мобильные телефоны, компьютеры и прочие радости следует ежедневно отрабатывать. У детей теперь не было времени на простые ребячьи радости, вроде похода с приятелями в кино или на общение в Интернете. Но еще хуже оказалось то, что им почти некогда стало делать уроки, в их дневниках появились двойки. Младшие заныли: «Почему из-за Сони всем должно быть плохо? Это ей лекарство покупают, а не нам. Надоело каждый день веселиться». Львова же говорила им: «Бог с ней, с учебой, не переживайте из-за плохих отметок, я вас устрою на платное отделение в любой институт».

Оля поняла, что еще немного — и благодетельница полностью развалит ее семью, необходимо дистанцироваться от пиявки. Но где потом найти денег на медикаменты?

И вдруг Львову убили. Услыхав новость, Бирюкова в первый момент заликовала. Ура, они избавились от вампира! Но через минуту пришел ужас — а как же Сонечка?

Вскоре выяснилось, что благодетельница завещала Бирюковым все, что имела. Узнав от нотариуса о наследстве, мать Сони зарыдала от радости: больная дочка сможет получать лекарство. Потом Оля испугалась. Что, если полиция посчитает их с мужем убийцами? Бирюкова обожает детективы, а во многих криминальных романах написано: первыми под подозрение попадают те, кто заинтересован в смерти жертвы. А кто оказался в выигрыше после гибели Жанны Сергеевны?

Оля с Сергеем посовещались и решили: если к ним придет полиция, надо сказать, что его родители дружили с матерью и отцом Львовой, а сама Жанна крестная Сони. Бизнесвумен собственных детей не имела, вот и считала ребятишек друзей родными, помогала семье материально, а также составила завещание в их пользу. Когда следователь Малкин задал Бирюковым ожидаемый вопрос: «Вы, очевидно, хорошо знали Львову?» — они выдали заготовленную версию, расхвалив бизнесвумен, но подчеркнув, что та была замкнутым человеком, ни малейших подробностей о своей личной жизни даже им не рассказывала.

Сейчас, получая прибыль от SPA-салонов, Бирюковы тратят деньги в основном на покупку медикаментов и продуктов для Сони, а то, что остается, кладут на счет. Они решили для себя, что никогда не воспользуются даже копейкой на личные нужды, в том числе и на покупку столь необходимой семье просторной квартиры. В банке копятся средства, которые пойдут исключительно на образование детей. Еще Бирюковы отчисляют двадцать процентов с каждой получаемой суммы в благотворительный фонд, заботящийся о больных ребятишках. А вот переступить порог бывшего жилища Жанны ни Оля, ни Сергей не способны. Они прекрасно знают, что, продав «двушку» Львовой и выставив на торги свою «трешку», смогут приобрести достойное жилье, но начать операцию с недвижимостью не спешат...

— Поймите меня правильно, — плакала Ольга, заглядывая в глаза Панова, — Жанна Сергеевна нас до сих пор словно на крючке держит. Я раз в неделю на могилу ее езжу, убираю там, скоро памятник поставим. В последнее время мы с Сережей ее просто ненавидели, и теперь нам стыдно — получается, она с того света за таблетки для Сонечки платит. Но через несколько лет, надеюсь, необходимость в лекарстве отпадет, вот тогда мы избавимся от Львовой навсегда. Если же продадим ее квартиру, то постоянно, входя в новые хоромы, будем думать, что опять надо благодарить ее. Поверьте, мы не убивали Жанну, просто не способны на это.

— И мы же не знали про завещание, Львова о нем ничего не говорила, — тихо добавил молчавший во время разговора Сергей. — Представления не имели, что она нам все оставит. От Жанны зависела жизнь нашей дочери, вот мы перед ней все на задних лапках и плясали. Терпеть благодетельницу не могли, но пылинки с нее сдували. Не в наших интересах было ее жизни лишать.

Вадим Олегович по банковским документам легко установил, что в разное время бизнесвумен помогала еще семи ребятам, и проверил их родителей. Четыре семьи давно уехали за рубеж, одна попала в авиакатастрофу, а две пары с головой ушли в церковную жизнь. Все оказались вне подозрений. А еще нотариус, заверивший завещание, рассказал, что Жанна составляла подобное распоряжение многократно, отписывала имущество и бизнес родителям подопечного ребенка, а потом, взяв под опеку другое дитя, меняла наследников.

Пока Панов разбирался со Львовой, Николай Михайлович отправился в дом к Сизову и стал методично обходить соседей. Все, как один, рассказывали о геройском прошлом Валерия Яковлевича, отмечали крайнюю замкнутость Кати и болезненность ее маленького сына. Андрюша постоянно хворал, неделями сидел дома и казался на удивление пугливым малышом. Если крошка ехал вместе с мамой в лифте, а в кабину подсаживался какой-нибудь мужчина, Андрей прятал личико в колени Кати и не отрывался от нее, пока попутчик не выходил.

Дергачев, не узнав ничего нового, слегка приунял. А потом ему вдруг пришла в голову простая мысль. Некоторое время назад Сизов сменил квартиру, перебрался из трехкомнатной в «двушку». Согласитесь, ведь немного странно ухудшать жилищные условия, если учесть, что твоя незамужняя дочь вот-вот родит ребенка? Большинство людей в ожидании прибавления семейства, наоборот, желает по возможности расширить жилплощадь. Но, может, на этот шаг Сизова заставила пойти бедность? Ребенок, появляясь в семье, приносит не только радость, но и требует больших расходов.

Николай Михайлович поехал по старому адресу Сизова, и там соседи спели о Валерии Яковлевиче совсем иную песню.

Глава 6

— Валерка герой? — засмеялся Леонид Рогов, первый, к кому обратился Дергачев. — Он врун! Да, когда-то его отправили в Афганистан, но Сизов сидел в штабе, пороха не нюхал. В наш дом въехал лет пятнадцать назад, может, больше, точно не помню. Долго всем голову дурил, на праздники пиджак с орденами натягивал, плакался постоянно: «Государство у меня здоровье отняло, хожу с трудом, ноги в Афгане лишился. И что? Пенсия две копейки». Его все жалели, помогали, как могли. А Вера Сизова жутко краснела, когда моя жена осенью им домашние консервы приволакивала, и шептала: «Спасибо, не надо. Мы ж не нищие!» Валерка же всегда свою бабу затыкал: «Бери, не обижай добрых людей. Они, в отличие от государства, герою уважение оказать хотят». Мне Сизов никогда не нравился — мордатый, шумный, про свои подвиги на каждом углу орал. А вот Вера с Катей тихие были, незаметные. Девочка постоянно болела — два дня ходит в школу, три недели дома сидит. После вроде в какой-то техникум поступила, но здоровей не стала. Ну а потом правда выяснилась. Приехали к Сизову корреспонденты с телевидения, и он им про свое боевое прошлое растрепал. Небось, думал, столько лет прошло, никто подробностей не помнит. Или заигрался, сам в свою ложь поверил. Короче, едва сюжет про него в эфир вышел, прикатили крепкие мужики и наподдавали Валерке, а в подъездах объявления повесили: «Сизов никогда не участвовал в боевых действиях. Служил при штабе, бумаги перекладывал. Его ордена куплены на рынке. Рассказ о подвигах — вранье. Ногу он потерял, попав по пьяни под машину. Не верьте подлецу. Хотите узнать подробности, звоните». И внизу телефоны. Кое-кто из соседей звякнул, детали выяснил, и народ Валерке бойкот объявил. Вера в больницу с инфарктом попала и умерла. А Сизов квартиру поменял, спешно уехал. Где он сейчас, понятия не имею. Да вы у Галины спросите, у сестры его, та в соседнем доме живет.

— У Валерия Яковлевича есть близкая родственница? — удивился Николай Михайлович, который знал, что по документам у Сизова числятся лишь дочь и внук.

— Ну да, — закивал Рогов. — Мрачная такая, нелюдимая. К брату часто приходила, они с Верой не разлей вода были. Фамилии ее не помню, а вот квартиру знаю — на первом этаже живет, на подоконнике цветов полно.

Николай Михайлович живо отыскал Галину Петровну Гренкину. Пришел к ней и увидел на стене гостиной большое количество разнокалиберных картин. Они не представляли никакой ценности, похоже, покупались на улицах у тех художников, которые за небольшую плату охотно нарисуют заказчика хоть в образе царя. Но, чтобы расположить к себе действительно мрачную на вид хозяйку, Дергачев начал нахваливать мазню.

Галина слегка оживилась, сказала, что любит и коллекционирует искусство, специально откладывает часть пенсии на покупку очередного полотна.

— Сама хотела художницей стать, — призналась пенсионерка, — но родители запретили даже думать об этом. Сказали: «Негоже краски кисточкой по бумаге размазывать, получи нормальную профессию». Вот и пришлось в техникум поступать. Только на старости лет смогла творчеством заняться — записалась в художественную студию при одной галерее. Там с пенсионеров денег не берут, хожу туда два раза в неделю.

Вдруг Николай Михайлович заметил небольшую, размером с почтовую открытку картинку и за-
мер. Этот рисунок был выполнен явно талантливым
человеком и кардинально отличался от остальных
«произведений». На листке изображена комната
с красными бархатными занавесками, посередине
сидит на стуле привязанный мужчина, одетый как
крестьянин пару-тройку веков назад. Вокруг валяют-
ся ремни, кнуты, палки, камни. Справа изображено
какое-то современное военное сражение — на поле боя танки, пушки, солдаты в советской военной
форме. Слева вверху лежат два окровавленных женских тела, одна несчастная совсем молодая, и возле
нее сидит покрытый синяками маленький мальчик.
В нижней части композиции стол, за ним восседа-
ет судья в парике и с деревянным молотком в руке.
Его лицо, как, впрочем, и лица женщин с малышом,
размыты. А вот в селянине четко угадываются черты
Валерия Яковлевича Сизова.

— Откуда у вас это? — резко спросил Николай
Михайлович.

— Странная вещь, — поморщилась Галина. —
Очень мрачная, мне такие никогда не нравились, я
люблю солнечные, добрые произведения. И уж больно мелкая, у меня глаза слабые, трудно детали рас-
смотреть. Но ее Катенька мне подарила, вот и пришлось повесить.

— Племянница не рассказывала, где взяла картинку? — насел на хозяйку Дергачев.

Галина Петровна пояснила:

— Денег у Кати мало, я знаю, каковы ее доходы,
дорогой подарок она мне на день рождения сделать
не могла. Отругала девчонку, когда она эту жуть мне

принесла. Я-то в курсе, сколько художники за живопись просят, меньше чем за три тысячи никогда ничего не отдадут, совсем обнаглели. А Катюша ответила: «Не переживай, я только на рамочку потратилась, нашла симпатичную и недорогую. А рисунок обычная почтовая открытка, я нашла ее в нашем ящике, лежала в конверте без адреса. Видимо, какая-то фирма рекламу разложила. Не поняла, правда, чего они продают, и телефона там нет. Но сделано красиво».

— Вы не узнали мужчину, привязанного к стулу? — уточнил Дергачев.

— Нет, очень уж у него лицо миниатюрно нарисовано, — прищурилась Галина Петровна. — У меня дальнозоркость, вблизи ничего не различу, а далеко тоже плоховато детали вижу. Надо бы очки заказать, да они дорогие.

И тут Дергачев, неожиданно поняв, в чем дело, задал следующий вопрос:

— Ваш брат часто бил жену, дочь и внука?

Пенсионерка покраснела, ее глаза наполнились слезами.

— Нет! Никогда! Валера хороший человек, герой афганской войны...

Следователь остановил ее:

— Извините, что перебиваю, но вы прекрасно знаете, что Сизов никогда не принимал участия в боевых операциях. И был даже вынужден сменить место жительства после того, как его за вранье побили настоящие ветераны.

Гренкина разрыдалась и выложила правду. С Сизовым они двоюродные брат и сестра. Галина, не имеющая собственных детей, очень любит Катю, поэтому изо всех сил всегда старалась ей помочь.

Валера хороший человек, но у него случаются припадки немотивированной ярости. В такой момент он не владеет собой. Свою жену Сизов начал бить на второй день после свадьбы, но позднее отстал от нее, переключился на дочку. Когда же на свет появился Андрюша, дед стал измываться над внуком.

— Вот почему Екатерина часто «болела» в детстве, — догадался Дергачев. — И понятно, из-за чего Андрей неделями не посещал садик — мать ждала, пока у крошки сойдут синяки. Почему вы не обратились за помощью?

Галина Петровна накинула на плечи платок.

— Господь терпел и нам велел. Всех баб лупят. Моей маменьке покойной часто от отца доставалось. И, между прочим, почти всегда за дело — деньги у матушки в руках не задерживались. Принесет папка зарплату, предупредит: «Расходуй аккуратно». Куда там! В первый день всего понакупит, конфет шоколадных...

— Хорошо, пусть Вера тоже не умела вести домашнее хозяйство, — перебил Николай Михайлович, — и Катя выросла белоручкой. Но чем провинился Андрюша?

Пенсионерка опустила голову.

— Ребенка с ранних лет надо уму-разуму учить, не то бандитом вырастет. Всех в детстве пороли, а как иначе... Чего вы ко мне привязались? Валерка здоровый был, начнешь возражать, он как вмажет! А потом из дома не выпускает, пока бланш не рассосется. Я бы никогда к нему не ходила, но жили-то рядом, через двор. Брат приказывал к нему являться, орал: «Ты, дура, мужа не имеешь, а баба не способна одна жить, глупости делаешь, зарплату по ветру пускаешь». Забирал у меня получку и выдавал по крохам, а то, что экономилось, прятал, говорил: «Вот помрешь, на что тебя, шалаву, хоронить? Надо запас иметь». Катя, когда отец ее, беременную, измутузил, в полицию пошла, а там ответили: «Мы семейными ссорами не занимаемся. Вот если он вас убьет, тогда вызывайте, приедем». Когда Сизов квартиру поменял, я неделю от радости плясала. На другом конце Москвы брат оказался, ему до старой квартиры два часа теперь на перекладных добираться, сначала на трамвае до метро, в подземке две пересадки, потом на маршрутке, дальше пешком. Я сразу сообразила, что он сюда не поедет, побоится столкнуться с соседями, которые теперь о нем правду знают. Валерка звонить начал, визжал: «Немедленно, дура, свою нору продавай, переезжай ближе ко мне!» А я сбегала на телефонный узел, все, как есть, про двоюродного брата начальнику рассказала, тот оказался хорошим человеком, номер мне помянял. Все. Живу теперь свободно.

— Екатерине с Андреем так не повезло, — вздохнул Николай Михайлович. — Вы и с ними оборвали связь?

Галина Петровна показала на картинку.

— Сказала же, ее Катюша подарила. С ней и мальчиком я общалась. В основном, правда, по телефону. Но несколько раз в год они сюда тайком от ирода приезжали.

— Где сейчас Катя находится, знаете? — задал следующий вопрос Дергачев.

Гренкина опустила голову.

— Нет. Думаю, она сбежала от Валерки. За неделю, кажется, до его убийства она мне звякнула и предупредила: «Тетя Галя, если услышишь, что мы с Андрюшей не пойми куда делись, не пугайся. Все хорошо». Я заволновалась, стала вопросы задавать, а она перебила: «Больше ничего не скажу. И так правила нарушила. Запрещено о том, что я сделаю, рассказывать. Если узнают, что я тебе звонила, не пойдем по дороге».

— Ваша племянница собиралась сесть на поезд? — тут же сделал стойку следователь.

— Сказала: «Не пойдем по дороге», — повторила Галина Петровна, — слова «железная» не говорила. Хотя, может, я неправильно расслышала или Катюша оговорилась. Не собиралась же она куда-то пешком с малышом переть.

Уже стоя в прихожей, Николай Михайлович задал последний вопрос:

— В документах Сизова двоюродная сестра не указана, вас не оповещали о гибели брата, а Катя исчезла до убийства отца. Откуда вы узнали о смерти Валерия?

Галина спокойно ответила:

— Утром встала, телик включила, не помню, какой канал. У нас в доме антенну коммерческую установили, теперь хоть обсмотрись, полно всего. Тогда как раз новости криминальные показывали. Гляжу — фото Валерия, да не современное, а десятилетней примерно давности. А потом корреспондент про труп, найденный в брошенном доме, рассказал. Я на радостях себе зефиру в шоколаде купила. Сдох гад. Может, теперь Катюша вернется? Бояться ей больше некого.

Дергачев и Панов поняли, что их версия об ангеле-мстителе верна. Убийца знал о том, что Львова требует бесконечной благодарности от людей, которым оказывает помощь, доводит их до истерики, до разрыва отношений с собой, и немедленно прекращает покупать лекарство смертельно больному ребенку, тем самым убивая его. И преступнику было в деталях известно, что творилось за фасадом с виду вполне нормальной семьи Сизовых. Жанна и Валерий где-то пересекались, и в этой точке они столкнулись с киллером, который смог выведать о них правду.

Но тщательная проверка контактов жертв не дала результатов. Бизнесвумен и «герой войны» жили в разных мирах, их ничто не связывало. Ничто, кроме маленькой открытки, которую и мужчина, и женщина получили незадолго до смерти.

Валерий Яковлевич послание не увидел, конверт из почтового ящика вынула Катя и, приняв его содержимое за какую-то рекламу, вставила картинку в рамочку и подарила тете. А вот Львова, похоже, сама вскрыла конверт.

Почему Жанна Сергеевна не испугалась, увидев собственное изображение в страшноватом сюжете? По какой причине сохранила мрачную картинку? Ответов на вопросы пока не находилось. А вот эксперты, тщательно изучившие рисунки, рассказали много интересного.

Глава 7

По мнению криминалистов, автор обоих посланий один человек. Манера, в которой работает художник, уникальна, такой техникой сейчас мало кто владеет, ее корни тянутся в четырнадцатый век.

Тогда в одном из монастырей Китая был придуман особый вид небольших, как правило, размером с ладонь, картин. Художники использовали специальные кисти, сделанные из шерсти живущих только в одной провинции обезьянок, а краски изготавливались из коры деревьев, цветов и яиц. Китайцы всегда отличались трудолюбием и методичностью, рисовальщики не торопились, процесс создания небольшого полотна мог растянуться на годы. Для работы требовалась особая многослойная рисовая бумага, причем большое значение придавалось положению звезд на небе — в некоторые дни художник не имел права переступать порог мастерской, в другие сутки ему предписывалось трудиться исключительно по ночам. Известен случай, когда один мандарин в день появления на свет сына заказал монастырю такую картинку, чтобы преподнести ее своему долгожданному наследнику в момент его бракосочетания. И вот, когда через шестнадцать лет мальчик стал женихом, оказалось, что мастер не успел дописать произведение.

В древние времена «ладошки», так назвали полотна современные искусствоведы, стоили баснословно дорого, обладать ими могла лишь знать. Сейчас в мире существует несколько школ, где обучают этой старинной технике, и пара магазинов, где можно купить особые кисти, краски из натуральных материалов, бумагу, рамы — короче, все необходимое. Удовольствие совсем недешевое, китайского трудолюбия и терпения у европейцев с американцами нет, поэтому настоящие «ладошки» пишут только немногие художники в Поднебесной, и заплатить за их творчество придется ошеломительную сумму. В России, где люди во все века любили монументальные произведения живописи, миниатюры особым успехом не пользуются. В них надо тщательно всматриваться, изучать изображение, смаковать крохотные нюансы, беседовать с живописцем, чтобы тот указал на детали, которые ваш неискушенный взгляд не заметил.

«Ладошка» не сразу открывается владельцу. Сначала человек считывает самую простую информацию, видит лишь пейзаж, портрет или натюрморт. Потом, порой — спустя годы, если коллекционер вдумчив, он начинает понимать замысел художника. И нужно обладать большими знаниями истории, религии, литературы, чтобы полностью вникнуть в него. Обычный любитель живописи увидит на полотне, скажем, вазу, сидящую около нее маленькую голубую птичку, оценит тонкую работу мастера, восхитится игрой света, необычным выбором красок. Но тот, кто умеет читать «ладошки», поймет: художник, создавая эту, находился в полнейшем спокойствии. Вот если бы около вазы, причем не слева, а справа, находилась не птичка, а кошка, тогда было бы ясно, что создатель полотна полон активности. Если ты постоянно нервничаешь, покупай первую миниатюру, если пребываешь в депрессии — бери вторую. Неправильно подобранная «ладошка» передаст владельцу не те эмоции и может навредить ему.

Картинки, полученные Львовой и Сизовым, не являлись уникальными произведениями. Эксперт, изучивший их, сказал:

— Тот, кто нарисовал миниатюры, находится в самом начале творческого пути, делает лишь первые шаги. Его нельзя назвать ни мастером, ни даже умелым подмастерьем, он — ученик-первоклассник. Да, бумага, краски, кисти правильные, но нет мастерства и зрелой вдумчивости. В Москве есть только одна студия, где обучают искусству создавать «ладошки», она открыта при картинной галерее, которой владеет Елена Львовна Козина. Я видел в каком-то журнале интервью с дамой, и там было фото одной работы студийца, который пытается творить в манере древних китайцев. Это оказалась этакая рашен-«ладошка». Китайской тщательности в ней не было. Думаю, ваш художник занимается там.

Панов и Дергачев аккуратно навели справки о Елене Козиной и выяснили следующее. Энтузиастка открыла при своей галерее лекторий для тех, кто хочет познакомиться с историей живописи, узнать биографии художников. Еще она приглашает на занятия всех, кто мечтает сам писать картины, для них работает кружок, где преподаватель учит правильно держать кисти, объясняет, как составить композицию. Раз в месяц в галерею Козиной приходят искусствоведы из разных музеев и рассказывают слушателям о собраниях своих хранилищ. Но никакой открытой для всех студии по созданию «ладошек» нет. Есть несколько человек, близких друзей галеристки, они-то и увлекаются написанием миниатюр.

Постороннему в узкий круг избранных попасть трудно, но можно. Козина по пятницам организовывает тематические чаепития, на которые приглашает самых разных понравившихся ей людей. Ни малейшего налета снобизма у Елены Львовны нет, ей все равно, чем занимается человек, лишь бы он был талантлив в своем деле. За столом легко могут оказаться и великий тенор, и... сапожник. Маленькая деталь: к последнему клиенты слетаются со всего мира, потому что никто, кроме него, не способен так стачать ботинки.

Где Елена Львовна находит своих гениев? Да в любом месте. Как-то раз дама в поисках туалета зашла в совсем не пафосное, не модное, не дорогое кафе, заказала там чашечку кофе и кусок яблочного пирога, а сама отправилась в туалет. С санузлами в Москве плохо, и Козина, часто бывающая в Европе, поступает здесь так, как принято в Париже или Берлине, — забегает в трактир, берет напиток, затем идет в дамскую комнату, а потом удаляется, даже не взглянув на кофе. Неприлично же просто так забежать в сортир, надо сделать минимальный заказ. Но в тот день Елена Львовна глянула на пирог, отломила малую толику, затем съела все и купила домой разных пирожных. Начала регулярно заезжать в заведение и познакомилась с его владелицей и кондитером в одном лице — с Асей Мухиной, простой, не имеющей особого образования тетушкой с гениальными руками. И вот уже много лет Мухина дорогой гость на всех мероприятиях Козиной, входит в ближайший круг галерейщицы и увлекается написанием «ладошек».

Едва Панов и Дергачев выяснили фамилии людей, которые обучались древней китайской живописи, как пришли ответы из магазинов, где торгуют нужными кистями, красками и бумагой. Таких торговых точек во всем мире всего три, клиентов, в основном делающих заказы через Интернет, у них не очень много, в России таковым оказался один человек — Елена Львовна Козина. Владелец лавки, американец, сообщив, что он является законопослушным гражданином, поэтому и согласился помочь российской полиции, написал далее в письме: «Я очень надеюсь, что госпожа Козина, хорошо известный мне торговец живописью, не замешана ни в чем предосудительном. Она заказывает расходные материалы для нескольких людей, на мой взгляд, их шесть-восемь. Точное число назвать сложно, так как некоторые художники любят пользоваться сразу двойным набором средств».

Поскольку эксперт-криминалист был уверен, что найденные у Галины Петровны Гренкиной и Жанны Сергеевны Львовой «ладошки» созданы на правильной бумаге с помощью аутентичных кистей и красок, изготовленных по древним рецептам, Панов и Дергачев предположили, что автор, изобразивший сцены суда, входит в ближайший круг друзей галерейщицы. Расспрашивать о нем саму Козину нельзя — преступник может узнать, что им интересуются, и скрыться.

Следователям стало понятно: необходимо подружиться с искусствоведом и аккуратно разведать обстановку. Но это легко сказать, да трудно сделать. Козина приближает к себе исключительно гениев, а никаких талантливых людей в окружении полицейских не наблюдалось. Но в конце концов у них родился план.

Хозяйка галереи — большая модница, о ее страсти к нарядам ходят легенды. Но Елена Львовна не любит вещи от известных брендов. Ей не хочется прийти в театр и оказаться в ложе бенуара рядом с супругой какого-нибудь короля бензоколонки, одетой в одинаковое с ней платье. Дама предпочитает оригинальные, сделанные в единичном варианте туалеты и частенько жалуется на отсутствие в Москве интересных модельеров. Через пару месяцев у Елены Львовны юбилей. Количество прожитых лет она не афиширует, но праздник готовит грандиозный. Нужно платье. Необыкновенное. Такое, чтобы все ахнули. И она до сих пор его не нашла.

Откуда полицейские узнали об этом? Спасибо Интернету! Галерейщица часто дает интервью. Николай Михайлович порылся в Сети, почитал разные выступления Козиной и увидел последнее, опубликованное совсем недавно. На вопрос корреспондента «Как идет подготовка к вашему юбилею? Наверное, сшили потрясающую обновку?» галерейщица ответила: «На вечеринке будет много интересного не только для моих друзей, но и для любителей живописи. А вот с нарядом я пока не определилась, все, что предлагают, выглядит скучно».

Тогда следователи решили подсунуть даме гениального портняжку, роль которого исполнит Егор Бочкин. На мой взгляд, менее подходящей кандидатуры, чем ужасный парень, на свете не сыскать, и я честно высказала свое мнение Панову с Дергачевым, когда те попросили меня о помощи.

— Ну, не так уж наш Гоша и плох, — улыбнулся Вадим Олегович. — Просто он тебе не нравится.

— Зато Егор из того типа мужчин, которые привлекают Козину, — растолковал Николай Михайлович. — Все ее любовники намного моложе галерейщицы и внешне выглядят как Бочкин.

— Пусть так, — согласилась я. — Но какова моя роль?

— Легенда Егора незатейлива, — пустился в объяснения Вадим. — Он приехал в Москву из Челябинска, пытается пробиться, шьет эксклюзивную одежду. Но ее пока мало кто покупает. У парня есть невеста Степанида, вот она весьма удачно строит карьеру, за сравнительно короткий срок стала ведущим визажистом фирмы «Бак». Бочкин живет у девушки, они собираются пожениться. Чтобы прорекламировать творчество жениха, Степа надевает на светские мероприятия сшитые им наряды. Все крайне просто. Твоя задача присмотреть, чтобы Егор не наделал глупостей, вел себя так, как представители фэшн-тусовки. Еще момент, если Елена Львовна неожиданно проявит несвойственную ей подозрительность и захочет проверить вас, то она выяснит, что ни слова лжи о себе молодые люди не сказали. Егор на самом деле из Челябинска, в Москву его перевели не так давно, а о том, что Бочкин сотрудник нашего подразделения, нигде не указано. Конечно, правду о месте его работы можно выяснить, но нарыть о нем сведения удастся только профессионалу. Козиной нет необходимости глубоко копать, ей вполне хватит той информации, которая плавает на поверхности. Куда ткнется обычный человек, желая узнать что-то о коллеге по работе или соседе? «Фейсбук», «ВКонтакте», «Одноклассники», «Твиттер»... У Егора везде открыты странички, там фото его платьев, общение с приятелями. Еще мы сделали ему сайт, где «модельер» представляет свои работы. А в Твиттере он ведет переписку с секретарями нескольких обеспеченных и знаменитых людей, пытается найти себе спонсора. Галерейщица увидит активность Бочкина в соцсетях, и ей даже в голову не придет, что парень полицейский.

— Ты ему глаза накрась, — посоветовал Николай Михайлович. — Меня жена один раз на показ мод затащила, так там главный дизайнер весь нарумяненный был, с серьгами и браслетами.

— А с тобой совсем просто. У тебя ни одного темного пятна в биографии, никаких связей с криминальным миром, ты действительно визажист и чиста, как слеза младенца, — договорил Вадим Олегович.

Я вдруг вспомнила Филиппа Корсакова[1] и ощутила прилив тоски. Более мы никогда не встретимся. Интересно, как бы отреагировал Фил, услышав предложение Панова и Дергачева? В ушах прозвучал приятный баритон: «Степа, не лезь туда, куда тебя тянут! Ты уже наступила на эти грабли!»

— Уже один раз я наступила на эти грабли, — повторила я последнюю фразу вслух. — Ситуация была прямо как ваша. Якименко решил внедрить в театр «Небеса» своего сотрудника Михаила, попросив представить его в качестве моего жениха-стилиста и приглядеть за Невзоровым.

— Мы знаем эту историю, — кивнул Николай Михайлович.

— Дважды в одном болоте не плавают, — отрезала я. — В тот раз дело закончилось так плохо, что я до сих пор вздрагиваю, вспоминая.

— Помоги нам, а мы потом поможем тебе, — пообещал Вадим Олегович.

— Вот спасибо! — язвительно воскликнула я. — Надеюсь, мне никогда не понадобятся услуги особого отдела, занимающегося поимкой маньяков. Нет, даже если украсите ручку грабель бриллиантами

---

[1] О знакомстве Степаниды с Филиппом Корсаковым рассказывается в книге Дарьи Донцовой «Княжна с тараканами», издательство «Эксмо».

«Шах» и «Голубой орел», я не стану во второй раз наступать на них.

Не добившись моего согласия, Панов с Дергачевым отправились прямиком к Звягину. А потом Роман Глебович позвал меня к себе домой на ужин и неожиданно признался.

— У нас неприятности — на «Бак» наезжает налоговая инспекция. Уверен, что все в конце концов образуется, но нервов попортят изрядно, и денег фирма на улаживание конфликта выложит немало. Если же ты согласишься помочь Панову и компании, то нас прямо завтра оставят в покое. Я не имею права просить тебя о такой услуге, но тем не менее рассказываю, как обстоят дела. Кстати! Если ты решишь посотрудничать временно с полицией, введу тебя в состав Совета директоров, создам должность вице-президента по макияжу. Соответственно вырастет твой оклад и укрепится влияние в фэшн-мире.

— Ну, тогда все окончательно убедятся, что я сплю с владельцем фирмы «Бак», — вырвалось у меня. — Ведь история про налоги и поимку убийцы не подлежит разглашению.

Роман рассмеялся.

— И что? Пусть болтают. Я недавно развелся, теперь холост, еще не пенсионер. Ты не замужем. Что плохого в нашем несуществующем романе?

— Ничего, — вздохнула я. — Но немного обидно, когда твое заслуженное продвижение по службе считают результатом постельных игр. Хочется, чтобы оценивали по делам. Ладно, ради «Бака» я готова стать мастером спорта по граблям. Похоже, буду в данном виде олимпийской чемпионкой. Только золотую медаль навряд ли дадут.

— Вот заладила — грабли, грабли... — усмехнулся Роман. — Давай называть ситуацию иначе: парный случай. Согласись, так ведь приятнее звучит. И вторая попытка всегда получается успешнее первой. Не зря же спортсменам на соревнованиях разрешают многократно преодолевать высоту или прыгать с вышки в воду.

— Надеюсь, мне не предложат в третий-пятыйдесятый раз бороться за первое место по использованию садово-огородного инвентаря не по назначению, — вздохнула я.

Глава 8

Узнав о моем согласии, Вадим Олегович и Николай Михайлович развили бурную активность. В одном из московских загсов появилось заявление от Козловой и Бочкина. Я привела Егора на работу и, словно невзначай, сказала Зое Федоровой, главной сплетнице фирмы:

— Знакомься, мой жених-модельер.

Бочкин расшаркался, Федорова выкатила глаза, и через пятнадцать минут по всему многоэтажному флагманскому бутику и центральному офису «Бака» разлетелась весть: Козлова собралась под венец с каким-то провинциалом, возомнившим себя Карлом Лагерфельдом, Ив-Сен-Лораном и Коко Шанель в одной упаковке. Где-то в районе пяти вечера я, желая проверить, как продавщицы разложили новый товар, спустилась на первый этаж и услышала, как за колонной около стенда с тональными кремами шепчутся две девицы из пиар-отдела.

— Видела жениха Козловой? — спросила Елена.

— Не-а. Как он? — поинтересовалась Татьяна.

— Крутой чел, — хихикнула коллега. — Из Челябинска.

— Фу-у... — протянула Таня. — Ее что, Звягин вон послал?

— Наверное. Кто же по своей воле Романа на хмыря поменяет? — заржала Елена. — Съезжает Степанида с горы. Вот увидишь, через пару месяцев ее ваще уволят.

— Как же, ведущий стилист... Слушай, и чего мужики в Козловой находят? С Романом спит, Франсуа крутит, как хочет, — Арни от нее без ума, без Степки никуда не ездит, а теперь еще и женихом обзавелась.

— Из Челябинска, — напомнила Елена. — Без квартиры и без денег, нищий совсем. Вот у нас с тобой другие запросы, мы с сибирскими медведями не якшаемся.

— Ага, в одиночестве везде ходим, — мрачно отметила Татьяна. — Скоро тридцать стукнет, а рядом никого. Челябинск большой город, может, там нормальные парни живут. Ну почему одним все, а другим фига?

Я осторожно, на цыпочках, подкралась к парочке и пропела:

— Здравствуйте, девочки.

Лена с Таней подпрыгнули, как ужаленные осами ехидны, и затараторили:

— Степонька, а правда, что ты замуж выходишь? Мы так за тебя рады! Просто счастливы!

Я с улыбкой на лице слушала сладкие речи красавиц и думала про себя: «Представляю, как вам станет плохо после того, как Роман сделает меня вице-президентом по макияжу. Ладно, давайте, ставьте мне на дороге вторые, третьи, пятые грабли, я молча пошагаю по ним, чтобы довести до нервного припадка таких вот «подруг», как эти».

Честно говоря, я и не предполагала найти в своей душе безбрежный океан тщеславия вкупе с желанием отомстить всем, кто разносит обо мне гадости. Недавно услышала по телевизору, как одна балерина называет своих коллег «клубок целующихся змей». Жаль, она не видела закулисья нашего мира вечной красоты. У нас и того хуже, нс серпентарий, а загон с грызунами-людоедами!

На следующий день я ушла в отпуск, и мы с Бочкиным приступили к работе. В прошлую пятницу парочка модельер—визажист явилась в галерею Козиной на вернисаж какого-то художника, чью фамилию я тут же благополучно забыла. На мне было платье из разноцветных кожаных ремней, украшенных ориентальным узором. Где начальники спецотдела раздобыли этот наряд, не знаю, но издали он выглядел сногсшибательно. (Правда, влезать в платьишко пришлось около часа — каждый ремешок требовалось застегнуть отдельно. И когда процесс, наконец, завершился, я почувствовала себя туго спеленутым младенцем.) К тому же рядом находился Егор, который, несмотря на предупреждение, все же переборщил с одеколоном. Мало мне было неудобного, жесткого, натирающего кожу прикида, так еще приходилось задыхаться, стоя рядом с Бочкиным, и постоянно шипеть ему в уши:

— Не три глаза, они накрашены. Не трогай волосы, испортишь прическу. Не смей лопать бутерброды, это дурной тон. Улыбайся. Посмотри в упор на хозяйку.

— Отстань, — разозлился Егор, — мне надо в туалет.

Я вцепилась в рукав жениха.

— Пошли вместе.

— В мужской сортир? — развеселился Бочкин.

— Вадим Олегович велел тебя одного никуда не отпускать, — напомнила я.

— Ладно, потерплю, — вздохнул мой спутник. — Слушай, ты вся красная. Хочешь воды?

— Лучше вязальную спицу, — пробурчала я, — тело нестерпимо чешется. Где твои руководители нашли мой креативный наряд?

— Понятия не имею, — признался жених. — А тебе не нравится? Смотрится очень красиво.

— Напоминает анекдот про помидоры, — скривилась я. — У Гиви спросили: «Ты любишь томаты?» «Смотреть — да, а есть — нет», — ответил он. На это платьишко надо любоваться издали, натягивать его не стоит.

Егор засмеялся.

— Вон там, в кадке с пальмой, торчит тоненькая подпорка. Хочешь принесу ее? Ты от души поскребешься.

— Ни в коем случае! — испугалась я. — Веди себя прилично.

— Давай сбегаю для тебя за минералкой, — предложил Бочкин.

— Ступай, — разрешила я.

Егор юркнул в толпу, и я потеряла его из вида. Спустя пять минут забеспокоилась, начала озираться и услышала чуть хриплый низкий голос:

— Вы кого-то ищете?

Я повернулась на звук и увидела Елену Львовну.

— У вас платье невероятной красоты, — сказала хозяйка салона. — Уж простите за любопытство, кто его автор?

Я поняла, что рыбка клюнула на крючок, и заулыбалась.

— Егор Бочкин, мой жених.

— Изумительно! — всплеснула руками галерейщица. — Это натуральная кожа? Потрясающая идея.

В общем, план Панова и Дергачева сработал на все сто. Козина заинтересовалась работами Егора, и сегодня мы приглашены к ней в гости — дамочка загорелась желанием заказать у Бочкина наряд для юбилея.

Пока «жених» принимал душ, я слегка подкрасилась, привела в порядок прическу и начала надевать комбинезон, в котором мне надлежало предстать пред очами галерейщицы. Брюки и пришитый к ним топ были сделаны из неплотного эластичного материала — множество разнокалиберных колец, скрепленных между собой и нашитых на черную ткань. По спине шла длинная молния, штанишки оказались до предела узкими, а рукава широкими. Кое-как я сумела застегнуть застежку, сделала несколько шагов и остановилась. Подкладка безбожно царапалась, но со стороны одеяние выглядело весьма необычно. От любого моего движения колечки шевелились, причем каждое двигалось по-своему: одно влево, другое вправо, третье вверх, четвертое вниз, а их внутренние стороны были разного цвета, отчего я в комбинезоне напоминала детскую игрушку калейдоскоп. Помните эту картонную трубочку? Вертишь ее и видишь, как осколки стекла внутри всякий раз складываются в новый узор. Наряд на самом деле выглядел эффектно, но вот беда, использовать его в повседневной жизни не представлялось возможным. Впрочем, то же самое относится ко всем так называемым подиумным моделям — издали они прекрасны, а в носке отвратительны.

Елена Львовна жила на первом этаже небольшого старинного особняка. Квартира галерейщицы оказалась огромной, имела отдельный вход с улицы, а дизайнер оформил интерьер в черно-белых тонах. У меня слегка зарябило в глазах от диванов и кресел, которые походили на шахматные доски.

Козина ввела нас в гостиную и громко сказала:

— Знакомьтесь, Егор и Степанида. На ней комбинезон, который придумал и сшил ее жених.

— Потрясающе! — воскликнула полная тетенька, смахивающая на пирожок с капустой.

— Это Ася Альбертовна Мухина, — улыбнулась хозяйка, — лучший в мире кондитер. Вы любите пирожные?

Вопрос явно адресовался Егору, но ответила я:

— Обожаю. Только ем их исключительно глазами.

— Почему? — удивилась Мухина. — Вам можно не сидеть на диете.

— Она ведущий специалист фирмы «Бак», — без спроса влез в беседу Егор. — У них в мире красоты все на тощизне повернуты.

Я скрипнула зубами. Как только выйдем отсюда, сразу сообщу Вадиму Олеговичу, что Бочкин меня не слушается. Велела ему помалкивать, а парень распустил язык, и вот вам два ляпа в первой же произнесенной им фразе. Ни один модельер не назовет визажиста специалистом, и фразу «у них в мире красоты все на тощизне повернуты» не произнесет ни один представитель фэшн-бизнеса. Надо попытаться исправить положение.

— Вот поэтому, милый, — глупо захихикала я, — тебе гадости на показах и делают. Не надо противопоставлять себя окружающим. Надо улыбаться людям, а ты всем в глаза правду рубишь.

И посмотрела на Асю.

— Вчера Гоша обозвал моделей сутулыми палками, а потом прочитал им лекцию о женской красоте, заявив: «В кривом мире фэшн и принцессы горбатые. Я же хочу работать для прекрасных дам». Знаете, какой размер одежды Егор считает оптимальным? Пятидесятый!

— Ну это ты уж перехватила... — начал Бочкин, но я незаметно ущипнула идиота за бок.

Нет, в следующий раз приду с ним к галерейщице, закупорив рот красавца пробкой для ванны.

— А я согласен с гостем, — подал голос худой длинноволосый мужчина, наряженный в желто-коричневую размахайку и синие шаровары с вышивкой. — Пример идеальной женской фигуры — наша Елена. Ты какой размер носишь, Аленушка?

— Ох уж эти мужчины... — укоризненно произнесла дама в ярко-розовом платье. — Никита, разве можно задавать подобные вопросы? И потом, ты у нас шаман, колдун, предсказатель. Сам должен знать ответ.

— Чтобы узнать истину, мне надо посоветоваться с Као, — торжественно объявил Никита. — А великий дух нельзя беспокоить по пустякам.

Козина улыбнулась.

— У меня как раз пятидесятый размер. К чему делать тайну из очевидного? Приятно слышать, что Егор считает мою фигуру идеальной.

Я опустила глаза. Степа, ты молодец, ухитрилась исправить тупость Бочкина и сделать так, что хозяйка еще больше очаровалась идиотом. Надеюсь, женишок уже осознал свои ошибки и теперь прикусит свой болтливый язык. И тут...

— Пятидесятый? — воскликнул полицейский. — Неужели? У моей тетки такой. Она недавно в Москву приезжала, я покупал ей юбку на рынке в подарок. Отлично помню, что на ярлычке стояли цифры пять и ноль. Но Марина меньше вас!

С огромным трудом я удержала на лице улыбку. Ладно, чудовищную невоспитанность Бочкина присутствующие могут счесть за эпатажное поведение модельера. Но приобретать одежду на толкучке, пусть и для какой-то там периферийной родственницы, модельер не может! Надо опять бросаться грудью на амбразуру.

— Егор любит прогуливаться по людным местам, — затараторила я, — его вдохновляет уличная мода. А из ужаса, которым торгуют вьетнамцы, иногда может получиться нечто забавное. Вот, гляньте на мой комбинезон. Гоша в очередной раз отправился в вояж по рынкам, увидел лавку с тканями, купил вот этот материал, и получилась гениальная вещь. Милый, покажи свои работы.

Бочкин вытащил из сумки толстый альбом и сел рядом с Еленой Львовной к столу. К ним присоединились Никита с Асей и женщина в розовом.

— Феноменально! — воскликнула через пару секунд Мухина. — Алена, светло-бежевое — просто супер.

— Оно сильно смахивает на свадебное, — не согласился Никита. — Кружевное забавнее. Что скажешь, Вероника?

Тетка в наряде Барби захлопала в ладоши.

— Цвет чумовой. Низ «тюльпан», верх размахайка — так не шьют, потому что любая женщина, нацепив такой прикид, будет смахивать на мешок с песком. Но Егор придумал пояс и трикотажную вставку от шеи до талии. Забавно. Привлекает внимание.

Я слегка расслабилась. Проследила глазами за пожилой горничной, которая принесла большой чайник, и тихо спросила у нее:

— Простите, где здесь туалет для гостей?

— Направо, мимо статуи «Бесконечность», через холл с пуфиком, вторая дверь налево, — проинструктировала меня домработница. — Если подождете пару минут, я провожу вас.

— Спасибо, сама найду, — отказалась я от любезного предложения.

Глава 9

Статуи «Бесконечность» я не увидела. Хотя, может, здоровенная напольная ваза в виде бесформенного комка меди, мимо которой я только что прошла, и есть то самое творение скульптора? А вот здоровенный круглый пуфик, о котором упомянула горничная, я сразу узнала, он громоздился посередине холла и смахивал на пончик, даже цвет был соответствующий — нежно-золотистый, уютный. Он словно манил: «Присядь, отдохни, смотри, какой я уютный». У меня не было ни малейшего желания останавливаться, действительно очень хотелось в туалет — подкладка так царапала кожу, что я мечтала расстегнуть хоть на пару минут комбинезон и от души почесаться. Но пуфик-великан все-таки притянул меня к себе.

Я опустилась на холодную кожу, утонула в мягкой подушке и увидела на потолке люстру, похожую на большого паука. Брюшком ему служила большая, ничем не прикрытая электролампочка, от нее в разные стороны отходили «лапки», на концах которых покачивались прикрепленные обычными деревянными прищепками листки белой бумаги. «Пончик» в самом деле оказался невероятно уютным, я провалилась в него очень глубоко, колени поднялись почти до уровня носа. Неожиданно на меня напало оцепенение, и я решила несколько минут побыть в одиночестве. Может, тогда мое раздражение на Бочкина пройдет?

Понятия не имею, сколько времени прошло, пока в голове вяло тасовались сведения, полученные накануне от Вадима Олеговича, — Панов подробно рассказал мне обо всех членах кружка рисования «ладошек». Мужчина в желто-коричневой размахайке — это шаман, экстрасенс и предсказатель будущего Никита Перфилов. Приехал в Москву из Бурятии, с Козиной познакомился на съемках какой-то телепрограммы, соревнования магов. Он принес в студию парочку картин и утверждал, что люди, которые повесят их в своих спальнях, избавятся от депрессии и разных заболеваний. Ведущий шоу откровенно подсмеивался над шаманом, а потом обратился к экспертам. Двое из них назвали колдуна мошенником. А вот третий член команды судей, коим была Елена Львовна, придерживался другого мнения. Козина не стала ругать повелителя духов.

— Каждое талантливое произведение может повлиять на человека, — заявила галерейщица. — Если автор вложил в картину добрый посыл, то все, кто прикоснется к его работе, получат положительный эмоциональный заряд. Я вижу в полотнах Перфилова много доброты, это делает их нужными.

В студии разгорелась жаркая дискуссия. После окончания съемок ведущий попросил у кого-то таблетку от головной боли. Никита случайно услышал его слова и предложил:

— Зачем вам лекарство? Погубите печень. Давайте я уберу дискомфорт...

И на глазах у телебригады за пять минут избавил телезвезду от приступа мигрени. На всех присутствующих это произвело большое впечатление. Никиту стали наперебой зазывать в разные программы, и теперь он весьма известный телемаг. Перфилов открыл собственный салон, где стучит в бубен и раздает предсказания тем, кто готов заплатить хорошую сумму. Елена Львовна подружилась с ним, он частый гость в ее доме.

Про Асю Мухину, мастерицу печь пироги-пирожные, я уже рассказывала.

Женщина в розовом — Вероника Никитина, профессиональная сваха. По информации, нарытой Пановым, она гениально подбирает пары, осечек у нее не бывает. Ника отличный психолог и обладает даром убеждать людей. Допустим, к ней придет пятидесятилетняя матрона с параметрами сто сорок — сто сорок — сто сорок и заявит:

— У меня нет своего жилья, работы, я хочу удачно выйти замуж за тридцатилетнего мачо, владельца нефтяного бизнеса, без детей, бывших жен, сироту с многоэтажным домом в Подмосковье, особняками в Италии-Испании-Франции. И чтобы он страстно любил меня до гроба!

Никитина никогда не спросит: «Милая, ты белены объелась?»

Нет, Вероника кивнет и через некоторое время познакомит мадам с приятным пенсионером, бывшим военным, обладателем небольшой «двушки», дачки на шести сотках и симпатичной бюджетной иномарки. Думаете, мечтавшая о неземном красавце женщина закатит скандал? Вовсе нет! Отбывая в свадебное путешествие в Турцию, клиентка будет обнимать-целовать ловкую сваху, а потом порекомендует ее своим неокольцованным подружкам.

Поняв, что начинаю засыпать, я встрепенулась. Тело под комбинезоном почему-то перестало чесаться, злость на Егора испарилась, зато проклюнулась тревога. Степа, тебе не следовало надолго покидать гостиную, иди быстрее назад! Ведь неизвестно, что еще наговорит жених в отсутствие невесты!

Я попыталась встать, но потерпела неудачу. У пуфика не было ни спинки, ни подлокотников, опереться оказалось не на что. Попытка оттолкнуться от «пончика» ни к чему положительному не привела, он был очень мягкий, руки проваливались в обивку, как в слегка подтаявший холодец. Я решила немного сползти вниз и упереться ногами в пол... Но не тут-то было! Пуфик цепко держал меня. Создавалось ощущение, что я попала в вязкое желе, которое облепляет тело, не дает двигаться. Мне стало весело. Надо спросить у хозяйки, где она приобрела замечательное изделие, и купить такое же. Поставлю его в своей квартире, буду усаживать туда приятелей и смотреть, как они освобождаются из объятий нежного капкана.

Внезапно из глубины дома донесся звон бьющейся посуды, затем раздался чей-то взвизг, потом смех, за которым последовал громкий крик: «Ксанья! Ксанья!» Послышались быстрые легкис шаги, мимо меня пробежала темноволосая невысокая девушка в черном комбипезонс. Она пронеслась с бешеной скоростью, и я не успела ее остановить, заметила лишь, что у нее азиатские черты лица.

Хорошее настроение испарилось. Как же мне встать?

И тут из коридора показался мужчина в дешевых мятых брюках и старом вытянутом пуловере. Он подбежал ко мне и начал невнятно что-то говорить. Мне понадобились несколько секунд, чтобы понять его.

— Где она? Где подвал? — спрашивал он.

Белка называет таких людей «мальчик с кашей во рту». Ну почему родители не отводят вовремя своих детей к логопеду?

— Ты не Ксанья, — буркнул незнакомец. — Ты кто? Горничная, да? Видела, куда удрала Ксанья? Говори, куда она умчалась! Говори, где идиотка Ксанья? Отвечай!

Я растерялась, но попросила незнакомца:

— Дайте, пожалуйста, мне руку.

— Сейчас я тебе ногой вмажу! — неожиданно схамил он. — Где прячут тяпку?

— Что? — не разобрала я. И повторила: — Вам не трудно помочь мне встать?

— Дурой прикидываешься? — прошипел хам. — Сейчас найду их... Мерзкая дрянь! Я в курсе, чем вы тут занимаетесь!

Завершив фразу, дядька резко наклонился. Я испугалась, попыталась повернуться на бок, но пуфик не позволил. Лицо мужика нависло надо мной, в нос ударил запах самого дешевого одеколона российского производства. Незнакомец прищурился, сжал губы в нитку, выругался, выпрямился и исчез из зоны видимости. Я осталась лежать в прежней позе, пытаясь побороть сердцебиение. Кто это был? Мне показалось, или мужик на самом деле собирался пустить в ход кулаки? Надо живо убираться отсюда, пока грубиян не вернулся.

Я принялась отчаянно барахтаться и услышала тихий голос:

— Попала в плен? Никогда не садись на сун мо.

Пришлось оставить тщетные попытки выкарабкаться, посмотреть влево и спросить у милой шатенки примерно моих лет, неслышно подошедшей ко мне:

— Извините, наверное, я по-дурацки выгляжу. На сун что?

— Привет, — улыбнулась девушка. И повторила: — На сун мо. Елена Львовна купила эту хрень у Петра Шаповалова, дизайнера. Он велит звать себя Пер Шап, утверждает, что родился в Шанхае, в семье китайского волшебника.

— Прикольно, — хихикнула я.

— Ага, — согласилась незнакомка. — У Пер Шап тяжелая судьба — враги убили его родителей, а ему, трехмесячному младенцу, удалось бежать.

— Скорей уж уползти, — засмеялась я.

— Сирота вырос, делает теперь уникальную мебель по старинным монгольским чертежам, — продолжала незнакомка.

— Вы же говорили, что он родом из Китая, — поправила я.

— Знаю, — подтвердила шатенка. — Просто повторяю рассказ мебельщика. Подозреваю, что он считает Китай и Монголию единым государством. Некоторые люди, чтобы выделиться из толпы, придумывают себе интересную биографию, в которой очень часто мало правды. Уверена, Шаповалов не имеет ни малейшего отношения к тем, кто живет за Великой Стеной. Он просто воспользовался любовью Елены Львовны к Востоку, вот и приврал чуток. Но Петр умеет мастерить оригинальные штучки. Сун мо — кресло-ловушка. Если в твой дом приходит плохой человек, усади его с ласковой улыбкой в западню и беги за оружием — без посторонней помощи недруг не сможет встать. Уж не знаю, как дизайнер этого добивается, но сун мо обладает гипнотическим даром — едва видишь пуф, сразу хочешь на него плюхнуться.

— Зачем Елена Львовна установила его в холле? — пропищала я. — К ней часто заглядывают враги?

— Сначала сун мо располагался в гостиной. Несведущие люди на него садились и оказывались в том же положении, что ты сейчас, — пояснила девушка. — Правда, я и здесь, в холле, плененных нахожу. Ладно, попытаюсь тебя выковырнуть.

Я протянула шатенке руки.

— Спасибо. Дергайте сильней.

Но та отказалась от моего предложения.

— Нет, так не получится. У меня не хватит сил тебя вытащить. Зато я сама умею вылезать из сун мо. Поэтому нам остается единственный вариант. Не пугайся, сейчас тебя подбросит вверх. Тогда быстро сгибайся в пояснице, вытягивай вперед руки и очутишься на полу. Готова?

Не дождавшись ответа, девушка отошла в глубь коридора, крикнула:

— Внимание! — и побежала к «пончику», со всего размаха рухнув на него спиной.

Меня подкинуло, завалив на бок. Затем я вновь приземлилась на пуф, но на сей раз животом и оказалась лицом вниз, уткнувшись носом в мягкую обивку.

— Ты упустила момент, — констатировала шатенка. — Предупреждала же, что надо успеть, пока находишься в воздухе, переломиться в спине и вытянуть руки. И что теперь делать?

— Попробуйте еще раз, — предложила я. — Очень постараюсь принять нужную позицию. Вот только мне до гимнастки Канаевой далеко, могу опять оказаться в объятиях «пончика».

— Аврора, — вдруг сказала шатенка. — Это меня так зовут.

— Степанида, — представилась я.

— Имечко суперское, — одобрила девушка. — В школе Степашкой дразнили? Или Степаном?

— Заяц из программы «Спокойной ночи, малыши» был моим личным врагом, — усмехнулась я.

Аврора сдула со лба челку.

— Наша училка музыки обожала советские песни, заставляла нас их хором петь. Садилась за пианино и заводила: «Что тебе снится, крейсер Аврора...» Поэтому меня с первого класса звали Крейсер. Или

Авва, как собаку в бессмертном произведении про доктора Айболита. Ты вообще кто?

— Невеста модельера, который собрался шить Елене Львовне платье на юбилей, — объяснила я. — Хотела туалет найти, но не смогла пройти мимо пуфика, присела — и все.

— А я тут живу, Елена Львовна — моя мама, — пробормотала новая знакомая.

Я чуть было не ляпнула: «Знаю. Как только услышала имя Аврора, сразу поняла, кто лежит рядом». Но вовремя спохватилась и вслух произнесла:

— Вы же говорили, что научились выбираться из сун мо.

— Но не тогда, когда арестованных двое, — вздохнула девушка. — Кстати, лучше обращайся ко мне Рори.

— Ладно, — согласилась я. — И что делать?

— Ждать, когда кто-нибудь пойдет мимо, — поморщилась дочь Козиной.

— Шаги! — обрадовалась я. — Слышите? Мне не очень удобно головой шевелить. Вам видно человека?

— Это Федя, — разочарованно произнесла девушка.

— Сейчас он нас вызволит отсюда! — заликовала я.

— Не стоит надеяться на моего брата, — протянула Рори.

Шаги стали совсем громкими, потом начали удаляться.

— Он не остановился? — поразилась я. — Неужели не заметил нас? Почему вы не окликнули брата?

— Федор очень занят, — пробормотала Рори. — Он пишет картину, весь в своих мыслях, ничего вокруг не замечает.

Я удивилась. От того же Вадима Олеговича мне было известно, что у владелицы галереи есть только один ребенок — дочь. Откуда взялся Федя? До ушей донеслось бодрое цоканье.

— Не смейте этого делать! — вдруг заорала моя товарка по плену. — Не прыгайте! Фу! Ноу!

Я не успела удивиться странному поведению Авроры, потому что на затылок шмякнулся плотно набитый то ли мешок, то ли пакет и принялся царапаться. Нос учуял неприятный запах.

— Вот безобразницы... — простонала Аврора.

Тюк довольно больно укусил меня за лопатку. Я взвизгнула и переменила положение. Теперь я повернулась на бок, увидела Рори и небольшую, размером с кошку, светло-бежевую собачку, сидевшую у лица дочери Львовой. Пакет, лежавший на моей голове, свалился, но через мгновение вскарабкался снова. Песик вытянул передние лапы и залаял басом. Некто, нагло устроившийся на моей макушке, зафыркал, потом тоже затявкал.

— Фифа, Перла, убирайтесь отсюда! — потребовала Рори.

Тюк с моей головы куда-то испарился, через мгновение я увидела другую чихуахуа, на этот раз черную. Она, недолго думая, цапнула бежевую малютку за торчащее вверх ухо.

— Фифа, не лезь к Перле! Фу! Нельзя! — попыталась остановить боевые действия Аврора.

Куда там! Перла решила ответить агрессору и смело вцепилась Фифе в ногу. Та оказалась проворной, резво отпрыгнула. Перла еще раз щелкнула зубами и, промахнувшись, ухватила меня за палец.

— Ой-ой-ой! — взвизгнула я. — Кусается!

Аврора забила руками по пуфику, собаки начали подпрыгивать, как пинг-понговые шарики, но всякий раз, упав на пуф, бросались друг на друга. Я поняла, что задумала моя подруга по несчастью, и тоже принялась молотить кулаками по пуфику, но Фифа с Перлой никак не могли улететь за пределы «пончика».

— Держись, братва! — прогремел вдруг густой бас.

И в ту же секунду я ощутила сильный тычок снизу, взлетела вверх, преодолела некоторое расстояние по воздуху, шлепнулась на пол и вскрикнула. Хотела сесть, но не успела — на голову мне рухнула Фифа. Через секунду прямо перед моим лицом очутилась гневно гавкающая Перла.

Глава 10

— Ваня, ты идиот... — простонала Аврора. — Весишь же две тонны! Разве можно так на сумо прыгать? А если б мы в стену врезались?

Я стянула с макушки обалдевшую Фифу, села, положила собачку около безостановочно лающей Перлы, увидела в противоположной части холла стоявшую на четвереньках Аврору, а в центре пуфика-западни кудрявого парня с круглыми, как у совы, глазами. В ноздри ударил удушливо-едкий запах мужского парфюма.

Одеколон выпустил пять лет назад злейший конкурент фирмы «Бак», склонный к глупым экспериментам. Новинку позиционировали как революцию в мире ароматов, но успехом она не пользовалась, потому что основную часть женщин тошнило от тяжелого аромата. Я думала, что товар под милым названием «Любовь обезьян» снят с производства — мне давно не попадались люди, пользующиеся им. Ан нет, убийственная кёльнская вода еще в продаже, передо мной сейчас фанат жуткого парфюма.

Аврора чихнула.

— Опять опрыскался дезодорантом для туалета? Выкинь его, пожалуйста!

— Вот вам женская благодарность во всей своей красе, — заржал юноша. — Спас девиц из плена и что слышу? Недовольство способом освобождения из капкана и критику моего любимого лосьона. Где поцелуй Ивану-царевичу?

— Придется тебе подождать, пока я превращусь в лягушку, — ответила Рори. — Вот тогда с удовольствием облобызаю Ивана-дурака.

Ваня легко, безо всяких усилий встал.

— Лады. Пойду машину заправлю. В твою бензина плеснуть?

— Сделай одолжение, — прокряхтела, поднимаясь с пола, дочь Елены Львовны.

Наш спаситель быстро ушел. Фифа и Перла начали нежно облизывать друг друга.

— Ты жива? — поинтересовалась Аврора. — Сильно приложилась? Ваня хороший, но в голове у него солома, причем давно сгнившая.

Я, наконец, смогла принять вертикальное положение.

— Немного испугалась, когда меня из «пончика» выкинуло. И еще подумала, что вернулся тот сумасшедший. Как это парень так ловко вскочил с пуфа?

— Ваня мамин шофер, — пустилась в объяснения Рори, — он бывший спецназовец, ему сун мо не преграда.

— Понятно, — кивнула я и опасливо покосилась на коварный предмет мебели. — Скажите, в вашем доме еще нечто подобное есть?

Нет, заверила Аврора, — спокойно садись на любой диван. Найдешь дорогу в главную гостиную?

— Налево и прямо? — предположила я.

— Направо, — поправила Аврора. — В противоположном направлении находится студия, в ней под руководством китайского гуру Гуанга проходят занятия по живописи.

— Того, что сконструировал западню? — развеселилась я.

— Ловушку сварганил Пер Шап, — ответила Рори. — А Гуанг монах, и он на самом деле великий рисовальщик миниатюр.

— Можно посмотреть ваши работы? — обрадовалась я. И соврала: — Моя бабушка обожает «ладошки». Вероятно, вы о них слышали.

— Ты знаешь о древнекитайском направлении? — поразилась Рори. — В России оно малопопулярно. Все, кто им интересуется, собираются в нашем доме. Попроси маму позвать твою бабушку в гости, возможно, Гуанг соблаговолит сказать старушке пару наставлений.

— Спасибо, но Изабелла Константиновна не художник, а собиратель, — вывернулась я. — У нее штук десять «ладошек».

Аврора присвистнула.

— Ты из семьи миллиардеров?

— А похоже? — засмеялась я.

— Извини, Степа, но у твоей родственницы наверняка подделки, — чуть поколебавшись, сказала Рори. — Подлинная «ладошка» стоит целое состояние. Ценятся только экземпляры, нарисованные до начала девятнадцатого века, новодел никому из серьезных коллекционеров не нужен. Все картинки, написанные после тысяча восемьсот первого года, считаются ерундой. Нет, их продают за приличные деньги, они ликвидны, но не раритетны. Наша группа под руководством Гуанга пытается изобразить нечто, так сказать, ладошкоподобное, но получается отвратительно. Во всяком случае, у меня. Извини, мне реально надо бежать.

Я схватила Аврору за плечо.

— Подожди. Давно мечтаю научиться работать кистью. Елена Львовна не разрешит мне побывать на занятиях? Сколько стоит урок?

— Денег ученики не платят, — скороговоркой произнесла девушка. — Поговори с мамой. Но учти: она может согласиться, а может и отказать.

Я посмотрела вслед умчавшейся Авроре, потом быстро прошла по левому коридору и подергала створку, на которой висела табличка «Не мешать». Дверь оказалась заперта. Делать нечего, пришлось возвращаться в гостиную.

* * *

— Заблудились в квартире? — спросила Вероника, увидев меня на пороге. — Я в первое время не могла найти кухню. Вроде иду правильно, а оказываюсь то в бильярдной, то еще где-нибудь.

— Нет, я решила сесть на пуфик в холле, — смутилась я.

— Боже! — ахнула сваха. — Никто вас не предупредил о сун мо. Как смогли вырваться?

— Помогли дочь Елены Львовны и ее шофер, — пояснила я. — А где все? Куда подевался Егор?

— Ваш жених пошел посмотреть, какой материал Алена выбрала для платья, — пояснила Никитина. — Ася отправилась с ними, а у Никиты час дерева. Перфилов три раза в день делает особые упражнения, которые помогают ему поддерживать связь с духами.

— Ой, на паркете мокрое пятно! — воскликнула я.

— Мухина уронила чайник с заваркой, — объяснила Никитина. — Он у нее из рук выскользнул, разбился, весь чай вылился. Кто вас оцарапал? Вот здесь, на виске.

— На пуфик прыгнули две собачки, — улыбнулась я. — Очень активные!

— Это Аленины чихуахуа, у них шило в попе, ни секунды на месте не сидят. Собачки вас напугали? Вы какая-то бледная. Не бойтесь, они добрые, просто любят безобразничать.

— Нет, я не собак боюсь, меня напугал сумасшедший. Он был таким грубым. Мне показалось даже, что он собирается пустить в ход кулаки, — призналась я.

— Сумасшедший? — недоуменно повторила Вероника. — Ну, вероятно, мы все не можем назваться стопроцентно нормальными. Юра Чистяков, врач, частенько говорит: «Полностью психически здоровых людей нет, вопрос лишь в том, кто у вас живет в мозгу — маленькие, безобидные тараканы или тучные, агрессивные бобры с острыми зубами». Но среди друзей Алены хамов не замечено.

— Тот человек выглядел агрессивным, — поежилась я. — Сказал: «Поддать бы тебе как следует». И не помог мне вылезти из пуфика, хоть я его очень просила. Ещё стал спрашивать: «Где тяпка?» А услышав, что я понятия не имею, в каком месте хозяева хранят садовый инвентарь, рассвирепел. Но потом ушел.

— Тяпка? — напряглась Вероника. — Он спрашивал о тяпке?

— Ну да, — кивнула я. — Правда странно? Хотя он говорил очень неразборчиво. Может, я неверно его поняла?

— Ох! Совсем забыла! — засуетилась вдруг Никитина. — Я должна позвонить клиентке! Извините, Степанида, покину вас ненадолго.

— Как найти Егора? — притормозила я торопившуюся к двери Веронику.

Та, не оборачиваясь, ответила:

— Направо по коридору, увидите лестницу, шагайте вверх, там спальня и кабинет Алены.

Я проводила глазами Никитину. Почему сваха так всполошилась, услышав про тяпку? Но мне некогда раздумывать над этим вопросом, нужно найти Бочкина. Егор остался без присмотра и может натворить феерических глупостей.

Тяпка, тяпка... Что особенного в немудреном инструменте? Весной Белка часто просила маленькую Степу помочь посадить цветы около гостиницы. Бабушка аккуратно вскапывала клумбы, а я старательно разбивала комья земли маленькой тяпочкой. Жаль, что «Кошмар в сосновом лесу» продан, мне там было очень хорошо...[1]

Коридор, как и обещала Вероника, привел меня к лестнице. Я остановилась. Куда направиться? На

---

[1] О гостинице «Кошмар в сосновом лесу» рассказано в книге Дарьи Донцовой «Развесистая клюква Голливуда», издательство «Эксмо».

второй этаж или спуститься в цоколь? Что сказала Никитина? Я забыла инструкцию свахи! Может, ко мне подкрался ранний маразм?

Я прищурилась. На секунду показалось, что лесенка ведет только вниз, но потом я поняла: вверх тянутся идеально прозрачные ступени, у которых нет ни железных, ни пластмассовых креплений. И перила отсутствуют! Не знаю, коим образом архитектор ухитрился создать сие сооружение, но я видела лишь пластины из стекла, волшебным образом парящис в воздухе.

Если честно, то я немного боюсь высоты. А если уж совсем честно, то я панически боюсь высоты. Когда меня, впервые попавшую в Париж, коллеги решили отвести на Эйфелеву башню, то я испытала массу отрицательных эмоций. Да, весь город оттуда как на ладони, но очень страшно было стоять у перил. И я не смогла наступить на пол, сделанный из специального пластика. Уж не помню, на каком он этаже de la Tour Eiffel. Маленькие дети, китайские туристы, американские пенсионеры, японские студенты — все спокойно шли по прозрачным «окошкам» и пребывали в полном восторге. А у меня подогнулись колени, затряслись руки, вспотела спина. Что бы могло подвигнуть меня оборудовать в своей квартире вот такую немыслимую лестницу?

Я вздрогнула и посмотрела на ту часть лестницы, которая вела вниз. Тут была совсем иная картина: удобные широкие деревянные ступени, прикрытые ковром, устойчивые перила на резных столбиках... Понятно! Комнаты Елены находятся внизу.

Почему я так решила? Козина прекрасно выглядит, но я знаю, что галерейщице вот-вот стукнет пятьдесят. Ну и каково ей скакать по стекляшкам, не имея возможности на что-то опереться рукой? У многих людей, чей возраст подкатывает к пенсионному, кружится голова. Нет, наверняка хозяйка оборудовала для себя безопасную лестницу. Правда, немного странно, что она решила поселиться в подвальном помещении. Но у каждого свои причуды, а уж у владелицы картинной галереи, искусствоведа, никак не может быть традиционной квартиры: первый этаж гостевой, второй хозяйский. Ну и апартаменты у Алены — два уровня и еще цоколь! Хорошо, когда старинный особняк в Москве почти весь находится в твоей собственности.

Я уверенно сбежала вниз, прошла по длинному коридору, увидела дверь, толкнула ее, очутилась в другой галерее и удивилась. Помещение напоминало отель средней руки — пол покрыт плиткой, горят тусклые бра, и видно несколько дверей из дешевого пластика. Я постучала в первую.

— Елена Львовна, это Степанида. Вы с Егором здесь?

Ответа не последовало.

Я нажала на ручку, всунула голову внутрь и изумилась. Комната размером не более десяти квадратных метров имела спартанскую обстановку: узкая кровать, прикрытая флисовым одеяльцем, тумбочка, кресло и встроенный шкаф. На полу лежал крохотный коврик. Никаких мелочей, статуэток или плюшевых игрушек, ни тебе уютных пледов, книг или салфеточек. Если это опочивальня Козиной, то она в своем аскетизме переплюнула монашек. У тех в кельях есть иконы, свечи, и, наверное, они читают на ночь Библию или другую церковную литературу.

Я сделала два шага по коридору и постучала в другую створку.

— Простите, это Степанида. Разрешите войти?

И снова ни звука. Решив не церемониться, я снова заглянула за дверь и увидела крохотный санузел с небольшим унитазом и душем. Круглая «лейка» крепилась к потолку, в полу чернело сливное отверстие, от брызг защищала пластиковая, сейчас отдернутая, занавеска. На стене висела полочка, на ней стояли шампунь «Малышам» и гель для душа «Красавица». Поверьте профессиональному визажисту: эти средства самые дешевые на рынке. Почти впритык к фарфоровому другу висела крохотная раковина, над ней — узкое зеркало с несколькими держателями со стаканами. Все они оказались пусты, кроме крайнего, в котором маячили две зубные щетки, одна взрослая, а другая детская, розового цвета, с ручкой в виде котенка, и паста «Ягодка».

Пребывая в полнейшем недоумении, я дошла до третьей двери, поскреблась в нее, не дождалась никакой реакции и вошла. Комната оказалась немного больше первой, тут стояли уже две кровати, тумбочки и гардероб. На полу валялась розовая детская туфелька с вышитым золотыми и красными нитками мотыльком на мыске. Она подошла бы ребенку лет трех-четырех.

Я сразу узнала обувку — это часть комплекта, выпущенного известной фирмой «Папийон» к наступающему зимнему сезону. Название бренда переводится на русский как «бабочка», поэтому чешуекрылые всегда присутствуют на нарядах производителя. Костюмчик, о котором я веду речь, состоит из кофточки, курточки, брючек. К нему прилагаются балетки.

Все, включая туфли, украшено вышитыми бабочками. Я не занимаюсь одеждой, но «Папийон», готовя
показ осенне-зимних новинок, заключила с фирмой
«Бак» договор, и в мои обязанности входило накладывать макияж детям-моделям, в том числе очаро-
вательной малышке, которая демонстрировала на
подиуме только что описанный набор.

Я перевела взгляд на кресло. В нем спиной ко мне
сидела женщина. Мне было видно ее шею, голову
и верхнюю часть спины до середины лопаток.

— Здравствуйте! — громко произнесла я.

Тишина.

— Простите, наверное, вы знаете, где кабинет
Елены Львовны? — спросила я. — Меня зовут Степанида Козлова, я пришла к Алене в гости вместе со
своим женихом Егором, модельером, он будет шить
платье для Козиной.

Продолжая говорить, я медленно обошла кресло и увидела, что женщина надела к коричневому
платью с широкой юбкой простые черные балетки.
Кстати, мой вам совет: не носите с одеждой цвета
шоколада такие туфли, лучше надеть зеленые, олив-
ковые, бежевые, золотистые, желтые или, в конце
концов, не агрессивно-красные. Я ощутила тонкий,
чуть слышный аромат новых, еще не поступивших
в продажу духов «Бак». Я посмотрела в лицо незнакомки и закричала.

Глава 11

Дальнейшее помню плохо. Вроде я выбежала из
спальни, взлетела по лестнице, столкнулась с кем-то,
осела на пол... Все закружилось, в ушах зашумело,

свет померк, и из тьмы глухо, отрывисто доносились разные голоса.

— Она видела Анатолия...

— Не закрыли проход...

— Тяпка, тяпка...

— Кто его открыл?

— Тяпка.

— Откуда он узнал?

— Тяпка... бедная тяпка...

— Ваня, Ваня!

— Куда ее?

— Лучше уложить...

Чьи-то руки коснулись моего тела.

— Стой! Не на дорогу!

— Замолчи, Ника. А ты включи мозг! В обычную гостевую.

— Юра, она умерла?

Меня подняли, голоса стали удаляться. Затем я ощутила под собой мягкий матрас, и приятный тенор очень громко сказал:

— Слышите меня? Давайте познакомимся, Юрий Чистяков, врач. А вы Степанида, верно?

Я, преодолевая тошноту, смогла наконец приоткрыть глаза, увидела сквозь туман симпатичного мужчину, слегка похожего на Романа Звягина, и пролепетала:

— Внизу, в маленькой спальне, сидит мертвая женщина.

— А-а-а-а... Так вот почему вы перепугались? — засмеялся доктор.

Я вздрогнула. Странная реакция у этого эскулапа.

— Вас шокировал мой смех? — догадался Чистяков. — Голова кружится?

— Вроде перестала, — прошептала я. — Очень пить хочется.

Юрий протянул мне бутылку минералки, я села и залпом осушила ее.

— Где Егор?

Врач взял пустую емкость.

— Ваш жених обсуждает с Аленой фасон платья. Они так увлеклись, что забыли обо всем на свете.

Я попыталась встать, но не удержалась на ногах. И повторила:

— В цокольном помещении в кресле сидит женщина. Она не живая!

Но Юрий совершенно не занервничал.

— Почему вы решили, что там труп?

Я пролепетала:

— Ну... она выглядит... так...

— Как? — тут же спросил врач.

— Ужасно! — всхлипнула я. — Глаза остеклене-ли... рот открыт... Не хочу вспоминать!

Чистяков сел рядом и обнял меня за плечи.

— Зачем вы пошли в подвальное помещение?

— Искала кабинет Козиной, — призналась я. — Вероника сказала, что Егор и Елена Львовна пошли смотреть ткань. Не хотела оставлять Бочкина наедине с владелицей галереи, Гоша...

Я подавилась концом фразы. Нельзя же сообщить доктору правду: Бочкин идиот, способный наболтать лишнего.

Чистяков погладил меня по голове.

— Ну-ну, не тушуйтесь. У вас через пару месяцев свадьба, почти у всех невест случаются истерики. Ничего стыдного в этом нет. Я врач, поэтому лучше рассказать мне правду. Вы заревновали? Алена прекрасный человек, добрый, щедрый. Не волнуйтесь, Козиной чужой жених не нужен, она не хищница и, если Егор решит за ней приударить, одернет его.

Я заморгала. Чистяков шутит? Да, владелица галереи прекрасно сохранилась, но Гоше-то еще нет тридцати, он никогда не обратит внимания на старушку.

Доктор рассмеялся.

— Все эмоции написаны на вашем милом личике. Большинство медиков, как правило, хорошие психологи, мы видим то, о чем больные умалчивают.

Я от него отодвинулась, добавив про себя: а еще некоторые Гиппократы весьма самонадеянны. Чистяков даже не представляет, как он далек от истины. Мне совершенно наплевать на отношения Бочкина с другими женщинами, меня волнует совсем другое.

— В цоколе труп, — повторила я.

— Как она, Юра? — поинтересовалась Ася, заглядывая в гостевую.

— Очнулась, выглядит бодро, — отрапортовал Чистяков. — Надо дать Степаниде чаю, крепкого и сладкого, а еще парочку твоих кексов. Сегодня можно позабыть о диете.

— Да что с вами? — взвилась я. — Вас что, совершенно не волнует наличие в доме покойницы?

Ася укоризненно посмотрела на Юрия.

— Ты ничего ей не сказал?

— Хотел объяснить, но тут ты появилась, — недовольно отозвался Чистяков.

Кондитер села передо мной на корточки.

— Степа, здесь все живы.

— Кроме той несчастной, что сидит в кресле, — уперлась я.

— Помните ее лицо? — влез со своим вопросом Юрий. — Можете его описать?

Меня снова затошнило.

— Нет, только глаза — распахнутые, голубые, остановившиеся, абсолютно неживые.

— Степашечка, ты случайно наткнулась на Гортензию, куклу Вадима, — ласково произнесла кондитер.

— Поэтому ее очи показались вам стеклянными, — добавил Чистяков. — У марионеток они сделаны из фарфора.

— Кукла? — растерянно повторила я. — Нет, там женщина. Игрушки такими большими не бывают.

— Вадюша, иди сюда! — крикнула Мухина.

— Уже здесь, — весело ответили от двери. — Здрассти. Не хотел вас напугать, извините. Посадил Гортензию в кресло, пошел на кухню — и вдруг начался переполох.

Я посмотрела на стройного мужчину, который приближался к кровати, а тот продолжал говорить:

— В цоколь редко заглядывают посторонние. Зачем им комната отдыха прислуги, их санузел? Я решил, что там самое лучшее место для Горти. Алена точно ее не найдет, получится сюрприз. Нам же платье надо...

— Остановись, — попросила Ася, вставая, — наша гостья совсем ошалела, ничего не понимает.

Вадим опустился около кровати на пол.

— Привет. Как дела?

— Супер, — ответила я.

— Это Вадюша, — зачастила Мухина. — Он гениальный актер, работает в оригинальном, сейчас совершенно позабытом в России жанре марионеточной пантомимы.

— Зато номер понравился в Дю Солей, — похвастался Вадим. — Я получил предложение поработать у них, поеду весной на гастроли.

Ася откашлялась.

— Курбатов танцует с куклой. Издали кажется, что его партнерша — настоящая женщина.

— Марионетка сделана в Америке, — влез со своим замечанием Чистяков. — Уникальная кукла, стоила дороже квартиры в Москве.

— Ну, это ты загнул, — возразил Вадик, — всего-то как иномарка.

— Зрители ахают, когда «балерина» выполняет невероятные па, — повысила голос Ася. — И все со стульев падают, когда Вадик говорит после окончания выступления: «Знакомьтесь, моя любимая Гортензия», а потом отключает механизм, и партнерша бесформенной кучей валится на пол. Только тогда до народа доходит: перед ними не женщина, а кукла, марионетка. Таким реквизитом очень сложно управлять.

— На юбилей Алены я придумал сюрприз, — заговорщицки зашептал Курбатов. — Гортензию наряжу в такое же платье, какое выберет Козина, а потом мы станцуем перед гостями. Очень надеюсь, что никто, кроме нескольких посвященных, не поймет, что я держу в объятиях куклу. Алена офигеет! Понимаешь, Козиной скажут, что я нашел девушку, которая как две капли воды похожа на нее. Мы разыграем целый спектакль, задурим всем головы. Сегодня, узнав, что придет модельер, я привез свою «партнершу». Надеялся, что он не откажет, объяснит, какой придумал для Алены прикид. Оставил Горти в цоколе...

— Дальнейшее понятно, — захлопала в ладоши Ася.

— Нет, внизу находился живой человек, — заспорила я.

Юрий со вкусом зевнул, и вдруг тоже, как Мухина и Вадим, перешел на «ты» и потянулся ко мне, явно намереваясь погладить по голове, будто маленькую.

— Ты же говорила, что мертвый.

Я вывернулась из-под руки врача и попыталась объяснить:

— Покойный, но живой. В смысле — человек, марионетку с настоящей женщиной невозможно спутать.

— Ерунда! — отчеканил Вадим. — Гортензия не пластмассовый пупс, не тряпичная кукла, а уникальное произведение искусства.

— Степа, хочешь спуститься в зону отдыха прислуги и убедиться, что в кресле Горти? — предложил доктор.

— Только надо оставить телефон, ее фотографировать нельзя, — насупился Вадим.

— Категорически возражаю против эксперимента! — занервничала Ася. — Степа пережила стресс, ей нельзя во второй раз...

Я встала.

— Пойдемте.

Глава 12

На сей раз дверь, за которой начинался коридор с комнатами служащих, оказалась заперта. Ася вынула из кармана ключ и пояснила:

— В доме часто появляются гости, кое-кто привозит детей. Малыши везде суют свой нос, а после спален идут технические помещения — котельная с газовым котлом, бойлерная, поэтому мы соблюдаем меры безопасности.

— Дверь была открыта, когда я в первый раз очутилась здесь, — возразила я.

Кондитер развела руками.

— Кто-то проявил беспечность. Скорей всего, Иван. Елена наняла в помощь домработнице еще одну горничную, Ксанью, тайку. Она необыкновенно хорошенькая, вот у Вани мозг и промылся. Знаешь анекдот про мужика, который случайно попал на нудистский пляж? Сидит парень на лежаке, вокруг полно голых девушек, а в голове у него пустота, лишь одна слабенькая, чахлая мысль не пойми о чем трепыхается. Вдруг откуда ни возьмись вторая выныривает и первой кричит: «Эй, ты что тут делаешь? Наши уже все внизу!»

Ася рассмеялась. Мне тоже пришлось улыбнуться, хотя скабрезные истории никогда не вызывают у меня приступа веселья. Не люблю пошлые шутки и генитальный юмор.

Кондитер отперла дверь, мы быстро прошли по коридору, Юрий распахнул дверь спальни.

— Тебя взять за руку?

Я молча шагнула в комнату и учуяла запах хлорки. Две кровати. Тумбочки. Шкаф. Кресло. Женская голова и часть спины.

Глубоко вздохнув, я сделала пару шагов вперед, посмотрела на лицо сидевшей, потом осторожно потрогала ее подбородок рукой.

— Кукла!

— Офигенное впечатление, да? — обрадовался Вадим.

Я внимательно осмотрела марионетку, изучила одежду, обувь, обвела взглядом пол и чуть слышно извинилась.

— Простите! Гортензия такая... ну... настоящая. Даже на ощупь.

Вадим поднял руку своей «партнерши».

— Кожа у Горти теплая, глаза моргают, грудь поднимается-опускается, поэтому создается впечатление, что она дышит. Она вся нашпигована электроникой. Но сейчас механизм выключен. А вот рот открывается без участия аккумулятора.

Артист провел пальцем по спине игрушки, нижняя челюсть Гортензии отвалилась. Меня передернуло. Запах хлорки нестерпимо щекотал ноздри, я не удержалась и чихнула.

— Пойдемте наверх, — засуетилась кондитер. — В цоколе сыро, как ни гидроизолируй подвал, а вода дырку найдет. Степашечка, ты случайно не простыла?

— Нет, просто по ногам дует, — ответила я. — Где-то открыты окна.

— Их на минус первом этаже нет! — возразил Юрий.

— Неужели вы не ощущаете, как сквозняк гуляет по полу? — удивилась я.

Вадим показал рукой налево.

— За бойлерной черный выход, он ведет в маленький внутренний дворик...

— Эклеры! — закричала Ася. — Боже! Я поставила их в духовку и забыла! Алена попросила пирожные к чаю приготовить. Все, уходим! Делать нам тут больше нечего, Степашечка успокоилась. Правда?

— Конечно, — заверила я. — Простите, я всех переполошила. Надеюсь, пирожные не сгорели. Обожаю трубочки из заварного теста, готова без зазрения совести слопать десяток.

— Можешь не сомневаться — Асины самые вкусные, — облизнулся Вадим.

— А тебе лучше помолчать, — неожиданно зло буркнула Мухина и рысью побежала вверх по лестнице.

— Она обиделась? Чего я не так сказал-то? — всполошился артист.

Чистяков одернул пуловер.

— Женщины, кто же их поймет... Успокойся, ничего ужасного ты не сделал. — Врач повернулся ко мне и предложил: — Пойдемте, Степа, навестим вашего жениха и Алену.

* * *

За чайный стол все сели около пяти.

— У Алены будет лучшее платье! — зачирикала Вероника. — Степа, одобряешь выбор?

— Наряд потрясающий, — покривила я душой.

— Мы слегка отойдем от нарисованной модели, пусть юбка будет широкая, — ажитировалась Елена Львовна. — Лиф решили в обтяг сделать, чтобы талию подчеркнуть, а вот декольте небольшое.

— Надо его увеличить, — вмешался Егор. — Вам есть что показать.

Я поперхнулась чаем. Козина же кокетливо стрельнула глазами.

— В определенном возрасте недопустима излишняя обнаженность.

Бочкин потянулся к сахарнице.

— Согласен. Если даме за сорок, ей не стоит демонстрировать коленки и носить кофты с разрезом до пупка. Но вам-то рано задумываться об этой проблеме. Сколько отмечать собрались? Двадцать восемь? Девять?

На сей раз я подавилась волшебно вкусным «Наполеоном». Бочкин неуклюже пытается отпускать комплименты? Нет, завтра на Тверской расцветут ананасы!

— Степашечка, видела ткань? — зажурчала Вероника.

Теперь мне не пришлось лгать.

— Потрясающий шелк!

— Привезла его из Китая, — пояснила хозяйка дома. — Я поехала туда с картинами — сейчас в Пекине появилось много обеспеченных людей, которые увлекаются европейским искусством. Один из них, наш клиент, свозил меня на фабрику, там я и купила материал.

Колдун Перфилов оторвался от торта.

— Серебристо-голубой цвет самый правильный для охраны кармы. Кстати, Алена, ты помнишь мое строгое предупреждение?

— Ах да! — спохватилась хозяйка. — Я забыла: платье нужно шить здесь.

— Где? — испугалась я.

— В моем доме, — пояснила Козина.

Егор закашлялся.

— Это невозможно, — отрезала я.

Елена Львовна отставила чашку.

— Почему?

Хотелось сказать: «Потому что модельер Бочкин не умеет держать в руках иголку. Сомневаюсь, что он справится даже с таким пустячком, как пришивание пуговиц». Следователь Панов предполагал, что заказчица предложит свой материал, но нам следовало забрать его и привезти Вадиму Олеговичу. Ткань отдадут профессиональным портным, которые быстро стачают наряд. А Гоша лишь будет привозить его Козиной для примерки. Я послужу ему подмастерьем — умею закалывать подол, способна понять, не «уехали» ли в сторону плечи и на месте ли талия. Но вы же понимаете, что бывает правда, которую людям знать не положено?

— Да почему же? — повторила владелица галереи.

Я выпрямилась.

— Мой жених работает исключительно в своей студии. Там есть все необходимое — швейные машинки, длинный стол, манекены. Только там к нему приходит вдохновение, после чего и рождается шедевр. Егор не простой портной, который бегает по заказчикам и на чужой кухне криво сметывает раскроенные детали. Гению ранга Бочкина требуются особые условия и помощники. Иначе ничего не получится.

Елена посмотрела на шамана.

— Никита?

— Нет, нет, нет! — затряс головой тот. — Если материал покинет дом, он пропитается чужой энергетикой, и одеяние нанесет владелице вред.

Я хмыкнула.

— Неужели Елена Львовна будет сидеть в платье в доме? Рано или поздно ей придется выйти за порог, и она попадет под воздействие чужой ауры.

Перфилов нахмурился.

— Это мнение ничего не понимающего в магии человека! Если ткань прошита с помощью иглы и ниток, то она более не вбирает в себя зло. Я категорически против выноса шелка из дома.

— А я категорически против работы Егора на выезде, — отрубила я.

Ситуация превратилась в патовую.

— Никитушка, — жалобно проговорила Алена, — придумай что-нибудь, хочу платье.

Перфилов почмокал губами.

— Есть несколько вариантов. Поварить рулон в течение часа в кипятке.

— Да ведь шелк через минуту в горячей воде в барахло превратится! — засмеялась Вероника.

— Обжечь огнем, — выдвинул новое абсурдное предложение шаман.

Козина повернулась к сидящему рядом Бочкину.

— Егор?

— Нет! — живо ответила я за жениха.

Елена Львовна положила узкую ладонь на корявую руку полицейского.

— Буду вам так благодарна!

Я набрала полную грудь воздуха, чтобы еще раз объяснить, по каким причинам модельер не может творить вне привычной обстановки, но тут Бочкин громко произнес:

— Ладно.

— С ума сошел? — слетело с моего языка.

— Степа, она так просит, — занудил болван. — Давай пойдем юбилярше навстречу.

Юрий прищурился, по его губам скользнула улыбка. Моя злость достигла точки кипения. Врач считает меня вредной ревнивицей.

— Егорушка! Ты ангел! — зааплодировала Ася. — Испеку тебе завтра фирменный капустник.

— Большое спасибо, — проворковала галерейщица, поглаживая предплечье Егора.

— Мне не трудно, — расплылся в улыбке дурачок Гоша. — Даже приятно.

Козина кокетливо повела плечом. Чтобы, не дай бог, не сказать колкости в адрес Егора, я засунула в рот огромный кусок «Наполеона» и принялась медленно жевать.

— Степашечка, если ты не хочешь, то можешь не приезжать завтра, — сладко пропела Вероника.

Я быстро задвигала челюстями.

— Конечно, милая, — забубнил идиот Бочкин. — Вроде ты собиралась днем на какой-то показ?

Вот теперь я окончательно поняла: мой подопечный сошел с ума и рушит тщательно подготовленную операцию. Может, пока я пыталась прийти в себя после встречи с трупом, шаман опоил Егора какой-то настойкой, и у парня случилось разжижение и без того глупого мозга? Ну уж нет! Я обещала Панову с Дергачевым корректировать поведение псевдомодельера и не имею права подвести следователей.

Я проглотила полупрожеванный кусок торта.

— Дорогой, неужели ты забыл? У меня же отпуск!

— Ах да! — опомнился Бочкин. — Верно.

Я сказала:

— Мы так редко проводим вместе время, хочется использовать любую возможность пообщаться. Между прочим, я могу предложить Елене Львовне...

— Зовите меня просто Аленой, — предложила Козина.

Юрий закашлялся, а я защебетала дальше.

— Хорошо, Алена. Я готова разработать для вас макияж — в подарок, совершенно бесплатно.

— О-о-о-о! — воскликнула Ася. — А у меня через неделю открытие нового кафе. Степашечка, я тоже могу рассчитывать на твои кисточки и краски?

— С удовольствием поработаю с вами, — заверила я. — Но если Алена не желает меня видеть, тогда...

— Степашечка, как ты могла такое подумать? — ахнула Козина. — Если хочешь, оставайся у меня ночевать, велю Катерине приготовить спальню.

— Спасибо за предложение, — заулыбалась я. — Извините, если слишком нервно отреагировала. У невест всегда истерика перед свадьбой бывает. Ведь так, Юрий?

Врач отодвинул от себя пустую чашку.

— Верно. Все девушки не выдерживают стресса.

Глава 13

Едва мы с Егором очутились в машине, как я налетела на него.

— Что ты творишь?

Бочкин сделал вид, будто не понимает причины моего негодования.

— Собираюсь ехать домой. А по дороге неплохо бы супчика где-нибудь хлебнуть. Странные порядки у Козиной — обедом не угостили, предложили чаю с пирожными.

— Какого черта ты согласился шить платье на чужой территории? — не успокаивалась я.

Гоша выехал на проспект и вклинился в левый ряд.

— Забыл о разработанном плане? — наседала я. — Нам надо было взять ткань, отдать ее портным, а потом привезти на примерку сметанное платье.

Бочкин притормозил у светофора.

— Ты озвучила лишь одну нашу задачу, причем не самую важную. Надеюсь, не забыла о своем задании? Пока гениальный модельер занимает хозяйку и ее приятелей болтовней о фасонах одежды, невеста должна аккуратно осмотреться в доме. И как ты поступила? Плюхнулась на какой-то диван и не смогла встать!

— Не знала про сун мо, — вздохнула я. — И это не диван, а пуфик.

— Не зануудничай, — ухмыльнулся Бочкин. — Ты любишь делать другим замечания, считаешь себя идеальной, но на самом деле за сегодняшний визит ничего не разузнала. Где они рисуют «ладошки»? Сколько человек в группе? Нам необходимо взглянуть на работы, сфотографировать их. Чего молчишь?

— Просто жду, когда появится возможность вставить словечко, — съехидничала я. — Студия находится неподалеку от гостиной, надо пройти мимо холла с пресловутым «пончиком». Дверь в нее заперта. Но я надеюсь получить приглашение и побывать на занятиях. Еще выяснила массу интересного. Странные дела творятся в доме Козиной.

— Немедленно докладывай! — приказал Егор.

Я взяла из держателя бутылку воды и сделала несколько жадных глотков.

— Ты мой начальник? Я работаю под руководством Егора Бочкина?

— Ну... нет, — после короткой паузы признал мой спутник, — мы напарники.

— Тогда не «немедленно докладывай», а «пожалуйста, расскажи», — парировала я. — Попытаешься еще раз корчить из себя генерала, получишь по но-

су. И сообщать информацию я буду Панову с Дергачевым, а не тебе. А еще расскажу, как ты наглупил
с пошивом платья, теперь не очень понятно, что нам
делать.

Егор увел седан вправо, припарковал под знаком
«Остановка запрещена» и повернулся ко мне.

— Тебя в детстве не били за ябедничество?

— А тебя в классе не дразнили «Буратино»? — не
осталась я в долгу.

— При чем тут российский брат Пиноккио? —
удивился полицейский.

— У него тоже мозг деревянный, — объяснила я.

Егор оперся на руль.

— Не знаю, как у вас в мире офигенной красоты,
а у нас, у тех, кто каждый день имеет дело с грязью,
очень важно, чтобы был хороший напарник. От него
часто зависит, останешься ты живым или нет. И если
ты что-то знаешь и скрываешь от него, то результата в работе не добьешься. Понимаю, ты меня терпеть
не можешь. Но в городе орудует серийный убийца,
и он отправит на тот свет еще парочку-тройку людей, пока мы выясняем отношения. Я тебе не муж,
не брат, не отец, не любовник, не надо испытывать
ко мне сильных чувств. Мы просто работаем вместе, оба желаем добиться положительного результата.
Я надеюсь на твою смелость и порядочность. Если
начну тонуть, хочется увидеть, как ты бросишь мне
спасательный круг. А я вытащу тебя из пропасти, не
думая о том, что ты заносчивая фря, которая судит
о людях по их носкам. Поймаем преступника и раз-
бежимся. О'кей?

Мне стало стыдно.

— Хорошо. Ты прав. Больше не скандалим. Но я не сужу о человеке по одежде. Просто даю тебе советы, меня ради этого и позвали. Мокасины носят на голую ногу. И уж прости, скажу о больном. Твои красные носки со стразами — полный отстой!

Бочкин улыбнулся.

— Уже усек. И ремень с пряжкой-пауком снял. Так что ты узнала?

Послышался тихий стук в окошко. Мы с Егором разом повернули головы и увидели гаишника, лицо его было изуродовано шрамом.

Бочкин опустил стекло.

— В чем дело, командир?

— Совсем ты, парень, обнаглел! — возмутился страж дорог. — Знак не видишь? Давай права.

Я решила осадить грубияна.

— Вы должны сначала представиться, назвать свою фамилию и звание. И не следует «тыкать» водителю.

— Молчи, а то отправлю на экспертизу! Алкоголем в машине пахнет, — побагровел мужик.

— Ну, командир, не сердись, — миролюбиво попросил Егор. — Припарковаться негде, мы ненадолго тут приземлились. Сейчас отъедем.

— Вон там давным-давно «Жигули» кукуют, — вмешалась я в диалог. — У них на капоте даже кошка спит. Почему к нам привязались?

Противный дядька посмотрел в указанную мною сторону.

— Эх, бабы! Отсутствует у вас логическое мышление. Дворовый кот никогда на холодное железо не ляжет. Если устроился на капоте, значитца, он теплый, мотор еще не остыл, минут пять как «жигуль» сюда прирулил. И водителя там нет, не с кем беседовать на тему штрафа. Но ничего, ему тоже достанется, когда вернется. А вы на месте!

Бочкин вздохнул и со словами:

— Ну не хотелось этого делать, — достал служебное удостоверение. — Оперативная необходимость, командир.

Гаишник крякнул, козырнул и пошел назад к патрульной машине.

Егор облокотился на руль.

— Ну, продолжай.

Я быстро рассказала напарнику историю про куклу.

— Неужели Гортензия неотличима от человека? — усомнился парень.

— Похожа до тошноты, — подтвердила я. — Но! Мертвая женщина была одета в коричневое платье и черные балетки. Вроде на марионетке тоже было платье такого цвета с черными балетками, вот только фасон слегка отличался, и обувь другого оттенка.

— Черный он и есть черный, — пожал плечами Бочкин.

— Ошибаешься! — воскликнула я. — У задушенной женщины на ногах были балетки антрацитового оттенка, с резинкой, из последней коллекции «Авмен», я прекрасно знаю эту фирму. А на Гортензию напялили туфли непонятно чьего производства и цвета, который Арни называет «перо вороны, больной гриппом».

— Мда... — крякнул Бочкин. — По мне, так Каркуша и уголь по цвету близнецы-братья.

Я снова потянулась за водой.

— А мне думается, что пистолет и револьвер одно и то же.

— Ты что? Это совершенно разное оружие! — возмутился напарник. — В револьвере барабан с патронами, в пистолете магазин. Слышала старую шутку: не играй в русскую рулетку с пистолетом, в особенности если первый ход твой. Из пистолета гильза, то есть улика, вылетает после выстрела. А в барабане револьвера она остается, и преступник потом преспокойно ее уничтожает. Пистолеты удобны и компактны. Но надежность и ресурс работы револьвера в несколько раз больше.

— Значит, ты легко отличишь одну пукалку от другой, — резюмировала я, — и много времени на разглядывание тебе не понадобится.

— Ну, конечно, — согласился Егор, — разница сразу в глаза бросается.

Я осушила бутылку.

— Ну а я прекрасно разбираюсь в шмотках. И уж поверь, никогда не спутаю «Авмен» с поношенным вьетнамстайл. Давай договоримся: каждый из нас хороший игрок на своем поле. Теперь о платье. Да, в обоих случаях оно было коричневое, но у покойницы наряд сшит из тонкого шерстяного джерси, у марионетки же он из какой-то дешевой синтетики. Волосы Гортензии завиты волнами, а у жертвы они вообще были не уложены. Теперь маникюр. Ярко-красная эмаль у «партнерши» Вадима и полное отсутствие лака у мертвой женщины.

— И ты успела разглядеть столько подробностей за пару секунд до того, как грохнулась в обморок? — усомнился Бочкин.

— Да, — кивнула я. — У меня же глаз наметан. Когда я посмотрела на Горти, сразу сообразила: врач и кулинар пытаются меня обмануть. И в первый раз нос уловил аромат духов фирмы «Бак», причем нашей новинки, которая еще не поступила в магазины, старт продаж через три недели, сейчас идет агрессивная рекламная кампания, разогревается интерес покупателей...

— И где тогда покойная взяла парфюм? — перебил Бочкин.

Я попыталась вытянуть ноги и закончила фразу:

— А в спальне, где сидело чучело, пахло хлоркой.

— Кто-то что-то чистил или отмывал, — догадался Егор.

— И это еще не все! — тоном фокусника, который собрался вытащить из шляпы кролика, объявила я. — В цоколе был ребенок, девочка лет трех-четырех.

— Ты это тоже по запаху определила? — без тени иронии спросил Егор.

— Нет, по цвету туфельки, валявшейся на полу. Она розовая, на мальчика такую не наденут, а размер на малышку, — пояснила я. — Теперь вспомним сумасшедшего мужика с кашей во рту, который налетел на меня с вопросом: «Где тяпка?» Что, если он тайком проник в дом Козиной, чтобы отыскать ту несчастную женщину?

— Которую звали Тяпка? — развеселился Бочкин.

— Ничего смешного не вижу, — отрезала я. — Разные бывают имена и фамилии. В «Баке» работала пиар-менеджером Офелия Аполлоновна Косолапова. А с ней в одной комнате сидели Нелли Косорукова и Галя Кривоспинова. Тебя как в школе дразнили?

— Бочка-кочка колбаса, слопал лошадь без хвоста. Было обидно, я вечно дрался на переменах с ребятами, — признался Егор.

— А убитую прозвали Тяпкой, — резюмировала я.

— Ладно, давай попытаемся сложить кубики в башню, — предложил напарник. — В подвале дома Елены Козиной, в тесной спаленке без окон находятся модно одетая женщина по имени Тяпка с маленькой девочкой. Тяпку ищет мужчина и находит. Далее возможны варианты: шепелявый убил тетку и унес ребенка либо обнаружил Тяпку мертвой и забрал девочку, а та потеряла туфельку.

— Вадим, Ася, Юрий и все в доме отлично знали про гостью в цоколе, — подхватила я. — Ты недавно удивился, почему у Козиной не накрыли обед. Да им просто не до еды было. Меня не проводили в кабинет Козиной, я сама искала дорогу на половину хозяйки и, ошибочно предположив, что он находится внизу, пошла не вверх по ненадежным стеклянным ступенькам, а в цокольный этаж по дубовым. И наткнулась на труп. Присутствовавшие постарались сделать так, чтобы я подумала, будто видела Гортензию. Был еще интересный момент. Вадим, похоже, не особенно умен. Я пожаловалась, что дует по ногам, а он объяснил: «За бойлерной есть черный выход». Ася тут же закричала: «Эклеры! Они сгорят! Скорее уходим!» Мухина здорово разнервничалась, а когда артист похвалил ее выпечку, неожиданно грубо сказала: «А тебе лучше помолчать!» Ну и по какой причине она нахамила Вадику? И вспомни, к чаю подали торт «Наполеон», трубочек из заварного теста на столе не было. Ася так разволновалась, что ляпнула первое пришедшее на ум — про эклеры. Ей просто надо было прервать мою беседу с артистом.

— Мухина не хотела, чтобы ты знала о запасной двери, поэтому и разозлилась на кукловода, который брякнул про нее, — протянул Егор. — Вот уж точно говорят — простота хуже воровства.

— Именно, — кивнула я. — Наверное, через черный выход Иван вынес умершую во дворик, несчастная там и лежала, пока мне самозабвенно демонстрировали чучело.

Бочкин почесал макушку и принялся рассказывать о том, чем занимался в то же время он сам.

— Мы с Еленой Львовной и Асей рассматривали альбом, обеим женщинам в конце концов понравилось одно платье. Козина сказала: «Редко бывает, что сразу определяешься. Но эта модель прямо мне на сердце легла». — «Шикарно будет смотреться в шелке», — подтвердила Мухина. И тут у Козиной зазвонил телефон. Алена выслушала кого-то и сказала: «Асенька, сделай одолжение, приехал мастер холодильник чинить, а мне не хочется отвлекаться. Ты не можешь за ним присмотреть?» Кондитер убежала, а хозяйка неожиданно заново начала листать альбом и находить в каждой модели недостатки. Капризничала она до того момента, как в кабинет вошла Вероника и объявила: «Чай подали в гостиную. Не хотите отдохнуть?» Тогда Козина ткнула пальцем в тот первый понравившийся ей и одобренный Асей фасон: «Отбрасываю сомнения. Хочу такое. Может, юбку сделать пошире? Как считаешь, Никуша?» Я не удивился в тот момент ее поведению. Все мои девушки в магазине вели себя так же. Возьмут вещь, примерят и говорят: «Супер!» А потом рулят дальше.

Спрашивается, зачем круги по торговому центру нарезать, если уже нашли подходящее?

— Вдруг увидят что-нибудь получше? — улыбнулась я.

— И вы любите подвести мужчину к вешалке и спросить: «Нравится?» — вздохнул Егор. — И что ответить? Да? А вдруг подруга показывает то, что ей не подходит. Или вот еще. Чего ради тащить человека через три этажа, чтобы сказать ему: «Погляди на этот ужас. Такое даже на необитаемом острове не надену».

— Тебе не понять, — сказала я. — Давай прекратим обсуждать загадочную женскую душу и вернемся к работе.

Егор кивнул.

— А сейчас, узнав от тебя про марионетку, я сообразил: зачем просить Асю присматривать за мастером? В доме же есть прислуга. Ты упала в обморок, Мухину отправили разобраться с тобой, а меня специально задержали на втором этаже, чтобы я не спустился вниз.

— И не помешал выносить труп, — договорила я. — Как поступят нормальные люди, если в их доме убили человека? Заорут: «Помогите!», бросятся звонить в полицию, испугаются, сбегутся все в одну комнату. А эта разудалая компания принялась заметать следы. Ежу понятно, это они лишили жизни бедняжку, иначе зачем прятать тело... Слушай, а бывают группы маньяков?

Бочкин почему-то смутился.

— Я учился на юрфаке не в Москве, но вуз хороший, преподаватели сильные, в том числе и по психологии. Не помню, чтобы они о коллективах серийных убийц говорили. Но знаешь, за то время, что служу в полиции, я успел понять — бывает всякое. В доме Козиной явно что-то не то происходит.

Я вынула из сумки пудреницу.

— И еще занимательный штришок. У Алены есть дочь Аврора. Странно, почему ее не позвали пить чай? И не пригласили обсудить новое платье мамы?

— Может, она больна? — предположил Егор.

— Когда мы с ней разговаривали, пытаясь выбраться из пуфика, Рори выглядела здоровой, — отвергла я его предположение. — И оказывается, у галерейщицы есть сын Федя. Однако в документах о нем нет ни слова. Зачем Алена скрывает юношу? Что он плохого сделал, за что его вычеркнули из биографии?

Глава 14

Гоша чихнул.

— Ты ничего не путаешь?

— Нет, не путаю. Лежала носом в пуфик, услышала шаги и обрадовалась — подумала, сейчас человек нас с Авророй спасет. Но он прошел мимо, даже не спросив, нужна ли нам помощь. На мое возмущенное замечание Рори ответила: «Это мой брат Федор, он очень занят».

— Оригинально, — скривился Бочкин. — Но отсутствию данных о сыне может быть вполне простое объяснение. В базе неточность, такое случается.

— А почему Аврору за стол не посадили? — уперлась я.

— Вдруг она не любит гостей, — выдвинул версию полицейский. — У моего брата жена такая — вежливая, воспитанная, но предпочитает одиночество. Виктор компанию соберет, Маша угощенье поставит, посидит полчасика и тихо линяет.

Я подвела итог:

— Козина и компания убивают людей, но перед тем, как уничтожить несчастных, подсовывают им «ладошки».

— Зачем? — коротко спросил Бочкин. — Смысл?

— Они психи, — нашла я подходящий ответ.

Егор поднял брови.

— Стая сумасшедших? Банда умалишенных? Я не эксперт по душевнобольным, но навряд ли они могут работать в команде.

— Надо найти косноязычного мужчину, который унес девочку! — ажитировалась я. — Уверена, он не убивал Тяпку, наверное, хотел ее спасти. Поговорим с ним, и кое-что прояснится.

— Неплохая идея, — согласился Бочкин. — Но как его отыскать? Имя, фамилия, местожительство, работа — мы ничего не знаем.

Я заерзала на сиденье.

— У него есть ребенок, и сейчас девочка у него. Говорю же, я видела в спальне туфельку.

— Ее мог потерять кто-то из детей гостей Алены, — покачал головой Гоша.

— Зачем мужчине уносить чужого ребенка? — наседала я. — Может, обратиться в детские сады?

— И что мы там спросим? У вас есть воспитанница, как ее зовут, как она выглядит, кто ее родители, понятия не имеем, но назовите нам адрес малышки! Интересно, что услышим в ответ? — заржал Бочкин.

И тут меня осенило, я схватила телефон.

— Настя, привет! Найди список первых випов, которым на презентации аромата «Настроение» дарили золотые флаконы. Хорошо, жду.

— Ты кому звонишь? — полюбопытствовал мой напарник.

— Коллеге, Анастасии Поветкиной. От Тяпки пахло парфюмом, который еще не продается. Где она могла взять духи? Она их получила в подарок, — зашептала я, продолжая держать трубку около уха. — Особо почетным клиентам, звездам во время презентации парфюма «Настроение» раздавали золотые флаконы, эксклюзивный вариант. Список составлял сам Роман Звягин. В нем, если не ошибаюсь, было всего четыре фамилии. Придется обойти всех, поговорить, тогда и выясним... Да, Настя, слушаю. Актриса Олеся Рогачева, писатель Сергей Ларионович Банаев, певица Береза, она же Инесса Владимировна Дульская, и владелец сети супермаркетов Тяпкин Анатолий Сергеевич. Спасибо тебе! Нет-нет, просто Роман Глебович попросил кое-что для них сделать.

Я вернула телефон в сумочку.

— Слышал? Анатолий Сергеевич Тяпкин. Его жена небось носит ту же фамилию. Мы нашли Тяпку.

— Молодец! Ну, Степа, ты гений, — выдохнул Егор и отъехал от тротуара.

— Свяжись с Пановым, пусть выяснит имя, отчество и фамилию тетки, — распорядилась я. — Ну и заодно как связаться с Анатолием Сергеевичем. Ой, а я ведь слышала его имя...

Бочкин свернул в переулок.

— Где? Когда?

Я посмотрела на заднее сиденье.

— Воды больше нет? Жаль. Понимаешь, мне стало плохо в подвале, не помню, как поднялась наверх. Откуда-то набежали люди, я их не видела, перед глазами словно серая сетка тряслась, но слышала обрывки разговоров. Кто-то сказал: «Она видела Анатолия», потом вроде прозвучало: «Все заперто», «Не закрыли проход», «Тяпка, тяпка, бедная тяпка». Звони Вадиму Олеговичу.

— Они с Николаем Михайловичем сейчас летят в Петропавловск-Камчатский, их срочно туда вызвали. Мне велели спокойно работать по плану, начальники вернутся через пару дней, — сказал Егор. — Я звякну Гришке, айтишнику, ему приказали нам помогать.

Я обиделась:

— Почему мне не сказал?

— Не успел. Узнал о форс-мажоре, когда с Аленой альбомы разглядывали, Панов эсэмэску сбросил, — разъяснил парень. И схватил свой сотовый. — Извини, звонок... Да, слушаю. Конечно, прямо сейчас примчусь! Нет, она поехала к бабушке...

Я уставилась на нежно воркующего Егора. И когда тот завершил разговор, не сдержала любопытства:

— Кто назначил тебе свидание? И вроде речь обо мне шла?

Напарник оттянул ворот пуловера.

— Козина. Предложила через час встретиться в кафе, хочет еще раз поговорить о платье. Похоже, она на меня запала, попросила не брать с собой невесту.

— Вот карга! — возмутилась я. — Знает, что у людей намечается свадьба, и строит глазки чужому жениху!

Егор слегка смутился.

— Дергачев выяснил, что Елена любит молодых мужиков определенного типа. Я из тех, кто ей нравится, поэтому буду отвлекать галерейщицу, оттягивать ее внимание на себя, а ты поработаешь в ее доме сыскной собакой.

Я поправила прическу.

— Красиво у нас роли распределились. Мужская часть — герой-любовник, мачо, а женская — псина-ищейка.

Бочкин издал смешок.

— Потому я и согласился на предложение Львовой шить наряд у нее дома. Пока я буду ткань кроить, ты сможешь побегать по комнатам.

Я вытаращила глаза.

— Что ты будешь делать?

Мы уже подъехали к моему дому.

— У моего старшего брата жена портниха, я видел, как она клиенткам юбки-блузки мастерит. Ничего сложного. И, кстати, вот...

Бочкин припарковался, открыл свою сумку и вытащил оттуда лоскутик шелка.

— Елена во время нашей беседы на пару минут в туалет отлучилась, а я от рулона чуток отгрыз. Отдам тряпку нашим парням, они быстро такую же отыщут, портные платье сметают, я его в сумке принесу и на ткань Козиной поменяю. Зря ты нервничала, полдня и ночь впереди, успеют ребята.

— Узнай координаты Тяпкина, — потребовала я. — Пока кокетничаешь с Аленой, я съезжу к владельцу супермаркетов. Представлюсь сотрудницей пиар-отдела фирмы «Бак», привезу ему набор косметики, дома всегда несколько VIP-подарков храню, и поболтаю с ним.

— Это невозможно, он же тебя на пуфике видел! — отрезал Егор.

Я вздернула подбородок.

— Уж не дура! Надену темный парик с челкой, соответственно накрашусь. Родная бабушка не узнает! Не волнуйся, визажист Козлова — ас в деле изменения внешности.

— Парик всегда выглядит искусственно, — не согласился Бочкин.

Мне стало смешно.

— Конечно, если купить паричок в переходе у метро. Поверь, те, которыми пользуюсь я, неотличимы от настоящих волос. И знаешь, я из бегемота легко розовое фламинго сделаю. Кстати, если Анатолий Тяпкин — это тот косноязычный мужик, то он находился в таком взбешенном состоянии, что не мог разглядеть детально прекрасное личико пленницы сун мо. От злости люди теряют зоркость.

— Все равно, — категорично заявил напарник. — Я несу за тебя ответственность и не могу отпустить к неадекватному мужику.

— Ладно. Если, по-твоему, я гожусь только на то, чтобы ходить по комнатам Козиной, пусть будет так, — обиделась я. — А ты, значит, собрался на свидание?

— Да, — ответил Бочкин.

— Надо побриться, сменить пуловер на что-то другое. И брюки тоже переодеть, — велела я.

Егор закатил глаза.

— Чем плохи эти вещи?

— Они помялись, и ты в них Алене уже показывался, — объяснила я. — Не спорь. Кое в чем я разбираюсь лучше тебя и никогда не хожу в одном и том же на работу и на встречу с парнем. И голову всегда по утрам мою. Кстати, вот, смотри!

Я растопырила пальцы.

— Куда глядеть? — не понял Бочкин.

— Перекрасила ногти, — пояснила я. — Вчера ходила с розовым лаком, а сегодня не поленилась нанести разноцветный френч.

— Чего? — жалобно спросил Егор.

Я тяжело вздохнула.

— Последнее слово в маникюре. Ногтевая пластинка имеет натуральный цвет, а самый ее кончик отделан не белой полоской, а синей, зеленой, желтой, фиолетовой. До Москвы пока эта фишка не докатилась. Только в понедельник этот вариант «прогуляли» на показе в Нью-Йорке. Через пару недель у нас все с ним бегать будут, вот тогда я перестану его рисовать. Не люблю быть человеком толпы, пользовалась синим лаком, когда все употребляли только розовую гамму.

— По-моему, это кошмар, — уныло протянул напарник.

— И не вздумай натягивать на лапы носки! — предупредила я. — Если же не желаешь расстаться с сакральным предметом мужского туалета, тогда не надевай мокасины, влезай в ботинки. Да, носки ни в коем случае не красные, не белые, не кислотно-зеленые.

Егор зачем-то полез в бардачок.

— Обидно, когда тебя считают неандертальцем.

— Если дикаря назвать дикарем, это не оскорбление, а констатация факта, — объявила я. — Пошли, подберу тебе шмотки, уложу волосы и заново подведу глаза, а то они у тебя потекли.

Егор схватился за щеку.

— Куда?

Я захихикала.

— Тушь осыпалась, подводка сползла. Надо смыть эту красоту и навести новую.

— Некогда, я опоздаю, — возразил Егор, вылезая из машины. — Просто подмажь, и все.

— Никогда! — отказалась я. — Получится не макияж, а грязь.

— Чувствую себя идиотом с размалеванной мордой, — ныл женишок, пока мы шли в квартиру. — Народ пялиться станет.

Я отперла дверь.

— На тебе минимум необходимого для фэшн-парня макияжа. Никто на тебя внимания не обратит, люди давно привыкли к мужчинам в пудре. Вы же с Аленой не в сетевую харчевню с гамбургерами из морских свинок двинете, небось Козина своего нового обожэ в какое-нибудь место поведет, где гламурный народ сидит. Ну и кто там на тебя уставится? Прекрати рыдать пингвином, рули в ванную.

— На лестницу? — осведомился Бочкин.

— Можно в мою, — смилостивилась я, заталкивая его в санузел. — Давай, не спи, шевелись! Сначала намочи ватные диски теплой водой, проведи ими по лицу. Молодец. Теперь напшикай на маленькую губочку из розовой бутылочки.

— Это чего? — испугался Егор.

— Жидкость для снятия макияжа с глаз.

— Она щиплется?

— Конечно, нет. Кто такую купит? Хватай зеленый флакон.

— Зачем?

— В нем молочко, которое удалит тональный крем.

— А розовым нельзя?

— Нет.

— Почему?

— Там средство для век!

— И что?

Я разозлилась.

— Ты заправляешь машину мазутом?

— Ну, нет.

— А почему?

— Что я, дурак? — вздохнул Егор. — Солярка для дизеля.

— Вот и с очищающими средствами так же, — кивнула я. — Не спорь. Умница. Настал черед пенки. Она в белом тюбике, будет сильно пузыриться.

— Вот гадость, — забубнил Бочкин. — Надеюсь, это все?

— Осталась ерунда, — пообещала я. — Три лосьона для разных зон лица — нос всегда жирнее лба, а щеки, как правило, сухие. Потом побриться, положить легкий крем, основу под макияж, тональник, корректор, силиконовую пасту, выравнивающую ресницы, фиксирующий гель на брови, тонкую подводку на верхнее веко, чуток теней. Думаю, смесь из четырех цветов в самый раз будет. И у тебя морщина в углу рта, я ее закрою наполнителем. Тушь, пудра и закрепитель макияжа. Ничего особенного, легонький дневной вариант.

— М-м-м... — простонал Егор. — Убиться можно! Теперь понятно, почему бабы всегда на свидания опаздывают.

— Скажи спасибо, что тебе не надо делать эпиляцию, поправлять лак на ногтях и выбирать бижутерию, — усмехнулась я. — И еще раз скажи спасибо, что не работаешь на телевидении. Тогда бы тебя от души обсыпали противным белым порошком по имени шайн, который не дает коже блестеть под софитами, а еще и соорудили бы на макушке телекаску.

— Это еще что такое? — спросил Бочкин.

— Ведущим сильно заливают волосы лаком, чтобы они не пушились, — пояснила я. — Иногда по полбаллона уходит. Если потрогать такую прическу, она на ощупь как железная. Телекаску потом полчаса смывают. Макияж после эфира снять ох как непросто.

— Все, остановись! — взмолился Егор. — Уже понял, я счастливчик с накрашенными ресницами.

Выпроводив полицейского, я снова позвонила Насте и через секунду узнала, что коробку с золотым флаконом наш курьер доставил на Сиреневую улицу.

Глава 15

Успешный бизнесмен Анатолий Тяпкин должен был иметь апартаменты в какой-нибудь шикарной новостройке. Сейчас многие обеспеченные люди убежали из душного грязного центра в зеленые чистые районы.

Нужный дом оказалось найти трудно, шофер покружил по Измайлову, потом догадался включить навигатор и рассмеялся:

— Прикольно, тут есть кафе «Курица в перьях». Нам около него направо — и приехали. Кто такое глупое название придумал? В чем несушке еще быть?

— «Курица в шубе» звучит смешнее, — поддержала я пустой разговор. — Или нет, лучше «Цыпленок в манто».

— Усе, прибыли! — объявил водитель и припарковался возле убогой пятиэтажки.

Я вылезла из машины, изумилась внешнему виду здания, открыла обшарпанную дверь подъезда, вошла внутрь, расчихалась от отвратительного запаха и вдруг сообразила: зря сюда прикатила. Да, Анатолий Сергеевич прописан тут, но живет-то наверняка в фешенебельном поселке, в пригороде. Ну не может богатый человек, владелец нескольких супермаркетов, прозябать в трущобе! Основная часть VIP-клиентов фирмы «Бак» уютно устроилась в коттеджах, но почтовые адреса у них московские. Мы, рассылая перед Новым годом подарки, всегда уточняем: «Куда вам доставить презент? По месту фактического проживания или в столичное жилье?»

И что мне теперь делать? Ладно, все-таки зайду в шестнадцатую квартиру. Вдруг там кто-то обнаружится? Может, Тяпкин сдает свое старое жилье и съемщикам известен его новый адрес?

Стараясь не ступить в подозрительные лужи и не касаясь перил, я взобралась на пятый этаж, увидела дверь с облупленной краской, протертый до дыр коврик перед ней и, преодолевая брезгливость, нажала на звонок. Изнутри послышался хриплый, дребезжащий звук, но никто не торопился в прихожую. Я опять вдавила кнопку. Дверь соседней квартиры приоткрылась, высунулась девушка лет шестнадцати с одним вульгарно накрашенным глазом.

— Чего трезвоните? Дядя Толя поздно приходит.

— Тяпкин Анатолий Сергеевич живет здесь? — уточнила я.

— Ага. А че, вы не в курсе, к кому ломитесь? — заржала красавица.

— Вы его знаете? — стараясь не показать удивления, спросила я.

— Мой дед с дядей Сережей, отцом Тяпкина, на одном заводе работал, — пояснила соседка. — Квартиры они вместе получали. Раньше, если человек хорошо трудился, ему «трешку» давали. А зачем вам дядя Толя?

Я показала большой пакет, который держала в руках.

— Наша фирма прислала VIP-клиенту подарок.

— А ты типа курьер? — продолжала любопытствовать девица.

— Нет, ведущий визажист. Просто ехала по своим делам в Измайлово и прихватила презент, — пояснила я.

— «Бак»! — подпрыгнула соседка, разглядев надпись на блестящей поверхности сумки. — А что внутри?

Я начала перечислять:

— Тени, румяна, пудра, губная помада, все уложено в красный кожаный чемоданчик. Еще пробники парфюма, шампунь, гель для тела...

— У вас суперская косметика, — вздохнула полунакрашенная красотка. — Но очень дорогая.

— Лучше купить одно хорошее средство, чем десять плохих, — заметила я.

— Это если бабла наскребла, — скривилась собеседница. — Ну и зачем дяде Толе такой набор? Глупо дарить мужику мазилки.

— Жене отдаст, — пожала я плечами. — Или матери.

— Тетя Аня умерла, — чуть понизила голос собеседница. — Ее сгубила жадность сына, он денег на врача хорошего пожалел. Весь в своего папашу пошел, тот за копейку убить мог. А на Светке Анатолий женился, потому что домработница была нужна. Светлана терпела-терпела и удрала в конце концов! Муж с ней ужасно обращался, орал на всю квартиру: «Тяпка, подай жрачку! Тяпка, постирай! Тяпка, полы помой!» У нас хорошо слышно, когда соседи лаются. Да он и при посторонних Светку иначе чем «Тяпка» не называл. Здоровское прозвище для любимой! Да ладно еще Тяпка, а иногда вопил: «Тяпка-дуряпка», «Тяпка-говнятка».

Девчонка на секунду замолчала, потом снова жалобно произнесла:

— Зачем мужику косметика? Вот мне бы она здорово пригодилась!

— В гости собираешься? — спросила я. — Тебя как зовут? Я Степанида.

— А я Люся. Вечером иду в клуб, — пригорюнилась красотка. — Пытаюсь сообразить, как лучше накраситься. Уже в пятый раз макияж смываю, все время отстойно получается.

— Не надо рисовать жирные стрелки, — посоветовала я. — И тебе лучше слегка изменить форму бровей, взять перламутровые тени, они прекрасно будут смотреться в полумраке. Но не используй розовые.

— Ха! Они ж сейчас самые модные, — с умным видом заявила Людмила. — Наши все с розовыми веками и модели в журналах тоже.

— Клоны на прогулке, — усмехнулась я. — Надо выделяться из толпы, а не сливаться с ней. От розовых теней глаза кажутся заплаканными, нужно очень хорошо знать, как и куда их накладывать. Хочешь, покажу?

— Давай! — загорелась Люся. — Слушай, а оставь VIP-подарок мне? Я его, честное слово, дяде Толе передам.

— Ладно, — согласилась я, входя в тесную прихожую.

Даже самые замкнутые, мрачные тетки делаются разговорчивыми, очутившись в кресле стилиста, но соседка Анатолия оказалась просто чемпионом по болтливости. Пока я снимала у вешалки туфли, девица успела сообщить о себе почти все. Учится она в техникуме, подрабатывает официанткой в дешевом сетевом кафе, отца нет, мама — проводник на железной дороге, катается по всей стране. Был у Людмилы парень, но бросил ее, переметнулся к другой и скоро женится, потому что будущая теща купила ему машину.

Я с трудом вставила в поток бесконечной трескотни короткое замечание:

— Странно, что Анатолий Сергеевич, богатый человек, живет не в особняке.

И Люда тут же стала выливать информацию о соседях. Минут через пятнадцать я узнала о семье Тяпкиных всю подноготную.

...Отец Анатолия был крайне жадным человеком. Он хорошо зарабатывал, но семья жила почти впроголодь. Ни дачи, ни машины, ни приличной одежды Тяпкины не имели. Дом этот раньше считался ведомственным, принадлежал заводу, все жильцы прекрасно знали друг друга и осуждали соседа. Кое-кто откровенно говорил ему:

— Купи жене новое пальто, она одета как нищенка.

А тот не обижался, отвечал:

— Зачем тратить деньги, если старая вещь еще крепкая? Этак все растренькаешь, на черный день не отложишь.

Один раз бабушка Люды случайно увидела, как Тяпкин покупал в магазине золотое кольцо, и чуть не умерла от любопытства. Два дня она мучилась, потом не выдержала и поинтересовалась у соседки:

— Аня, твой-то намедни в ювелирке перстень дорогущий взял. Наконец-то тебе подарок решил сделать или кому другому?

— Сережа сберкассам не доверяет, говорит, что деньги — бумага, устроят нам реформу, и сгорят накопления, — разъяснила Анна. — Золото выгоднее, с ним ничего плохого не случится. Лежит надежно спрятанное, в квартире муж его не держит.

Бабушка любила вспоминать прошлое, не раз пересказывала эту историю внучке и всегда причитала:

— Я-то посчитала тогда Анатолия дураком. Ну, думаю, совсем мужик от алчности рехнулся. Куда же рубли из сберкассы денутся? Я же их государству доверяю. А оно разве своих граждан обманет? Да и как удобно-то: нужны деньги — пошел и снял. Ювелирку-то еще продать надо, в скупку идти, сплошная морока. Но оказалось, что сосед прав был. Власть в стране поменялась, и лопнули мои с трудом собранные крохи. А тяпкинское золото в тайничке дремало. Только потом заначку вытащил и купил продмаг, который на углу стоял. За бесценок взял! Кругом все рушилось, законы старые не работали, новых не придумали...

Людмила перевела дух и полетела дальше.

— Сейчас у Тяпки...

— Анатолия тоже называют Тяпкой? — перебила я.

— Ага, — рассмеялась болтушка. — Их семью весь дом так кличет, за глаза, конечно, и дядю Толю, и Светку с Лялей. Вообще-то дочка у него Маргарита, но все ее Лялей называют. Денег у них — горы! Пирамиды! Знаешь, сколько у Тяпки супермаркетов? Но счастья они ему не принесли.

— Почему же обеспеченный человек не приобрел для своей семьи дом? — подначила я Люсю.

Та так резко повернулась, что я чуть было не размазала тени по щеке.

— Тяпка от жадности офигел! Вот уж Светлана попала... Она в нашей школе училась, с моей старшей сестрой Ксюхой в одном классе. Совсем некрасивая была, худая до жути, бледная, под глазами синячищи. Одевалась как бомжиха, у них с матерью денег даже на секонд-хэнд не было. Первого сентября все дети с букетами красивыми, а Легостаева с тем, что на клумбе в парке сорвала. Во позор!

Людмила поджала губы.

— Как уж Светка Анатолия подцепила, не знаю. Но когда тот ей предложение сделал, она к Ксюхе приперлась и совета спросила: идти ей за Тяпку или нет? Сеструха подружке объяснила: «Мужик вдвое тебя старше, живет бирюком, никто его с бабами не видел. И жадный, хуже Кощея. Мать свою практически убил — не захотел ее в приличную больницу положить, когда у той сердце заболело. Поехала она в бесплатную клинику, встала в очередь на госпитализацию, два месяца ждала, а потом хоп — инфаркт. И унесли тетю Аню на кладбище». А Светка Ксюхе говорит: «Понимаешь, надоело в нищете гнить. Я перевоспитаю Тяпку. Мужчины своих жен хорошо одевают, чтобы посторонние знали, как у них дела круто идут. Рожу ребенка — Анатолий помягчеет». Сестра моя на своем настаивает: «Не переделаешь Тяпкина, у него отец такой же был. Не соглашайся на брак, потом обрыдаешься».

Я внимательно слушала девушку, а ее рассказ тек дальше.

— Нет бы Легостаевой Ксюшу послушать... Но она поступила как хотела. Очень уж надеялась богатой стать. Ага! Фига ей! Свадьбу они не отмечали, в загс пешком поперли. Жених в джинсах и рубашке, невеста в юбчонке с футболкой, а на голове фата, которую Светка собственными руками из тюля сшила. Обхохочешься! Свадебного путешествия у них не было. Светлана по-прежнему разгуливала в рванине. Ничегошеньки супруг ей красивого не купил, даже на обручальное колечко не раздобрился. Прибежит она к нам и рыдает: «Муж на месяц копейки выдает и требует письменного отчета, как их истратила. Если покупаю домой продукты, надо чеки в особую тетрадку вклеить. Постельное белье у нас дырявое, кастрюли гнутые, алюминиевые, от покойной свекрови остались. Свет вечером включать запрещено, чайника электрического нет, он энергии много жрет. И телевизор отсутствует. Я все по дому сама делаю, еду из дерьма готовлю. На работу каждый день хожу, а зарплату мужу отдаю, он ее отбирает».

Людмила снова повернулась, но я успела отдернуть от ее века растушевку.

— Кстати, насчет отбросов она не врала. Начнет Светка суп варить, весь подъезд стонет, прямо дерьмом из их квартиры несет. Мама разок не выдержала и спросила: «Светонька, что ты готовишь? Аромат странный». Мамуля у меня вежливая, высказалась красиво. А Тяпкина призналась: «Анатолий харчи, которые со срока годности в магазинах сошли, домой приносит. Их продать нельзя, оштрафуют, сами жрем». Во! У дурака супермаркетов — как тараканов, а семья хавает гнилье... Ксюха опять попыталась мозг подруге включить: «Разводись, не будет со жмотиной счастья». Но упрямее Светки животных нет. «Не, — говорит, — ребеночка рожу, мужик перевоспитается. Детей все любят, Тяпкин не заставит дочку голой ходить и тухлыми курами питаться. Выцарапаю у судьбы свое счастье».

Люся примолкла, разглядывая свое отражение в зеркале. Затем продолжила:

— И че? В одном она права оказалась — девчонка у них получилась. Да только Тяпкин не изменился. Приехала Светка из роддома — она в бесплатном центре рожала, вместе с гастарбайтершами и бомжихами, — мама моя решила ее поздравить. Испекла пирог, толкнулась к Тяпке. И тут же живехонько назад прилетела, схватила лестницу, на антресоли полезла. Оказалось, муж Свете ни копейки на приданое для дочки не дал, ее декретные спрятал. Ляля в ящике из комода спит, ни пеленок, ни распашонок у нее нет, в рванину замотана. Мама моя активная, прямо пар из ушей иногда идет. Достала мои детские вещи, потом соседей обежала. Набралось три мешка, колготки там застиранные, обувь разбитая и прочее. Думаешь, Анатолий смутился, когда барахло увидел? Как же! Обрадовался, засиял и маме сказал: «Если еще чего лишнего есть, несите, возьмем. Халата случайно нет? Светлане дома носить нечего». Мама натурально в шоке от него ушла. Но в конце концов Светка плюнула на семейную жизнь и удрала.

— Удрала? — переспросила я. — Совсем?

— Ну да. Анатолий к нам на днях зашел и сердито спросил: «Не видели мою жену? Куда-то подевалась». Мамочка удивилась: «Нет, не видели. Может, она с Лялей гулять пошла?» Ой, самое интересное рассказать забыла! Месяцев семь-восемь назад топаю я от метро, гляжу — Светлана с дочкой по тротуару чешет. Сама, как прежде, бомжихой выглядит, а Ляля разодета принцессой, волосы завиты, в руках кукла дорогущая. Я домой понеслась, Ксюхе новость выкладываю: «Тяпкина от мужа ушла, любовника завела, он Ляльке подарков накупил». А сестра: «Лучше молчи. Вещи Анатолий приобрел. Света в шоке: муж вдруг дочку полюбил, одел с ног до головы, игрушек приволок. Может, права она была, что терпела? Наверное, совесть у жлобины проснулась, вскоре и о жене позаботится». Но я подумала: нет, врет Светлана. С какой радости Тяпкину меняться? Точно у нее мужик завелся. Ну и кто прав оказался?

Люся, опять забыв, что надо сидеть смирно, обернулась, бросила торжествующий взгляд на меня. Но долго молчать она явно не могла, рассказ потек дальше.

— Неделю назад утром я на учебу иду, смотрю, Светка к метро летит, Лялю на руках тащит. На девчонке костюмчик шикарный, бабочками расшитый, на Тяпке платье красивое, коричневое, балетки дорогие, а в руке старая сумка дорожная, ее еще тетя Аня носила. «Светуська, куда намылилась?» — спрашиваю. Она меня увидела, остановилась, ничего не говорит. Губы трясутся, руки дрожат. И тут Ляля чихнула и закашляла. Тяпкина вздрогнула, шепчет: «Дочка простудилась, к врачу спешим». И шмыг в подземку! Только когда дядя Толя с вопросом к нам пришел, я поняла, что случилось. Муж на работу, а Светлана деру к любовнику, который ей с Лялькой прикидов и накупил. Зачем к доктору здоровенную сумищу тащить? Вот если улепетнуть спланировала, тогда вопроса нет, надо кой-чего с собой прихватить, ну типа лифчик, трусики, дочке сменку... Семь дней прошло, а я ни разу больше Свету не видела. И в квартире у них тихо-тихо. Ляля-то обычно в десять вечера концерт закатывала, когда мать ее в ванну сажала, а девочка воды боится. Короче, удрала Светлана. Ой, как ты меня здорово накрасила!

— Рада, что нравится, — улыбнулась я. — А у Светланы есть близкие подруги?

Людмила снова глянула в зеркало и затараторила:

— Фиг ее знает. Да откуда им взяться? В школе все, кроме Ксюхи, шарахались от нее. Сестра моя добрая слишком, вечно убогих жалеет, а те ей потом на макушку садятся.

Я убрала небольшой набор для макияжа, который на всякий случай всегда ношу с собой.

— Ксения пользуется косметикой?

— Конечно, — удивилась вопросу Людмила. — Не с голым же лицом ходить! Неприлично.

Я протянула ей свою визитку.

— Передай старшей сестре, что она может получить подарок от фирмы «Бак» — эксклюзивный набор для повседневного макияжа плюс наш фирменный фен, плед и дисконтную карту. Ей надо только позвонить мне. Хорошо?

— Я тоже такой хочу, — закапризничала Люся.

Я показала на красный чемоданчик.

— Вот же он, весь твой.

— Там нет фена, одеяла и скидки, — заныла жадина. — Так нечестно! Почему Ксюхе больше, чем мне? Маленьким надо лучшее давать.

— Маленькие не красятся, — улыбнулась я. — А тебе достался дармовой макияж. Впрочем, если убедишь Ксению связаться со мной, передам тебе через нее наборчик для ванной. Найдешь там шампунь, гель, жидкое мыло — все в очень красивых стеклянных диспенсерах.

— Хочу! — подпрыгнула тараторка.

— Вот и постарайся, — кивнула я. — И дай-ка мне номер своей сестры.

Глава 16

Выйдя на улицу, я обнаружила в своем телефоне пять пропущенных вызовов от незнакомого абонента и после небольшого колебания соединилась с ним.

— Алло, — ответил скрипучий мужской голос.

— Вы несколько раз звонили Степаниде Козловой. Извините, сразу не могла подойти. Сейчас нахожусь в отпуске, не решаю рабочие вопросы, — объяснила я.

— Как хорошо, что вы нашлись! — обрадовался незнакомец. — Я Костя.

— Очень приятно, — пробормотала я.

— Константин Лапушка.

Я откашлялась.

— Что вы хотите?

— Как? Неужели забыли? Мы же договорились! — обиделся собеседник.

Я начала судорожно вспоминать, у кого из поставщиков, VIP-клиентов, визажистов такая редкая фамилия, но так и не сообразила, где судьба столкнула меня с Константином.

— Я Лапушка, — повторил мужчина. — Вы придете?

— Куда? — вырвалось у меня.

Константин понизил голос:

— В кафе. Жду с нетерпением. Мы скоро начнем, я хочу посадить вас на лучшее место. Организаторы всегда знают, где нужно устроиться. А вот и Роман Глебович!

Имя Звягина слегка прояснило ситуацию. Я забыла о каком-то мероприятии, где обязана присутствовать. Роман уже туда приехал, значит, надо поспешить на тусовку. Прибегу и сразу разберусь, что к чему.

— Напомните адрес ресторана, — попросила я. — Прилечу мигом.

Но Лапушка, похоже, не услышал моих слов.

— У нас заранее спланирована рассадка, но я, как и обещал, забил для вас наилучший столик. Нехорошо, если он останется пустым, вы очень меня подведете, если не явитесь.

— Куда ехать? — повторила я.

— Нильская улица, — произнес Константин. — Это в Измайлове.

— Правда? — обрадовалась я. — А где там?

— Кафе «Курица в перьях», — сообщил Лапушка.

Я тут же вспомнила разговор с таксистом и сказала:

— Буду через три минуты.

* * *

Забегаловка совсем не походила на заведение, где устраивают гламурные мероприятия. За входной дверью оказалось дешевое кафе с удивительным дизайном: темно-синие плотно задернутые плюшевые занавески, круглые столики, накрытые скатертями из того же материала, на них кобальтовые вазочки, из которых торчало по одному тряпичному васильку. Около каждого стола стояло по два стула, на их спинках висели большие банты из капроновых лент, смахивавшие на свернутые баклажаны. На полу лежал ковер, похожий на лужу чернил, свет был приглушен. В углу громоздился рояль, за которым восседала тощая старуха точь-в-точь в таком же костюме, какой когда-то носила учительница первоклассницы Козловой.

— Вы Степа? — спросил уже знакомый голос.

Я повернула голову и попятилась. Прямо на меня надвигалась гора, увенчанная маленькой головой в бейсболке... угадайте, какого цвета. На носу у мужчины сидело пенсне, необъятный живот прятался под мешкообразным свитером. Думаю, понятно, что он радовал глаз колером ночного неба.

Толстяк протянул руку.

— Костя. Приятно видеть фею среди жаб.

— Рада знакомству, — по-светски любезно ответила я и осторожно пожала влажную ладонь. — А где Роман Глебович?

— Готовится начать встречу, — ответил Лапушка. — Но он вам не нужен, все вопросы решаю я. Сядете в центре. Специально никому номерки не давал, вас поджидал. Напрягся малец, когда понял, что вы про амурсейшен забыли.

Я изобразила на лице улыбку. Господи, куда меня занесло? Амурсейшен? Вас ист дас? Почему Роман согласился принять участие в странном действе? Где люди из нашей пиар-службы? Почему не видно Коли, шофера и охранника Звягина?

— Наверное, нервничаете? — подмигнул Лапушка. — Хотя держитесь хорошо. Большинство женщин бегут в туалет краситься, но вам не надо. Выглядите роскошно.

— Благодаря косметике «Бак», — решила я на всякий случай прорекламировать родную фирму.

— Да нет, просто вы от природы красавица, — прищурился Константин.

На всякий случай я сделала шаг в сторону, потом спросила:

— Каков тайминг? В котором часу предполагаете закончить?

— Два часа, — сообщил Лапушка. — Усаживайтесь.

— Может, лучше я устроюсь в углу? В центре слишком на виду, — попросила я.

— И здорово! — закряхтела Лапушка. — Все, на-оборот, за стол номер один стремятся, но я за него лишь симпомпончиков пристраиваю. Тот, на который вы указали, предназначен крокодилам, а соседний займет бегемот. Ну, не тормозим! Пора запускать стаю сексуальных мартышек. Да, редко у нас цветок, подобный вам, встретишь. Мне сказали, что вы хорошенькая, но я подумал, врут. А теперь вижу: будут проблемы. Павианы только вас захотят, остальные ногти до колен сгрызут.

— Простите, не совсем понимаю... — начала я.

Но тут из-за занавески выглянул слишком загорелый, смахивающий на пережаренный сухарь, мужчина и зашипел:

— Костя, сколько можно тянуть? Опоздаю на корпоратив. Уже десять минут, как начать надо.

— О'кей. Не мельтеши! — велел Лапушка. — Степа, устраивайтесь. Вуаля, вы номер один.

Константин поставил передо мной на столик белый флажок с нарисованной единицей и тихо сказал в маленький, прикрепленный к рубашке микрофон:

— Петяша, включай цирк.

Сразу послышался звук шагов, и зал стал заполняться женщинами в возрасте, который принято называть ягодным. Всем дамам было примерно лет сорок пять, и нарядились они по полной программе — обтягивающие мини-юбки, кофточки-стрейч с глубоким декольте, сапоги-ботфорты на высоченном каблуке или туфли на платформах, яркий макияж, прически, украшенные искусственными цветами и заколками со стразами. Молча, без улыбок на мрачных, угрюмых лицах они расселись за столики, причем каждая устроилась отдельно. Я терялась в догадках. Что это? Флеш-моб? Или некий перформанс, где мне отведена главная роль? Где Звягин?

Синяя занавеска снова заколыхалась, появился уже виденный мною «сухарь» и с придыханием объявил:

— Рад видеть всех на нашей амурсейшен. Меня зовут Роман Глебович.

Я чуть не свалилась со стула. Минуточку! Ведущий — полный тезка владельца фирмы «Бак»? Значит, это о нем, а не о Звягине сообщил по телефону Константин? Ну и где я нахожусь? Похоже, это сборище не имеет ни малейшего отношения к моей работе. Надо встать и уйти, но как-то неудобно это сделать во время выступления. Дождусь, когда Роман номер два закончит толкать речь, и потихонечку смоюсь.

Я осторожно огляделась по сторонам. Да уж, слово «потихонечку» самое подходящее в данной ситуации. Я восседаю на центральном месте, все безумные тетеньки недобро косятся в мою сторону, по-английски ускользнуть не удастся. Стеша, ты влипла! Придется просидеть тут по меньшей мере минут сорок. А пока надо постараться понять, куда меня занесло.

— Наши правила всем известны, — журчал Роман. — Всего три минуты, потом звонок — и карусель пошла по кругу. На всякий случай предупреждаю: без рук! Любые прикосновения запрещены. Перед вами блокноты и ручки, можете делать заметки. Готовы?

— Да, — нестройно отреагировала публика.

— Отключаем мобильные, — потер руки ведущий. — Я постоянно буду в зале. Возникнут вопросы — сразу обращайтесь. Если амурмен начнет говорить неприятные вещи, поднимайте флажок.

Я оперлась локтями о стол. Амурмен? Это кто?

— Имен не узнаете, только ники, — вещал тем временем Роман. — Подавайте заявки Константину и, если желания обеих сторон совпадут, получите амурфлаер. О'кей?

— Давайте приступать, наконец, — сердито велела полная светловолосая тетка в обтягивающем пышные формы платье из ядовито-красного джерси.

— Прекрасное предложение, — засмеялся Роман. — Правда, я хотел рассказать присутствующим о замечательной фирме «Stop». Она делает...

— Ой, да знаем мы уже, — перебила Романа Глебовича другая блондинка, менее толстая, в голубом бархатном костюме, — не первый раз на амурсейшен пришли. Слышали про спонсора неоднократно.

— Ну, если не желаете получить подарок от «Stop», — прищурился Роман, — тогда...

— Хотим, хотим! — занервничала аудитория.

Ведущий хлопнул в ладоши. Из-за синей портьеры вынырнула девушка в белой футболке. Не успела я моргнуть, как она подлетела ко мне и старательно опрыскала из большого баллончика, который держала в руках. Я вскочила, воскликнув:

— Что вы делаете?

— Видите? — обрадовался Роман. — Значит, действует. Внимание! Вам представлена потрясная новинка от «Stop» — духи с феромонами, то есть с веществами, которые приманивают мужчин. Кроме того, секретные добавки придают вам бодрости, энергичности и сексуальности. Только что наша очаровательная амурантилопа сидела со скучающим видом, а едва получила дозу приманивателя мужчин, сразу встрепенулась, встала, заговорила. М-м-м... А-а-а! Чую будоражащий эффект. Красавица, как вас зовут? Не дадите свой телефончик? Ха-ха-ха. Всем рекомендую купить по флакончику!

Я, ничего не ответив клоуну, села на место.

Дело совсем плохо — я оказалась на презентации чужой продукции. Что это за фирма такая «Stop»? Никогда о ней не слышала. Наверное, производитель только выходит на рынок. Пиарщики раздобыли список байеров, журналистов и визажистов, обзвонили их и зазвали в этот зал. Меня обманули, как котенка. Думаю, Лапушка сообразил, что в зале есть свободные места, набрал мой номер и прикинулся, что ждет не дождется Козлову. Никто меня заранее не предупреждал, да я бы и отказалась сразу. Константину феерически повезло, причем дважды. Во-первых, я решила, что Роман Глебович — это Звягин, а во-вторых, находилась в двух шагах от кафе «Курица в перьях».

Кстати, мероприятие организовано отвратительно, так презентации не устраивают. Я могла бы объяснить местному народу, как грамотно продвигать товар на рынке, но не собираюсь вкладывать свой ум в чужую голову. Духи мерзкие, вонючие, девушка с баллончиком обошлась со мной как с засохшим растением, нуждающимся в поливе. Короче, пора улепетывать. Надеюсь, никто из коллег никогда не узнает, где я сегодня очутилась. Очень хорошо, что журналистов с камерами нет. Вот вам еще одна глупость — организаторы не пригласили телевидение и фотографов. Небось, пиаром и рекламой занимается жена владельца бренда.

— Попшикайте на меня посильнее! — закричала блондинка в красном.

— Сюда-сюда! — замахала руками дама в голубом.

— Опрыскивание — бесплатный подарок от спонсора! — закричал Роман. — Ура! Музыка!

Старушка, сидевшая за роялем, вздрогнула, уронила руки на клавиши и, путаясь в пальцах, заиграла «Интернационал». Я с трудом сдержала хохот. Самый подходящий музон для мероприятия, посвященного парфюмерной новинке!

Синяя занавеска опять чуть приоткрылась, на пару секунд показалась камера, но тут же исчезла.

Я опешила. Нет, это не презентация. Зачем прятать оператора? Любому понятно, что реклама товара по телевидению намного более действенна, чем сообщение о нем в газетах, журналах или по радио. Во время съемки камеры всегда стоят открыто. Хотя... Да, бывают такие проекты, когда телелюди тщательно пытаются закамуфлировать аппаратуру. Например, на дециметровых каналах идут всякие дурацкие шоу, во время которых над людьми глумятся. Ну, скажем, бросают на тротуар кошелек, ждут, когда кто-нибудь его поднимет, пройдет несколько шагов, расслабится... И тут из-за кустов выскакивает съемочная бригада, в лицо человеку направляют объектив и кричат:

— Ха-ха-ха! Вы в кадре!

А на Первом канале был проект «Розыгрыш», со знаменитостями. Кстати, он получился смешным, совсем не пошлым.

Занавеска опять откинулась, вновь мелькнула и скрылась камера. Я застыла с улыбкой на лице. Нет, это точно не презентация! Я нахожусь на съемках юмористической телепрограммы. Фирмы «Stop» в реальности не существует, уж я бы про нее хоть раз, да услышала. Роман пародирует гламурное мероприятие, зрителей в студии не предупредили о приколс, наивные тетки считают, что они на самом деле присутствуют на тусовке с диким названием «амурсейшен». Ну почему я раньше не догадалась о подставе? С первой же секунды мне стало ясно, что в кафе творится нечто странное. По какой причине меня сюда заманили?

Я чуть не подпрыгнула на стуле — меня осенило, Алла Каверина! Вот теперь все стало ясно.

Неделю назад я проводила кастинг на должность младшего помощника Арни и не взяла даму, которой стукнуло шестьдесят. Ну не говорить же ей прямо: «Вы пенсионерка, никогда нигде ранее не работали, весите под сто кило, у вас неухоженный вид, поэтому вы категорически нам не подходите»? Чтобы не обижать претендентку, я вежливо промурлыкала:

— Уважаемая Алла, работа у мсье Арни связана с постоянными командировками, а у вас семья. Мужу с детьми и внукам не понравится постоянное отсутствие жены, мамы и бабушки, возникнут проблемы. Поэтому в нашем объявлении о кастинге написано: «Приглашается девушка в возрасте до двадцати пяти лет, не состоящая в браке».

Любая бы на месте мадам сообразила, что надо тихо уйти. Но Каверина устроила скандал. Во-первых, заорала, что ей отказывают из-за возраста. И, между прочим, была права. Ведь надо внимательно читать условия и не приходить туда, где ищут молодых сотрудниц, если тебе перевалило на седьмой десяток.

Но мне стало жалко женщину, похоже, ей очень хотелось устроиться в «Бак», и я предложила ей:

— Могу поговорить с заведующей складом, там есть вакансия. Коллектив хороший, все вашего возраста, оклад достойный.

Что тут началось! Каверина разбушевалась, смела с моего стола на пол бумаги... Пришлось вызвать охрану. Когда скандалистку уводили, она визжала:

— Ты еще поплачешь! Мой сын телемагнат! Он устроит хамке жизнь в цветочек!

На следующий день в офис позвонил мужчина, представился владельцем телеканала «Ом-7» и заявил:

— Козлова, или ты берешь мою мать на работу, или увидишь, что будет!

Я швырнула трубку. А сегодня проклюнулся Лапушка. Вопросы есть? У меня их нет. Несговорчивую Степу решили высмеять на экране. Вот почему меня усадили в центр — я основная мишень для стёба.

— Купить парфюм с феромонами, белье, увеличивающее вашу сексуальность, и прочий необходимый товар вы легко сможете после окончания амуркарусели в центральном холле, — надрывался тезка Звягина.

Я мило улыбнулась.

Ладно, телесъемка ерунда. Судя по убогой обстановке, канал сына Кавериной вещает во втором подъезде четвертого дома деревни Толстые Овцы. Никто передачу не увидит. Надо дождаться момента, когда наступит технический перерыв, и спокойно покинуть кафе. Если я сейчас начну возмущаться и рваться к выходу, это будет сладким подарком режиссеру, которому необходим скандал. Вон как

Роман обрадовался, когда я, чуть ли не удушенная «ароматом», вскочила из-за стола. Ну уж нет, ребята, больше не получите от меня пряников, буду улыбаться и подыгрывать вам. Затащили в убогую забегаловку толпу наивных женщин и предполагаете над ними поржать? Со мной такой номер не пройдет. Я поломаю съемочной группе малину.

— Теперь, когда все оферомонились от ушей до пяток, начинаем амурсейшен! — заорал Роман. — Маэстро, фанфары!

Бабулька подпрыгнула на круглой табуретке, чихнула, икнула и стала извлекать из несчастного рояля странные звуки. Я даже не сразу поняла, что она исполняет «Марсельезу».

Глава 17

Центральная дверь распахнулась, в зал вошли мужчины. Женщины приосанились и расцвели улыбками.

— Номер первый! — провозгласил Роман. — Кто у нас первый? Ха-ха! Смешно получилось! Первый — первый. Один — один. Забьет ли он гол в ворота?

Тощий лысый дядечка в чудовищном костюме в желто-красную клетку поднял руку.

Роман глянул на планшетку.

— Очаровательно. За первым столом красавица, чей ник Степан. Брутальная кликуха!

Я еще шире растянула губы, изображая американский смайл. Ничего-ничего, когда-нибудь шоу дураков закончится, и Константину мало не покажется. Скажу Лапушке много хорошего, сладкого, достанется ему за вранье про то, что я давно была приглашена для участия в этом маразме.

— К ней подсаживается Огурчик. Вперед, парень! — вопил ведущий. — Следующий — номер два.

Блондинка в красном вскочила:

— Я! Я! Я! Вот же я! Сижу здесь!

— Привет, — простонал красавчик в отвратительном клетчатом пиджаке, плюхаясь напротив меня. Затем представился: — Огурчик.

— Очень приятно, — промурлыкала я, — Степа.

— Любишь селедку? — неожиданно спросил «модник».

Я, ожидавшая подвоха, удивилась:

— Соленую рыбу?

— Ага.

— Могу съесть кусочек.

— Хочешь бочку?

— Селедки? — переспросила я. — А что с ней делать?

Огурчик навалился на стол.

— Газеты пишут, скоро весь мир накроется медным тазом. Экология плохая, продукты отравлены, а моя иваси выловлена в уральских степях. Доперло?

— Пока нет, — хихикнула я. — Как селедке в степи живется? Ей там не сухо?

— Народ с голодухи помрет, а у нас жрачка в бочках, — пояснил Огурчик.

— Супер! — зааплодировала я, понимая, что режиссер шоу ждет от меня совсем другой реакции. Любая нормальная женщина сейчас должна была встать и крикнуть: «Уберите от меня сумасшедшего!» Но я-то понимаю, чем здесь народ занимается.

— Я понравился тебе? — ликовал Огурчик.

— Конечно, — заверила я. — Бочка селедки — моя детская мечта. Еще еле стоя в кроватке, я просила маму ее купить.

Раздался гонг.

— Смена караула! — завизжал Роман. — Парни крутят педали!

— Я выбрал тебя, — заявил Огурчик.

Я приоткрыла рот и пропела:

— Шикардос!

Это замечательное словечко часто произносит наш визажист Лариса, красивая рыжеволосая, а главное, очень талантливая девушка. Если посадишь к Ларе в кресло морщинистого крокодила в бородавках, то встанет он оттуда очаровательным пушистым зайкой. А из серой больной мышки она легко сделает женщину-вамп. Возможен и обратный эффект. Берем откровенно сексуальную брюнетку и говорим визажисту: «Она должна выглядеть Мальвиной». Можете не сомневаться, через час вы увидите куклу с голубыми волосами. Главное, правильно поставить перед Ларисой задачу, и она с блеском ее решит. В лексиконе девушки много смешных выражений. Например, она не жалуется, как все люди, что голова заболела, а говорит: «Ко мне с утра приехал на гастроли Гадий Петрович».

Желто-красный пиджак умчался, его место занял толстяк в безразмерном пуловере.

Ну почему люди, чей вес зашкалил за два центнера, напяливают на себя балахоны? На самом деле мешок, натянутый на тело, не сделает вас визуально стройнее, наоборот, вы станете похожи на кучу. Найдите у себя нечто красивое и подчеркните это.

У некоторых толстушек бывает тонкая талия, значит, затяните ее поясом, а пышную грудь продемонстрируйте с помощью кофточки из нежного трикотажа...

— Кентавр, — представился дядька. — Привет, детка.

На меня напал кашель.

— Степанида.

— Я сексуально-агрессивный человек-конь, — уточнил толстяк. — Могу сто раз за ночь. Нравится?

— Испытываю невероятный восторг, — сказала я. — Уже не надеялась встретить свой идеал, а тут — вы!

Толстяк вздрогнул.

— Обожаю кентавров, — пела я. — Они такие красивые, умные, элегантные.

— У меня нет машины, — неожиданно сообщил собеседник. — Не могу найти достойную — модную, с эксклюзивным дизайном. И дорогую. Дешевки презираю.

Я навалилась на стол.

— Зачем она вам? У вас четыре быстрые ноги, враз доскачете куда надо, минуя пробки.

— У кентавров две лапы, — поправил жиртрест.

— Вы так полагаете? А куда подевались передние? — поинтересовалась я. И услышала:

— Они руки.

Ответ меня порадовал.

— Вот здорово! Значит, вы ходите только на двух ногах?

— Естественно, — фыркнул дурачок. — Низ у меня лошадевый, верх людской.

— Думаю, низ в вашей ситуации должен быть конячий, — совершенно серьезно возразила я. — Вы же мужчина?

— Да, — кивнул толстяк, — полулошадь-полубог. И олигарх. Денег немерено.

— Супер! — обрадовалась я. — Но все-таки вы конь. Лошадь больше подходит для девочки.

— Лошадь она все, и конь, и конская баба, — отрубил гибрид полубога с благородным животным.

— Но вы-то мальчик, — попыталась я внести каплю логики в океан безбрежной глупости. — Девочка называется кобылой. Я не знаток мифологии, но из лекций по древнегреческой литературе кое-что помню. Вроде кентавры принадлежат к сильному полу. Вспоминается Хирон, который воспитал Ахилла, Ясона, Патрокла.

— У, ты какая умная! — восхитился красавец. — Давно искал такую. Согласна порезвиться со мной в горах Парфенона?

Я откинулась на спинку стула. Парфенон — памятник архитектуры, храм на афинском Акрополе. Интересно, мистеру Кентавру специально составили идиотский текст, чтобы довести меня до ярости, или редактор, ваявший сценарий, не проконсультировался с поисковой системой в Интернете?

— Жирафы ускакивают, им на смену приплывают киты! — загудел Роман. — Айн, цвай, битте! Простите, парнишки, силь ву пле в другие леса.

— Ты мне нравишься, я застолбил флаер, — скороговоркой бросил Кентавр. — Согласна на продолжение отношений? Но на твоей территории, а то у меня квартирная хозяйка вредная.

Я послала собеседнику воздушный поцелуй.

— Конечно, дорогой. Сексуальнее тебя только ежики.

— Кто? — занервничал не существующий в природе зверь. — При чем здесь колючие уродцы?

Ответить я не успела — к Кентавру подскочил Роман, ткнул его микрофоном в спину и зашипел:

— Шагай к номеру два.

— Я встретил супергерлу! — уперся полуконь в вязаном мешке. — Определился с кандидатурой.

— Она сладкая конфетка, — сально улыбнулся ведущий, — но тебе нужно поболтать вон с той козочкой. А к Степану кто прикатил?

— Эдуард Альбертович Розенкранц, — представился наголо бритый дядька во френче защитного цвета.

Роман, пинком направивший Кентавра к сочной блондинке в красном, поморщился.

— Так не пойдет. Вас инструктировали перед началом. Только ники.

— Это творческий псевдоним, в моем паспорте совсем другое имя, — спокойно пояснил Розенкранц.

Ведущий похлопал его по плечу.

— Извини, не понял. Общайтесь.

— Вообще-то я Сергей, но Эдуард Альбертович Розенкранц звучит красивее, — признался мой очередной собеседник. — И я чрезвычайно везучий человек. В прошлом году меня сбила машина.

— И в чем же удача? — я на секунду выпала из роли жизнерадостной идиотки.

У Розенкранца вспыхнули глаза.

— Это была «Скорая помощь», иначе бы кирдык тигренку. Меня живо в больницу доставили, я отделался легким испугом.

— Поздравляю, — на сей раз искренне сказала я.

Эдуард Альбертович откашлялся.

— Да, свезло. Поставили титановый сустав в бедро, две пластмассовые коленки, четыре железных позвонка, два силиконовых ребра, а в голову стальную пластину.

— Офигеть... — пробормотала я. — Натуральный Терминатор.

— Прежде чем разговаривать дальше, я должен проверить умственный уровень бабы, — неожиданно заявил Розенкранц. — Ты не против? Тогда начнем. Внимание! Смотри!

Эдуард Альбертович продемонстрировал ладонь правой руки.

— Запоминай, как называются пальцы. Большой, указательный, средний, безымянный и мизинец. Второй раз повторять не стану, тест сложный, подсказок не будет. Теперь смотри. Мешаем, мешаем, перемешиваем, передвигаем их...

Розенкранц начал активно шевелить пальцами. Я замерла. Если я расхохочусь во все горло, хитрые телевизионщики возьмут мое лицо крупным планом, а потом при монтаже раскидают мое изображение по всей своей дурацкой программе. Знаю их штучки.

— Во, перепуталась, — выдохнул Эдуард Альбертович. — Способна сказать, где какой палец?

— Самый маленький мизинец, — сдавленно произнесла я, — перед ним безымянный, далее средний.

— Хватит! — воскликнул Розенкранц. — Тест пройден. Я тебя выбрал. Согласна?

— Абсолютно на все! — подтвердила я, с грустью понимая, что уйти не удастся, съемка идет без перерыва.

* * *

Через два часа Роман объявил:

— Финита наш амурсейшен.

Женщины дружной толпой понеслись куда-то в глубь кафе, а я выскочила в холл и спросила у уборщицы:

— Где Константин?

— Глаза б мои его не видели! — вознегодовала тетка. — Обманщик он. Хочешь совет? Уходи скорей и больше тут не появляйся. У жуликов завсегда следующий раз дороже предыдущего.

Но я не успела воспользоваться рекомендацией, за спиной прогудел голос Лапушки:

— Ты получила больше всего амурфлаеров. Сокрушительный успех! Дядя Дима будет доволен.

Я резко крутанулась на каблуках.

— Кто тебе дал мой телефон?

— Секрет, — ответил толстяк. — Но если согласишься сходить со мной в кафе, открою тебе его.

— Ладно, — кивнула я, — непременно схожу. Как только освобожусь. Теперь имя.

— Разве он тебе ничего не сказал? — удивился Константин.

— Кто и о чем? — наседала я.

— Дядя Дима Барашков, — выпалил Лапушка.

— Кто? — опешила я.

Константин сложил руки на необъятном животе.

— Моя мама была третьей женой шурина кума тети Наташи, четвероюродной сестры дяди Игоря.

— Ага, — кивнула я. — А кто он такой?

— Дядя Игорь? — удивился Лапушка. — Не знаешь своих родственников? Сейчас растолкую.

— Нет, не надо, — остановила я толстяка. —

Лучше объясни, зачем мужу Белки понадобилось отправлять меня на телесъемки.

Толстяк прислонился к стене.

— Честное слово, не знаю. Про телевидение от него не слышал. А к нам он обратился потому, что компания «Амур-тужур»[1] работает честно. У нас не подставные женихи, с помощью которых дурачат наивных женщин, состригают с них деньги за каждую встречу, чтобы тетки постоянно ходили на сейшены. Нет, наши парни реальные. Мы за три года работы на рынке брачно-ознакомительных услуг поженили пять пар. Самый лучший показатель в этом бизнесе.

— Так я принимала участие в ярмарке невест? — подскочила я.

— Ну да, — подтвердил Костя. — Специально усадил тебя за лучший стол. Ты же моя родственница. У мужчин есть три минуты, чтобы рассказать о себе и выслушать женщину, потом пары перетасовываются. По окончании мероприятия парни сообщают организаторам, кто им по душе, и забирают флаер с контактами потенциальной невесты. Хочу тебя порадовать: твой телефон взяли все. Ты имела головокружительный успех! Стопроцентный сенокос! На моей памяти пока такого не случалось. А вот тебе флаеры женихов и их телефоны. Можешь соединиться с теми, кто по душе тебе.

Костя сунул мне в руки пачку разноцветных листочков.

Я посмотрела на них и наконец поняла, что произошло.

---

[1] А м у р - т у ж у р — любовь всегда. Ну, очень исковерканный французский.

— Ты сообщил безумным Кентаврам, Огурчикам и Розенкранцам мои контакты?

— Ну конечно! — кивнул Лапушка. — У тебя сразу армия поклонников образовалась. Я не мог отказать дяде Диме. Но, знаешь, я подумал, что внучка Изабеллы Константиновны — прыщавая уродина, кривоногая слониха весом в три центнера.

— И почему ты так решил? — протянула я.

— Лет тебе много, а замуж еще ни разу не сходила. Значит, не берет никто, — пояснил Константин. — И Вера Кузьминична, это мама моя, велела: «Тебе надо встретиться со Степанидой. Белка сказала внучке, что сыну одной ее знакомой требуется купить костюм. Сходи на свидание, присмотрись. У Степы квартира, приличная работа, чем тебе не невеста?» Вечно мать меня охомутать хочет. Вот я и подумал, что ты помесь крокодайла с бородавочником. Матушке исключительно страшилы нравятся, красивые девчонки ее бесят. И вдруг приходит на амурсейшен фея... В общем, такая королева нужна мне самому, я не женат. Приглашаю тебя в кафе. Пошли, а?

Сначала я лишилась дара речи. Вот о каком парне вела утром речь Белка! Потом я издала нечленораздельный звук, а затем уж фразу:

— Прости, Костя, но браки между родственниками не приветствуются.

Лапушка впал в раж.

— Ерунда, общей крови у нас нет. Имей в виду, я шикарный вариант для тебя: у нас с мамой квартира, я бизнес веду, зарабатываю прилично, легко могу бабе шубу купить. Если ты маме не по душе придешься, то ее сестры, тетя Оля, тетя Аня, тетя Катя, тетя Настя, тетя Женя, тетя Рита, тетя Ива, тетя Валя, тетя Зина, тетя Маруся, уговорят ее не наезжать на невестку. А дядя Сережа, дядя Витя, дядя Коля...

К горлу подкатила тошнота. Однако приятная перспектива — получить в придачу к скандальной свекрови сто ее сестриц и их мужей!

В сумочке затрезвонил мобильный. Я глянула на экран, увидела незнакомый номер и поняла, как надо действовать:

— Хорошо, я схожу с тобой попить кофе. Но ты должен кое-что сделать.

— Убить дракона и принести тебе его печень? — обрадовался Лапушка. — Легко! Приказывай!

Значит, Костя уже мой жених? Быстренько мы с ним движемся к дверям загса...

— Нехорошо, что теперь у стольких мужчин есть номер телефона твоей девушки. — Мой голос звучал вкрадчиво. — Забери его у них.

— Но как я смогу? — призадумался Лапушка. — В «Амур-тужур» строгие правила.

— Не знаю, дорогой, — проворковала я. — Но если хочешь пойти со мной в кафе, избавься от конкурентов. Вот, опять кто-то трезвонит... Алло, Кентавр? Добрый вечер.

Константин выхватил у меня трубку, сбросил звонок и приказал:

— Не отвечай никому.

— Ладно, — неконфликтно согласилась я, поглядывая на вновь оживший сотовый.

— Костя! — закричал из коридора женский голос. — Иди сюда скорей!

— Стой тут, не уходи, — распорядился Лапушка и, сунув мне мой мобильник, понесся на зов.

Я дождалась, пока грузная фигура скроется из вида, и пулей вылетела на улицу.

Глава 18

Ночью меня разбудил странный звук. Я села на кровати и прислушалась. Если бы моя квартира находилась в многоэтажном доме, я могла бы подумать, что один из соседей, забыв посмотреть на часы, включил некий строительный инструмент, помесь циркулярной пилы и машины, забивающей сваи. Но в здании живем только я и немногочисленная семья Несси. А шум доносится из коридора. Надо посмотреть, что там происходит...

Я нажала на выключатель, ночник вспыхнул мягким светом, хотела надеть тапочки, пошарила босой ногой по полу, ничего не обнаружила, наклонилась и — взвизгнула. На паркете, неподалеку от тумбочки, сидели три мыши и с любопытством смотрели на меня круглыми черными глазками. Услышав мой визг, троица шмыгнула за кресло.

Ноги сами понесли меня в спальню к Егору. Но я не успела разбудить Бочкина, потому что, пробегая мимо входной двери, услышала деликатный стук и тихий голос Несси:

— Тяпонька, спишь? Если нет, впусти, пожалуйста. Войдя в холл, Агнесса поинтересовалась:

— У тебя суарэ? Бога ради, не компранэ[1] меня так, что я хочу напомнить о времени. Задаю вопрос из любопытства. Что ты отмечаешь?

— Я мирно спала, пока меня не разбудил грохот, — ответила я. — Сначала подумала, что у вас ремонт начался.

---

[1] Суарэ — вечеринка. Не компранэ — не пойми — вроде французский язык.

— О майн готт! Никогда не затею переделку жил-площади, — пообещала Несси. — А почему ты такая красная?

— В спальне мыши! — пискнула я. — Целых три штуки! Сидели, смеялись!

Бабушка Базиля поправила накинутую на плечи шаль.

— Дас ист инпосибел![1] Последние грызуны покинули особняк во время строительства ветки метро. Это произошло, дай бог памяти, э... в середине тридцатых прошлого века... Или шестидесятых? Тебе показалось, здесь мышек нет.

— Они ушли, но пару минут назад противно хихикали. Без звука, просто рты открывали, — возразила я.

— Тебе привиделось, — стояла на своем Агнесса. — И откуда грохот? А-а-а, ты забыла выключить циклевальную машину.

Я задрожала от холода.

— Откуда она у меня? Можете везде посмотреть, ничего не найдете.

— Ну, если ты разрешаешь, я пробегусь по апартаментам, — торжественно произнесла пожилая дама. — Стоп! Сообразила! В гостевой комнате слишком громко работает телевизор.

— И демонстрирует передачу с лесопилки? — хихикнула я, распахивая дверь. — Егор! Что происходит?

— Хр-рр-дррр-гррр, — донеслось изнутри комнаты, — брр... а-а-а... фр-р...

---

[1] Дас ист инпосибел — это невозможно — смесь немецкого и английского.

Мы с Несси подскочили к кровати.

— Что с ним? — испугалась я. — Заболел? Он издает нечеловеческие звуки

— Нет, деточка, твой жених шнаршен, — объявила Агнесса Эдуардовна.

— Простите, не поняла, — пробормотала я.

— Ну, шнаршен, — повторила Несси, — э... э... Как же этот глагол звучит по-русски? Вспомнила — храпит.

Оглушительный грохот снова ударил по ушам.

— Маловероятно, — ошарашенно заспорила я. — Человек не способен издавать такие рулады.

Несси склонила голову к плечу.

— Долгие годы жизни с мужем сделали из меня первоклассного борца с храпунами. Надо посвистеть, и концерт финиширует. Поверь, способ простой, но действует безотказно.

Мы с ней вдвоем стали заливаться соловьями. Минут через пять я поняла бесперспективность этого занятия.

— Может, вспомните что-нибудь еще?

— Знаю чудесный рецепт, — оживилась Несси. — У тебя найдется чеснок?

— Нет, терпеть его не могу, — ответила я. — У меня только репчатый лук на кухне.

— Прекрасно, он подойдет, — сказала соседка. — Порулили на кюще, сейчас приготовим антихраповые капли. Дай сообразить, что там в их составе? Ну не стой денкмален[1], шевелись!

---

[1] К ю щ е — кухня. Д е н к м а л е н — памятник. Исковерканный немецкий.

Очутившись у разделочного столика, Агнесса Эдуардовна принялась командовать:

— Очисти одну головку, натри ее на терке, отожми сок.

Я старательно выполнила указание и, заливаясь слезами, прокашляла:

— Готово.

— Дорогая, у тебя тараканы! — воскликнула пенсионерка.

— Не может быть, — возразила я. — Ни одного до сих пор не видела.

Агнесса показала пальцем на плиту.

— Вон же они! Какие наглецы, не убегают, сидят смирно.

Я начала промывать слезящиеся глаза холодной водой, желая посмотреть на сидящих насекомых. Наверное, забавное зрелище. До сих пор я считала, что прусаки могут лишь бегать.

— Крупные такие, — описывала тем временем незваных гостей Несси, — и почему-то серые. Да, на животных тоже влияет научно-технический прогресс. Вот Марта десять лет назад отличалась яркой густой шерстью, а как только Николя провел в дом Интернет, собака начала седеть.

Я схватила кусок бумажного полотенца и принялась промокать лицо. Бесполезно внушать Агнессе Эдуардовне, что Марта потихоньку стареет, Всемирная паутина не виновата в изменении цвета шерсти псинки.

— Ишь ты, какие усатые! — восхитилась Несси. — Наверное, гималайские. Вчера по телику о таких...

— Это мыши! — взвизгнула я и швырнула в охамевших грызунов упаковку салфеток.

— Вполне симпатичные, — резюмировала бабушка Базиля. — И не приставучие — сразу ушли.

— Надеюсь, они больше не появятся, — содрогнулась я. — Луковый сок готов, что дальше? Давайте побыстрее приготовим капли, боюсь, стекла вылетят от храпа.

Несси призадумалась.

— Давненько капли в последний раз готовила. Но, помню, эффект был потрясающий. Проблема с бессонницей из-за ночного гвалта, исходящего от супруга, у меня решилась раз и навсегда. Одну пипеточку в нос Ивану Николаевичу напустила — и, вуаля, больше он по ночам не шнаршен. Лук, лук... А! Малая толика молотого перца. Думаю, столовой ложки хватит. Насыпай и размешивай. Молодец. Теперь тридцать капель валерьяны.

— Вы уверены? — спросила я, открывая аптечку.

— Конечно, — заверила Агнесса Эдуардовна. — Я кладезь оригинальных рецептов. Лук бодрит нервную систему, перец оживляет рецепторы, валерьянка успокаивает в целом. Помнится, Иван Николаевич сначала перестал храпеть, потом затих. И лимонный сок! Надеюсь, ты покупаешь цитрусовые постоянно? В них витамин С. Не стесняйся, выбери фрукт покрупней. Покажи, сколько из него сока выжалось? Негусто. Но сойдет.

— Все? — поинтересовалась я.

Соседка заглянула в холодильник.

— Точно чего-то не хватает. Какой-то изюминки.

Я быстро открыла керамическую банку и кинула в смесь пару сушеных виноградин.

— Для вкуса можно корицы добавить, — задумчиво протянула Несси. — Ну-ка, потруси молотой корицы.

Я послушно выполнила указание.

— Нет, лучше ванилин, — спохватилась Несси. — Убери корицу.

— И как это сделать? — вздохнула я. — Может, попросить мышей помочь? Процедят капли сквозь усы.

— Ладно, одно другому не помеха, — пошла на попятный Несси, — в тесте же специи не дерутся. Можно порезать еще мяты, но это уже фармакологическое гурманство, средство прекрасно и без травы работает. Готово?

— Вроде да, — ответила я.

— Набирай полную пипетку.

— У меня ее нет.

— Как же ты живешь без пипетки? — возмутилась Несси. — Где воронка?

Пришлось признаться:

— Тоже отсутствует.

Соседка укоризненно зацокала языком.

— На Новый год подарю тебе кухонный набор. Бумага есть? Простая писчая? Неси лист.

Получив бумагу, Агнесса Эдуардовна начала сворачивать нечто, смахивающее на кулек, одновременно поясняя:

— Я, бывшая советская женщина, найду выход из любого положения. Если чего не хватает, живо сделаю, и получится лучше покупного. Смотри и учись. Хватай капли, чайную ложку, и айда в спальню. Сейчас твой жених навсегда разучится храпеть, будешь мне всю жизнь благодарна. Ставь мисочку на тумбочку. Уан, ту, фри...

Несси ловко всунула узкий конец кулечка в ноздрю Егора и скомандовала:

— Зачерпни капли и заливай их в нашу импровизированную воронку. Думаю, одной порции хватит. Ивану Николаевичу второй не понадобилось.

Я опустила чайную ложечку в смесь.

— Мышки пришли, — весело возвестила старушка. — Какие любопытные!

— Я разберусь с тварями попозже, — пообещала я.

— Они симпатичные, — умилилась Агнесса. — Ба, Марта!

Я повернулась. На пороге маячила клочкастая псина размером с пони.

— Проснулась, девочка, а маман нишьт дома? — ласково запела Несси. — Дверь я прикрыть забыла. Посиди, Мартюша. Сейчас мы со Степонькой Егора вылечим, и я тебе печенья дам. Дорогая, не шляфен[1]. Пора приниматься за дело. Главное, наплескать капельки скорехонько. Раз — и опля, не растягивать процесс. Опустошила ложку — и отпрыгивай в сторону бешеной макакой.

Я отскочила быстрее обезьяны. Желто-коричнево-бежевая масса исчезла в глубине носа Егора. Храп разом прекратился.

— Отскакивай! — шепотом скомандовала бывшая советская женщина. — А то снарядом накроет.

Бочкин сел, чихнул и заорал с такой силой, что у меня заложило уши. Потом он вскочил и стал из-

---

[1] Ш л я ф е н — спать, испорченный немецкий.

давать звуки, которые... не подберу сравнения, не знаю, кто способен на подобное.

На всякий случай я отбежала к окну.

— Во как действует! — восхитилась старушка. — Иван Николаевич так же себя повел. Все мужчины одинаковы, увы. Научишься пользоваться одним, со вторым как по маслу пойдет. Это как с велосипедом — сначала падаешь, а на пятый раз бойко едешь и уже до смерти умение крутить педали не теряешь.

Бочкин с ревом ринулся к порогу. Мыши с писком разлетелись в разные стороны, а вот Марта даже не пошевелилась. Она никогда не суетится. Да и зачем бы собаколошади лишний раз двигаться? Она же не чихуахуа, не йорк, ее все с уважением обходят.

И Егор попытался обогнуть Марту. Но зацепился ногой за ее лапу, рухнул на пол и пополз вон из спальни.

— Мужественный парень, — одобрила Несси, — Иван Николаевич сразу сдался, пришлось «Скорую» вызывать.

— Вашему мужу стало плохо? — ужаснулась я. — Надолго?

— Не знаю, — ответила пенсионерка. — После антихраповой терапии он наутро убежал из дома и более не возвращался. Я же тебя сразу предупредила, проблему храпа капельки решают раз и навсегда.

Я, разинув рот, слушала Агнессу Эдуардовну, а та, похлопав Марту по спине, зевнула:

— Мы пошли. В доме воцарился покой, Егорушка затих. Спокойной ночи, Степонька! Да, последний совет. Ложись живенько в кроватку и сделай вид, будто крепко-крепко спишь. Если Егор будет приставать с вопросами, интересоваться разными глупостями, что ему капнули да зачем, отвечай: «Ошибаешься. Никаких антихраповых медикаментов я не готовила. Тебе привиделся кошмар». А миску ты убери, смесь вылей в унитаз. Чао! Бай, бай, дарлинг!

Помахав мне рукой, соседка удалилась.

Я же пошла на кухню, поставила миску с зельем на стол, опустила в нее ложку, а потом очень осторожно лизнула тыльную часть столового прибора и — бросилась к крану с водой. Степа, ты полная дура! Почему тебе не пришло в голову, что смесь из лукового и лимонного сока, сдобренная перцем, корицей и ванилином, — это адская вещь? Бедный Гоша! Неудивительно, что от Несси удрал муж. Одна надежда на валерьянку — может, она слегка успокоит Бочкина. Но что делать, если у Егора отвалится к рассвету нос? Полицейское ведомство оплатит ринопластику своему сотруднику?

Глава 19

Утром я вышла на кухню, увидела Егора и заискивающе произнесла:

— Привет. Как дела?

— Супер, — прохрипел Бочкин. — Что произошло ночью?

Я постаралась изобразить удивление:

— Где? С кем?

— С моим носом, — уточнил жених. — Ночью в нем огонь вспыхнул, сейчас головешки тлеют, горло будто наперчили.

— Не знаю, — заулыбалась я.

— К нам после полуночи приходила Несси, — продолжал Егор, осторожно трогая ноздри.

— Нет, нет, нет, тебе привиделось, — застрекотала я.

И следующие десять минут с жаром убеждала напарника, что никто из живущих в доме не имеет ни малейшего отношения к пожару, загоревшемуся в его носу.

В конце концов Егор поверил в то, что ему приснился кошмар, спровоцированный приступом золотухи.

— Наверное, это аллергия. А на что?

— На экологию, — тоном знатока заявила я. — Давай купим что-нибудь в аптеке. Мазь, например.

— Ладно, — кивнул Бочкин. — Пора собираться. Нас ждет Елена Львовна, она жаждет еще раз обсудить фасон платья. Я ей точно понравился. Вот черт, нос горит, словно его изнутри ободрали... А у тебя телефон орет.

Я вытащила из кармана мобильный, увидела незнакомый номер и сунула трубку Егору.

— Спроси, кто. Если назовут имена Кентавр, Огурчик, Розенкранц, Лапушка или нечто столь же идиотское, ответь железным голосом: «Спепанида улетела на ПМЖ в Аргентину».

— Почему именно туда? — удивился полицейский.

— Какая разница, куда! — рассердилась я. — Сделай, как говорю, и все!

Бочкин схватил сотовый.

— Алло! Да, ее номер. Кто? Сейчас... Какая-то Ксения говорит, что ей обещан VIP-набор от фирмы «Бак».

Я выдернула мобильник из руки Бочкина.

— Добрый день.

— Правда, что вы раздаете косметику? — поинтересовалась сестра Людмилы.

— Да, да, да, — стараясь скрыть радость, подтвердила я. — Хотите платиновый чемоданчик? В нем двадцать две позиции.

— Вау! — ахнула девушка.

А я решила закрепить эффект.

— Косметика, фен, полотенце с фирменным знаком и дисконтная карта.

— Ух ты, прямо не верится! — пробормотала собеседница.

— Еще зеркальце, — в порыве щедрости добавила я. — Можете стать счастливой обладательницей всего перечисленного прямо сейчас. Давайте встретимся?

— Где? — тут же деловито осведомилась Ксения.

— Выбирайте, — великодушно предложила я.

— Отделение банка «ОРМ» на улице Кочергина, там рядом «Кексы мечты», через час, — предложила Ксения. — Кафешка в центре, недалеко от метро.

— Прекрасно, — одобрила я, — уже еду. Сразу меня узнаете по чемоданчику в руках.

— Эй, ты забыла про Козину? — возмутился Егор, когда я отсоединилась. — Что за прикол со свиданием в кафе?

Я поколебалась секунду, но потом все же рассказала напарнику про свой визит в дом, где живет Анатолий Тяпкин, и о встрече с его соседкой Людмилой.

— Это как называется? — взвился ракетой Бочкин. — Я категорически запретил тебе кататься к мужику!

— Не имеешь права ограничивать меня в передвижениях по городу, — возразила я. — Случайно оказалась на Сиреневой улице. Ну и заглянула к владельцу супермаркетов.

— Ага, просто шла мимо, — продолжал злиться Гоша. — Ладно, поверю. Но когда ты собиралась рассказать мне о том, что узнала? Почему вчера не поделилась информацией?

Я включила кофемашину.

— Я легла спать около полуночи, а ты так и не вернулся со свидания с клиенткой. Решила поговорить с тобой утром, вышла на кухню, а ты стал жаловаться на свой нос, нес чушь про нас с Несси, будто мы тебе в ноздрю бензина налили и подожгли. Слушай, я все поняла! У тебя аллергия на Алену. Надышался ее запахом, вот нос и умер. Я просто не успела сообщить тебе про свидание с Люсей, не сердись. Ничего плохого со мной не случилось и никогда не произойдет. Мы же хотим поймать ангела-мстителя?

— Ты бессмертная, да? — мрачно поинтересовался Гоша.

— Точно, — подтвердила я. — Как ты догадался? Сейчас перескажу свою беседу с Людмилой, затем поеду на встречу с Ксенией, а уж потом явлюсь к Елене Львовне. Думаю, Козина обрадуется, увидев тебя одного. Как вы вчера пообщались?

Егор смутился.

— Нормально. Но ничего по делу я не узнал.

— Понятно... — протянула я. — Мадам раскинула сеть на чужого жениха, а тот начисто забыл о службе.

* * *

В первой половине дня москвичи не любят проводить время в ресторанчиках. Вот европейцы и американцы усаживаются за столики с утра. И Париж, и Милан, и Нью-Йорк завтракает за стойкой. А мы с Ксенией оказались в кафе «Кексы мечты» вдвоем. Я открыла чемоданчик, подробно рассказала о содержимом, выслушала восторженные причитания девушки и сказала:

— С удовольствием вручу вам подарок от нашей фирмы, но...

— Вот так всегда, — поморщилась Ксюша. — Вечно есть какое-нибудь «но»! Надо заплатить? Вы дилер? У вас действует система: «Приведи в «Бак» пять покупателей — и получи скидку плюс подарок»?

Я пододвинула соблазнительный кофр поближе к сестре Людмилы.

— Нет. От вас только требуется ответить на вопросы о Светлане, жене Анатолия Тяпкина, и косметика ваша навеки.

Последние слова — шутка, любой товар имеет срок годности. Не пользуйтесь пудрой, которую купили про запас десять лет тому назад.

— Тяпка? — удивилась Ксения. — Зачем она вам? Я нежно погладила чемоданчик.

— Рассказываете о соседке и уходите с прекрасным подарком. Не желаете разговаривать? Я уйду, и VIP-набор достанется другой женщине из дома на Сиреновой, той, что сообщит мне сведения о Светлане. Анатолия соседи хорошо знают, я быстро отыщу умницу, способную мигом сообразить, что лучше поделиться информацией, которая и без того всем известна, и целый год пользоваться косметикой престижной фирмы «Бак», не заплатив ни копейки. Представляете, приходите на работу... Вы где служите?

— В банке «ОРМ», оформляю быстрые кредиты, — устало вздохнула Ксения. — Обязанностей до неба, а зарплата маленькая, денег вечно не хватает. В конце месяца только и жду эсэмэску из бухгалтерии.

Я понимающе заулыбалась.

— Ну да! Мужчины полагают, что самое приятное, греющее душу девушки послание: «Дорогая, я тебя люблю». Но мне кажется, сообщение «Зарплата перечислена, вам добавлена премия» доставляет иногда большее удовольствие.

Ксения отхлебнула кофе.

— Вы тоже на окладе сидите? Тогда вы меня понимаете.

Я открыла чемоданчик.

— Наверное, ваши коллеги пользуются вполне приличной косметикой невысокой ценовой категории, например «Мукс» или «Варш».

— В точку, — усмехнулась сестра Люси. — К нам в офис приходят их дилеры.

Я начала выкладывать на стол красивые упаковки.

— Пообедали вы с коллегами в столовой, пошли в туалет носики попудрить, они вытаскивают простые коробочки «Варш», а у вас пудреница с перламутровыми вставками, помада в футляре со стразами, уникальные изделия от фирмы «Бак», которые не поступают в открытую продажу. Посмотрите, вот тут написано «Только VIP-клиентам». И качество нашей продукции намного выше, чем у той косметики, которой пользуются ваши коллеги. Представляете их реакцию? Да они от зависти краны в сортире отгрызут. И совсем необязательно сообщать о получении роскошных вещей от главного визажиста фирмы бесплатно. Намекните на молодого красивого и богатого жениха, который преподносит вам достойные

подарки. Ваши подружки заработают энурез, нейро-
дермит, начнут заедать стресс плюшками и растол-
стеют. А вы останетесь стройной красавицей.

Медленно сложив косметику назад в кофр, я закрыла его и встала.

— Вы куда? — занервничала Ксения.

Я взяла VIP-подарок в руку.

— Вижу, мое предложение вам не по душе. Поеду
в дом, где живет Тяпкин. Видела у подъезда милую
блондинку в голубой кожаной курточке, вероятно,
ей понравится...

— Нет-нет, задавайте скорей вопросы! — испугалась Ксения. — Что вы хотите узнать?

Подогреваемая желанием заполучить косметику,
моя собеседница была предельно откровенной. И я
узнала все о браке Тяпкиных...

Светлана накануне свадьбы не скрывала от своей
единственной подруги Ксюши, что не испытывает
к Анатолию ни малейшей страсти.

— Зато он богат, — пояснила она, — а я больше
не могу копейки считать. Знаю, Толя жадный, но я
его перевоспитаю.

Вот только старания молодой жены не увенчались
успехом, муж ни на йоту не изменился после похода
в загс, Свете приходилось выпрашивать у него деньги на самое необходимое. А потом родилась Ляля,
и стало еще хуже — у молодой матери начались тер-
зания из-за девочки, которой «добренький» папоч-
ка не собирался приобретать ни хорошие продукты,
ни качественные вещи. Светлана умоляла Тяпкина
оформить страховку в платную детскую поликлини-
ку, но Анатолий отрубил:

— Большинство спиногрызов посещает муниципальное учреждение, и ничего, никто не умер.

Когда Ляле исполнился годик, малышка, ездившая с мамой на метро и в маршрутках, заразилась гриппом. У нее подскочила температура, и перепуганная Света вызвала «Скорую». Машина ехала долго, а в конце концов в квартиру ввалилась баба в куртке. Не надев бахилы, не помыв рук, доктор осмотрела ребенка и принялась отчитывать молодую мать.

— Нарожают, а не следят! Почему малышка спит на продавленном диване? Ей нужна кровать с ортопедическим матрасом. Чем вы ее кормите? Каша-макароны-картошка-хлеб? Давайте овощи, фрукты, мясо, рыбу. Иммунитет у ребенка на нуле. Вот список лекарств, немедленно ступайте в аптеку.

Светлана понеслась в торговый центр — и вернулась домой с пустыми руками. Медикаменты, рекомендованные врачом, стоили дорого, у нее не было таких денег. Анатолий же, вернувшись домой, не выделил жене нужную сумму.

— Какие витамины? Блистер с десятью таблетками за тысячу?! С ума съехала! Дура, докторша тебя развела. У нее договор с провизором, она получает процент от проданных лекарств. Меня мать очень просто лечила — насыпала в носки сухую горчицу. Народное средство. Действует лучше всех пилюль.

Светлану охватила безнадежность. И она поняла: надо спешно убегать от супруга. Но куда деваться? Ее родная мать давно продала комнату в коммуналке и бомжевала где-то на улицах. Ни жилплощади, ни хорошей работы, ни образования, ни денежных накоплений у нее не имелось. Нельзя же, взяв малышку, умчаться куда глаза глядят...

И вдруг в семье Тяпкиных стали происходить невероятные события.

Глава 20

Лялечка свалилась с гриппом во вторник. Муж отчитал жену, отправил ее искать сухую горчицу, отказавшись дать денег даже на покупку яблок для больного ребенка. А спустя несколько дней Анатолий явился домой с большой сумкой и стал выкладывать оттуда вещи: прелестный детский брючный костюмчик с вышивкой в виде бабочек, такие же балетки, курточку. Обновки были от всемирно известной фирмы и оказались, невиданное дело, совершенно новыми, не ношеными.

Светлана ахнула. А супруг выложил на диван еще и элегантное женское платье, дорогие туфельки, сумочку. Затем Анатолий протянул жене кредитку, визитную карточку и приказал:

— С утра поедешь в салон, обратишься к мастеру Виталию. Он тебя пострижет, уложит, накрасит. В шесть вечера идем в ресторан «Лермонтовъ».

— Толя, ты заболел? — перепугалась Света. — Надо вызвать врача!

Тяпкин схватил ее за руку, сильно встряхнул, заорал:

— Молчать! Завтра встреча с моим братом Евгением, ты обязана выглядеть шикарно.

Света пришла в изумление.

— У тебя есть брат? Впервые о нем слышу!

Толя толкнул ее в кресло и скомандовал:

— Слушать, запоминать и делать то, что я приказываю. Собирайся. Прямо сейчас едем временно жить в другую квартиру.

На следующий день Света и Лялечка, разряженные в пух и прах, сидели за столом в модном ресторане. Тяпкина не понимала, почему Анатолий устроил семье аттракцион неслыханной щедрости, но тщательно соблюла все поставленные им условия: заказала себе легкий овощной салат и минеральную воду без газа, дочери взяла самое дешевое блюдо в меню — кабачковые оладьи и произнесла заученную наизусть фразу:

— Мы, девушки, должны следить за фигурой. Лучше с детства приучить дочку правильно питаться, не переедать.

— Ну а нам, мальчикам, ограничения ни к чему, — заявил Толя и велел принести себе и Евгению солидные порции мяса, коньяк, десерт...

Брат Тяпкина опрокинул несколько рюмок коньяка и разговорился. Толя попытался вежливо заткнуть брата, но ничего не получилось. И Света наконец-то выяснила, зачем устроен этот спектакль.

...Матери Жени и Анатолия были сестрами. Старшая Рита уехала в Германию и вполне там преуспела, обзавелась парикмахерской, SPA-салоном, много зарабатывала, купила дом, выучила Евгения на доктора и всегда подчеркивала:

— В России у нас никого не осталось.

Но перед смертью Маргарита призналась сыну:

— В Москве живет наша родня, их адрес в моем компьютере. Много лет назад, еще до твоего появления на свет, мы с сестрой насмерть поссорились — она меня крепко обидела, увела жениха.

Я разозлилась, поклялась никогда не встречаться с Анной, эмигрировала. В Германии встретила Генриха, и жизнь сложилась счастливо. Об Ане я не вспоминала, пока пять лет назад ко мне в салон не пришла новая клиентка, пожилая дама из Москвы, переехавшая в Мюнхен. Она меня сразу узнала, воскликнула: «Господи, вы же Маргарита Зиновьева! Мы с вами когда-то жили в одном доме. Как жаль Анечку! Она так мучается из-за жадности своего ужасного супруга, зимой и летом в валенках ходит, похожа на нищенку».

Бывшая соседка рассказала владелице салона, как муж издевается над ее сестрой, и Рита поняла: ей не злиться на Анну надо, а сказать спасибо за избавление от такой судьбы. Не отбей сестра ее жениха, не видать бы Маргарите Германии и всего хорошего, что она получила от жизни. Но вновь налаживать контакт с ближайшей родней Рита не захотела. И только почувствовав приближение конца и понимая, что сын остается на свете один-одинешенек, попросила:

— Найди Анатолия, твоего двоюродного брата, познакомься с ним, может, он окажется хорошим человеком.

Евгений не спешил исполнить волю покойной матери. А потом сам заболел, да еще услышал от врача, что жить ему осталось недолго. Тогда и списался с Тяпкиным по Интернету. Женя был честен с единственным родственником, рассказал, что он человек широкий, большого значения деньгам не придает, не понимает и презирает скряг, но не хочет, чтобы после его смерти его дом, участок земли и парикмахерская отошли государству. Наследство должен получить брат. Для оформления документов

Евгений собрался лично прилететь в Москву, ему хотелось познакомиться с семьей Анатолия и посмотреть на город.

Вот почему Тяпкин раскошелился, разорился на поход в ресторан и снял на короткое время шикарную квартиру, куда спешно перебрался с женой и дочкой. Он опасался, что брат, откровенно сказавший о презрении к скрягам, увидев, какой образ жизни на самом деле ведут его родственники, не захочет завещать москвичу свою собственность. Ради коттеджа, двадцати соток земли и бизнеса в Германии муж Светланы наступил на горло своей жадности и построил потемкинскую деревню. Чтобы продемонстрировать свою щедрость, дал жене денег на покупку качественных продуктов, поселил Евгения в якобы своих роскошных апартаментах и приказал Свете изображать богатую даму. Анатолий даже купил ей красивые халаты, пижаму и дорогую косметику, а Ляле в те дни постоянно доставались фрукты, конфеты и игрушки. Сам же Тяпкин раскатывал по городу на взятом напрокат дорогом автомобиле.

Во время одного из семейных вечеров Евгений сказал:

— Какое милое имя у девочки — Ляля.

— По метрике она Маргарита, — уточнила Светлана. — Но малышке пока трудно «р» произнести, дочка еще не очень хорошо разговаривает. Себя она называет Лялей, как куколку, вот я и стала к ней так же обращаться.

— Милая, завари чайку, — перебил разболтавшуюся супругу Анатолий.

Евгений провел в Москве неделю и уехал назад в Германию, так и не заговорив больше о наследстве.

Тяпкин разозлился донельзя, отнял у Светы и девочки красивые наряды, спрятал их в шкаф, запретил носить. Они вновь перебрались из дорогой квартиры в свою убогую нору. Анатолий теперь каждый день орал жене:

— Вы с девкой на всю жизнь вперед деликатесов нажрались. Теперь не ужинайте, а на завтрак только кефир будете пить. Пожировали на мои деньги, щеки до пола висят! Не понравились Женьке, вот он и улетел молча. Из-за дуры Тяпки без немецкого имущества остались. Убить тебя мало!

Но Анатолий зря кидался на Свету. Через месяц после возвращения домой Евгений умер, причем завещав всю свою собственность московскому родственнику. Вот только счастливым обладателем парикмахерского бизнеса и прочего стал не двоюродный брат. Скряга Тяпкин очень старался произвести на гостя впечатление щедрого, богатого человека и слегка переусердствовал, результат его действий оказался иным, чем он рассчитывал. Адвокаты огласили последнюю волю покойного и передали Анатолию Сергеевичу письмо, в котором Евгений написал: «Ты богатый человек, живешь в роскошных условиях. Мой бизнес — пустяк по сравнению с твоими супермаркетами, он тебе совсем не нужен. Поэтому я решил оставить нажитое Ляле. Она носит имя моей покойной мамы, которая открыла здесь, в Германии, парикмахерскую. Это судьба: от Маргариты — к Маргарите. Неизвестно, как сложится жизнь ребенка. Вдруг ей попадется отвратительный, жадный муж, такой, как Сергей, супруг Анны? Риточка тогда сможет уйти от него, потому что будет материально независима».

Тяпкин чуть не убил Свету, узнав, что недвижимость и бизнес достались дочке. Но поделать ничего было нельзя. Чтобы завладеть имуществом, Анатолию придется дожидаться восемнадцатилетия дочери.

Выяснив правду о завещании, Светлана примчалась к Ксюше и закружилась в танце:

— Ура! Уедем с дочкой в Мюнхен! Только мы вдвоем! Я имею право поселиться в доме, принадлежащем теперь Ляле, а доход, который приносит салон, разрешено тратить на образование, лечение и другие нужды девочки. Но ведь никто не станет же следить, кто ест йогурты, принесенные из магазина. Как-нибудь прокормлюсь. Может, найду работу. Главное — вырваться от мужа.

— Он тебя не отпустит, — попыталась вразумить подругу Ксения. — Тяпкин не из тех, кто добычу из когтей выпускает. Анатолий нацелился на немецкий дом и в конце концов получит его, выброси из головы глупую мысль о Германии. Если супруг узнает о твоих планах, тебе не поздоровится. Все завещано исключительно Ляле, ты помеха для Анатолия, он тебя может на тот свет отправить. И как без разрешения отца дочь в Германию вывезти?

— Нет, я точно смоюсь! — воскликнула Света. — А тебе более ничего рассказывать не буду. Странная у тебя реакция — у меня появился шанс из дерьма вынырнуть, а ты советуешь залечь в него и не шевелиться.

Итог истории таков. После оглашения завещания Анатолий начал по-другому относиться к ребенку, купил девочке несколько новых платьев и игрушек, вернул жене и дочери одежду, приобретенную перед приездом Евгения. Соседи, не знавшие правды, начали судачить. Примерно через месяц после того, как завещание вступило в законную силу, мать и девочка перестали попадаться Ксюше на глаза. А теперь куда-то подевался и сам Тяпкин. Его машина уже не маячит на парковке у подъезда, в квартире соседа царит тишина...

Ксения замолчала, посмотрела на меня голубыми прозрачными глазами и воскликнула:

— Честное слово, я больше ничего не знаю! Поверьте! Зачем мне врать? В чем выгода? Светка на меня обиделась и разрушила нашу дружбу.

Я молча смотрела на девушку. Очень хорошо помню, как год назад одна из моих коллег точь-в-точь с таким же проникновенно-честным выражением лица, как сейчас у Ксении, клялась мне в любви и верности. А потом выяснилось, что именно она нашептывала во все уши гадости о Козловой, даже сбегала к Роману Глебовичу и соврала, будто я доложила нашим конкурентам обо всех планах фирмы «Бак» на будущий год. Причина, по которой симпатяшка возненавидела меня, была банальна, имя ей — зависть. Ну, конечно, я ведь летаю по всему миру, а она безвылазно сидела в офисе, перебирала бумаги. Правда, больше она нудной работой не занимается — Звягин уволил наушницу. Роман Глебович ненавидит доносчиков.

Я отдала чемоданчик Ксении.

— Он мой! — заликовала девушка. Потом порылась в телефоне и протянула мне его: — Вот, смотрите. Мы со Светкой щелкнулись в тот день, когда повздорили. Она пришла и попросила: «Давай сфоткаемся. Я как раз в красивом платье, которое Толя перед приездом Евгения купил. Наряд у меня один, я берегу его, но все равно уже вид теряет. У меня мобильника нет, а хочется, чтобы снимок на память остался». Ну, я и согласилась. Разве трудно?

Я молча смотрела на экран. И раньше не сомневалась, что в подвале наткнулась на труп Тяпкиной, а сейчас получила доказательство этого. В кресле я видела именно Светлану, на ней было то же самое платье, что и на кадре в сотовом Ксении.

— Светка совсем не красавица, да? — хмыкнула собеседница.

Она умерла, — тихо произнесла я.

— Если честно, Тяпкина страшненькая... — машинально продолжила Ксения и — осеклась. — Что вы сказали?

— Тело вашей подруги в морге, — уточнила я. — А Лялю, похоже, похитили. Вы же знаете, к кому обратилась Тяпкина за помощью? Ей были нужны загранпаспорт, виза, документы на дочку. Ведь ребенка действительно без разрешения отца через границу не пропустили бы.

— Как умерла? — прошептала Ксюша. — Совсем? Насмерть?

У меня в сумочке завибрировал телефон, но я не стала его доставать.

— Света попала в руки преступника. Вероятно, он прикинулся хорошим человеком, готовым помочь ей и малышке. А на самом деле задушил или отравил Тяпкину.

— Кате Мо... — пролепетала Ксюша.

— Кто это? — тут же спросила я. — Еще одна подруга Светы?

— Нет, у нее не было подруг, кроме меня, — еле слышно сказала банковская служащая. — Я не вру, честное слово. Светка на меня разозлилась и разговаривать перестала. Но у нее компа нет, вот она и приперлась к моей младшей сестре, попросила ее зайти на сайт. А у нас ноутбук общий. Я вечером увидела незнакомый адрес в памяти и спросила Людку: «Чего тебе там понадобилось? Из любопытства в такие места не ходи, начерпаешься негатива, голова заболит». А Мила в ответ: «Светка приходила, умоляла ее туда отправить. Кого-то искала, с кем-то трепалась». Ну я и пошарила там, выяснила, что Тяпкина делала. Она неделю на сайте топталась — каждый день к Людке прибегала, а та как раз заболела, на занятия не ходила, дурью в Интернете маялась. Ума на то, чтобы переписку уничтожить, ни у Светы, ни у моей сеструхи не нашлось. Так что она с нашего компа болтала с Кате Мо, та ей помочь обещалась.

— Адрес сайта! — потребовала я.

— «Нет побоям», — всхлипнула Ксения. — Он для тех, кого мужья или другие родственники лупят.

Я поманила официантку.

— Спасибо. Надеюсь, косметика «Бак» доставит вам много удовольствия.

— Подождите... — шмыгнула носом девушка. — А Света правда... того? Совсем?

— Она скончалась, — подтвердила я и вынула кошелек, чтобы заплатить за латте.

Официантка протянула за купюрой руку и вдруг отчаянно завизжала:

— Мышь!

— Где? — взвизгнула Ксения, поднимая ноги.

— Вон, прямо около вас на полу четыре сидят, — перешла в самый высокий регистр официантка. — Откуда они взялись? Никогда раньше грызуны в кафе не водились!

Я глянула вниз. Действительно, серые комочки уютно устроились почти у моих ног. Интересное совпадение, сегодня ночью несколько домовых разбойниц пришло в гости в мою спальню. А теперь новая встреча в кофейне...

— А ну валите вон! — зашумела официантка. — Сережа! Скорей! У нас жуть в зале!

Я положила деньги на стол и направилась к выходу. На пороге меня нагнала Ксения.

— Я не виновата! Зачем Светка решила в Германию свалить? Разве справедливо, что она стала бы жить в Мюнхене, в богатстве кайфовать, а я осталась в Москве в одной комнате с Люськой?!

Я отстранилась от Ксении.

— Конечно, несправедливо... Вы позавидовали Тяпкиной и, когда Анатолий зашел к вам, чтобы спросить, не знаете ли вы, куда подевалась его жена, сообщили соседу адрес сайта. Вам не по душе делить спальню с родной сестрой, значит, и Света не должна улететь туда, где ее ждет спокойная сытная жизнь. Если вам плохо, значит, и другим должно быть так же.

— Я не делала ничего дурного! — зарыдала Ксюша. — Ни в чем не виновата!

Толкнув меня, она вылетела на улицу.

Я посмотрела ей вслед. Ох, не зря говорят: «Господи, избавь меня от друзей, а с врагами я сам как-нибудь разберусь».

— Не хотите купить домой кексиков? — остановила меня официантка.

— Выпечка у вас волшебная, — вздохнула я, — поэтому нет. Если возьму сладкое, то слопаю его без остатка, а надо следить за весом.

— Тогда обратите внимание на капсулы мечты, — продолжила девушка. — Вон на том подносе лежат небольшие плюшки, их называют «бабки». Внутри спрятан контейнер с чистым листком бумаги, напишите на нем свое желание и посадите в любой из горшков с цветами в кафе. Через месяц мечта сбудется. Попробуйте, у всех получается.

— Интересно, — сказала я, вынимая зазвеневший телефон, — но как-нибудь в другой раз. Простите, мне надо ответить.

Глава 21

— Это Лапушка, — закряхтел в трубке гнусавый голос. — Пойдем сегодня в кино?

— Непременно, — ответила я. — Кинотеатр на улице Моисеева, сеанс в девятнадцать ноль-ноль.

— Супер! — заорал Константин.

Я огляделась по сторонам, увидела многоэтажное здание, вошла в холл, села в кресло подальше от ресепшен и вытащила ноутбук, решив, что здесь совершенно точно должен быть бесплатный Wi-Fi.

Телефон снова ожил.

— В шесть вечера у них занятие по написанию «ладошек», — прошептал Егор. — Приезжай к семнадцати и начни ныть: «Гоша, мне скучно. Отпуск проходит зря, хочу в кино... Пошли в кино...» Козина точно предложит тебе встать у мольберта.

— Полагаешь? — усомнилась я.

— Елена Львовна конкретно мной заинтересовалась, — похвастался Бочкин. — От себя не отпускает, зовет сегодня съездить с ней в какую-то частную галерею на выставку бисквита. Я, правда, не понял, почему она решила полюбоваться на пирожное. На мой взгляд, его лучше съесть, чем разглядывать, но на вопрос Козиной, как я отношусь к бисквиту, ответил: «Обожаю в любом виде, но больше всего с шоколадной начинкой».

Я закатила глаза. О, господи, напарник в своем репертуаре...

— И как она отреагировала?

— Странно. Заулыбалась, а потом сказала: «Обожаю людей с чувством юмора». Ну и что забавного в словах про пирожные с шоколадом?

Пришлось просветить неуча.

— Гоша, бисквитом именуют особый вид фарфора. У тебя же есть Интернет в телефоне? Запрись в туалете, открой поисковую систему и почитай немного о фарфоре.

— Вместо того чтобы постоянно других поучать, лучше приезжай вовремя к Козиной, — начал злиться Бочкин. — Ради избавления меня от прилипчивой невесты Елена Львовна наверняка отправит тебя к рисовальщикам. Попадешь именно туда, куда надо, и выяснишь, кто автор тех самых «ладошек». Важно появиться в нужный час, не раньше и не позже.

— Поняла, — остановила я Егора. — Ступай подковываться на тему бисквита.

Бочкин крякнул и отсоединился.

Я включила ноутбук. Ну, где тут у нас сайт «Нет побоям»? Ага, нашла, сейчас зайду. Однако у них все серьезно, необходимо зарегистрироваться... Меня нельзя назвать асом компьютерных наук, но с самыми простыми операциями я справляюсь уверенно. Так, надо заполнить нечто вроде анкеты: имя (можно ник), пол, возраст, причина, по которой хотите стать членом клуба... Я, поколебавшись, напечатала в этой графе: «Трудные жизненные обстоятельства».

Экран мигнул, появился текст:

«Здравствуйте, krasotka 1. Общение на нашем форуме происходит исключительно через админа. Вы не сможете поговорить с другими членами клуба, ничего не узнаете о них, а они никогда не получат информацию о вас. Вы должны слушаться того, кто будет заниматься вами. Членство бесплатное. Но мы не отказываемся от милосердной помощи. Нам нужны женская и детская одежда, обувь любых размеров, не обязательно новая, но чистая и в хорошем состоянии, постельное белье, полотенца, санитарно-гигиенические принадлежности, дорожные сумки, рюкзаки, чемоданы. Мы не принимаем деньги. Если согласны на наши условия, подтвердите это».

Я нажала на слово «да». Появилась другая страница, возникла надпись:

«Kate Mo — Добрый день».

Я быстро напечатала:

«Здравствуйте».

«Что случилось?»

«В двух словах не расскажешь».

«Никто вас не ограничивает. Пишите сколько хотите. Откуда узнали о нас?»

«Подруга рассказала».

«Кто?»

«Не могу открыть ее имя».

«Она член нашего клуба?»

«Да».

«Укажите ее ник».

Я зависла, но быстро сообразила, как поступить.

«Простите, соврала. Нашла вас в Интернете. Испугалась, что выгоните, поэтому придумала про приятельницу».

«Мы никого не гоним. Что случилось?»

«Со мной жестоко обращается гражданский муж — бьет, унижает, не дает денег».

«Уходите от него».

«Некуда. Нет своего жилья, я не работаю».

«Всегда есть выход».

«Но не для меня. Плиз, помогите!»

«Сколько вам лет?»

«Двадцать три».

«Попросите о помощи родителей или друзей».

«Я сирота. Живу с Егором три года, он разогнал всех моих знакомых, грозится убить. Пожалуйста, скажите, куда приехать, мне нужно хоть с кем-то поговорить».

«Вы сейчас дома?»

«Нет, я в торговом центре. Из квартиры боюсь заходить на сайт. Муж работает в полиции, он очень подозрительный, проверяет переписку, телефон, требует отчета за каждый звонок».

«Мы подумаем над вашей проблемой. Завтра на ваш телефон придет эсэмэска: «Мама, у меня кончились деньги на мобиле, звоню с чужого номера. Брось на него пятьсот рублей». Муж, увидев сообщение, подумает, что это стандартный развод. Он каждый день ходит на службу? Когда бывает дома?»

«Утром смывается, возвращается ночью и сразу меня бить принимается».

«Через три часа после получения эсэмэски вы должны приехать в магазин «Игрушки.Ру», подойти к столу с демонстрационной техникой и с любого представленного там ноута выйти на сайт. Если не сможете, сделайте другую попытку, через сутки. Связывайтесь со мной исключительно из этого зала. Сбросьте номер своего телефона».

Я поколебалась секунду и напечатала номер Поветкиной.

«Kate Mo завершила беседу. Ждите эсэмэс».

Экран мигнул, появилась фотография осеннего леса. Я захлопнула ноутбук и позвонила Насте.

— Привет! — обрадовалась та. — Слушай, не сердись за вчерашний разговор, а? Я не собиралась тебя козой обзывать...

— Тебе завтра придет эсэмэска, — перебила я. — С текстом, как у обманщиков: «Мама, у меня кончились деньги...» — ну и так далее. Как только ее получишь, немедленно сообщи мне.

— Эй, ты чего затеяла? — испугалась Поветкина.

— Это очень важно. Жду сообщения, но не хочу, чтобы его увидел Егор, — соврала я. — Бочкин мою переписку проверяет.

— Вот урод! Уходи от него, — посоветовала Настя. — Ладно, не волнуйся, я не подведу.

— Очень надеюсь, уж постарайся, — попросила я.

Отсоединившись, хотела пойти ловить такси, услышала звонок и вновь взяла мобильный.

— Степа! Узнала? — спросили в трубке.

— Нет, — честно ответила я.

— А если подумать? На проводе единственный, самый лучший и умный, второго такого не найти, — зачастил мужчина. — Неужели не сообразила до сих пор? Кентавр я. Ау, чего молчишь?

— От радости онемела, — хмыкнула я.

— Давай приезжай, дело есть, — деловито распорядился идиот. — Квартира не убрана, белье не стирано, обед не сготовлен. Эй, отомри!

— Предлагаешь мне привести в порядок запущенное домашнее хозяйство? — уточнила я.

— Тебе выпала честь помочь самому Кентавру!

— И куда ехать?

— Записывай адрес.

— Нет, подожди, сделаем иначе, давай встретимся в девятнадцать ноль-ноль у кинотеатра на улице Моисеева.

— Офигела? Это же на другом конце города, я устану, пока доеду! — возмутился предполагаемый жених. — И за метро платить надо.

— Видишь ли, я путаюсь в улицах, — заныла я. — Большую часть года провожу за границей, в Москве теряюсь, боюсь, не найду твой дом, а где кинотеатр, знаю.

— Ага, Лапушка говорил, что ты туда-сюда мотаешься. Прилично хоть зарабатываешь? — оживился Кентавр.

— Недавно купила трехкомнатные апартаменты, — ответила я. — В планах машина, но я пока не определилась с маркой, колеблюсь между «Бентли» и «Майбахом». Последняя слегка велика для девушки, не находишь?

— Явлюсь вовремя, — выпалил Кентавр.

— Вот и славненько, — пропела я. — До вечера. А сейчас извини, второй звонок на линии. Алло...

— Степа? — промурлыкал баритон. — Как дела у моей васильковой зайки?

— Огурчик? — предположила я.

— Зая, неужели тебе мог позвонить кто-то другой? Я ревную! Давай встретимся?

— Шикарная идея, — восхитилась я. — Сладкая косоглазая крольчишка примчится в семь вечера в мармеладное местечко. Записывай координаты... Чмоки. Чао!

Я уставилась на замолчавший телефон. Ну, где же Розенкранц? Что-то он западывает! Или я не произвела на него никакого впечатления? Рейтинг Козловой упал ниже плинтуса?

Трубка издала писк, я заулыбалась и радостно спросила:

— Эдуард Альбертович?

— Чавось? — донеслось в ответ. — Девушка, алло, почем у вас тонна сена для кроликов?

— Вы не туда попали, — пояснила я.

— Почему?

— Не знаю. Наверное, ошиблись, когда набирали номер.

— Ну ваще! Я никогда ничего не путаю. Скока хотите за сушеную траву?

Быстро засунув сотовый в сумку, я посмотрела на часы: до пяти было еще много времени, и я вновь открыла ноутбук. Почему Кате Мо настаивала на том, чтобы я воспользовалась компьютером исключительно в магазине «Игрушки.Ру»? В Москве полно интернет-салонов и разных точек, где вы можете бесплатно полазить по Сети. Сейчас многие магазины, торгующие электроникой, с радостью разрешают покупателям тестировать новинки. Если зависнете около какого-нибудь ноутбука, никто вам замечания не сделает. Но Кате Мо вела рсчь именно об «Игрушки.Ру».

А кажется, я догадываюсь почему. Небось сама работает там и хочет незаметно понаблюдать за женщиной, которая молит о помощи. Ну и где расположена сия лавка? Так-так, молл «Бьюти-Рино-Плаза». Очень хорошо знаю этот круглосуточный торговый центр — находится в двух шагах от вокзала, на площади, где днем и ночью кипит толпа, в ста метрах от центрального входа расположено метро, далее остановки многочисленных маршруток, огромный супермаркет.

Я встала и пошла в подземку. В такси, конечно, ездить удобнсе, но ведь можно попасть в пробку. В поезде будет душно, и пахнет там отвратительно, зато доберусь до цели максимум за полчаса. Иногда приходится жертвовать комфортом ради выигрыша во времени.

Вагон неожиданно оказался полупустым. Я села на диванчик и от скуки стала рассматривать пассажиров. Некоторые люди очень странно одеваются! У дверей стоит тетушка, которая явно пытается следовать советам модных журналов. Начиталась статей про сочетание несочетаемых узоров и нацепила на себя юбку в бело-синюю клетку, пиджак в черно-красную полоску, зеленые сапожки в желтый горошек, а на шею повязала платочек с цветочным орнаментом.

Состав затормозил, вошел парень и сел напротив меня. Я обрадовалась: есть же индивидуумы, которые следуют модным тенденциям, но при этом не становятся их жертвами, выбирают то, что подходит лично им. Вот, например, только что появившийся молодой человек. Так приятно на него смотреть: брюки нормальной длины, носки тоже — наружу не торчит кусок голой ноги. Ботинки почищены, рубашка отглажена, никакого галстука. А ведь большинство представителей сильного пола затягивают на шее галстук, не думая о том, позволяет ли это сделать надетая сорочка. Расстегнутая куртка сидит идеально, плечи не свисают, не вздернуты. И голову он, похоже, вымыл утром.

Парень, наверное, почувствовал мой любопытный взгляд. Он оторвался от книги, быстро поднял глаза на свою визави, потом уткнулся в страницу, поежился, снова глянул на меня, опять в книгу, затем на меня... Я смутилась. Похоже, я понравилась приятному молодому мужчине, он пытается читать, но постоянно отрывается от чтения и присматривается ко мне. Да уж, такие не ходят на амурсейшены...

Следующие четыре остановки я проехала, украдкой косясь на симпатичного парня, и убедилась, что необычайно заинтересовала его. Последние пять минут он просто не сводит с меня глаз. Он прищуривается, медленно шевелит губами и внимательно изучает мою внешность, ощупывает глазами лицо, руки, прическу, одежду, утыкается в книгу и вновь рассматривает меня. Поезд в очередной раз притормозил у платформы, почти все пассажиры вышли, а внутрь никто не зашел. Воцарилась странная для подземки тишина, которую нарушила трель сотового.

Пассажир напротив вытащил мобильный и тихо произнес:

— Чего тебе? Нет, не сейчас. Слушай, я ее нашел! Понимаешь? Наконец-то! Столько искал, а встретил совершенно случайно. Уже надеяться перестал, а она вот, на расстоянии вытянутой руки.

Мои щеки загорелись. Понятно, что незнакомец рассказывал кому-то именно обо мне, ведь сейчас в этой части вагона никого, кроме нас двоих, нет. Еще одну станцию я проехала, старательно таращась в свой телефон. Потом пришла пора выходить на перрон.

— Девушка, подождите, пожалуйста! — раздался сзади приятный баритон.

Я притормозила. Ага, он таки решился познакомиться. Естественно, я не дам ему свой номер, но, согласитесь, приятно, когда к тебе подходит симпатичный молодой человек, который влюбился с одного взгляда.

— Извините, не подумайте чего плохого, — продолжил незнакомец. — Нельзя ли с вами встретиться? Я не пристаю к женщинам на улицах, но вы... Я давно искал такую! Понимаете, я психолог, пишу диссертацию...

Мне стало смешно. Все, кто пытается приклеиться ко мне в общественных местах, представляются либо фотографами, желающими вывести меня на мировые подиумы, либо режиссерами, готовыми снять «прелестную незнакомку» в фильме, который стопроцентно получит «Оскар». Знаток человеческих душ — это что-то новенькое.

— Научный руководитель велел мне найти наглядный материал по теме, — продолжал тем временем мачо, — и я измучился уже. Никого обнаружить не могу! И вдруг — вы! В вагоне метро! Можно вас сфотографировать? Пожалуйста, не откажите!

Я растерялась. По идее, собеседник должен клянчить номер моего телефона и звать в кафе. Но ему, оказывается, нужен снимок. Мне это категорически не нравится.

— Умоляю! — ныл красавец. — Вы яркий представитель описываемого мною типажа, сходятся все признаки — цвет глаз, расстояние от носа до верхней губы, даже прическа. Ну, пожалуйста, один только кадр! И тогда ученый совет единогласно проголосует «за». Простите, наверное, я напугал вас, когда разглядывал? Но я пришел в полный восторг! Не сочтите меня за психа, вопрос в диссертации. Вот она, уже готова...

Парень дал мне книгу, которую изучал, сидя в вагоне. Я прочитала название, обомлела, потеряла дар речи, потом сунула фолиант хозяину, повернулась и со всей возможной скоростью бросилась к эскалатору, преследуемая криком:

— Девушка! Я заплачу, сколько вы попросите!

Думаете, я очень вредная? Ну как же, не пожелала помочь начинающему психологу... А как бы вы поступили, увидев название его работы: «Как обнаружить в своем окружении женщину-людоеда»?

В сумке ожил телефон. Ну вот, похоже, прорезался Розенкранц. Номер мне незнаком. Хотя сейчас на другом конце провода может находиться кто угодно, надо ответить спокойно.

— Алло.

— Девушка, в прошлый раз ваша фирма поставила нам гнилое сено, — забубнил шепелявый голос, — и у кроликов случился понос. Вы слышите?

Звонят из объединения «Современные танцы». Замените некачественный корм! Мы пятый день зал моем! Паркет засран зайцами!

Я потрясла головой.

— Простите, вы мне уже звонили, и я объяснила, что не торгую соломой.

— Сеном, девушка. Это разное. Солома...

— И кролики с зайцами не одно и то же, — перебила я. — Вы ошиблись номером.

— Не может быть! Телефон мне сам Эдуард Альбертович дал!

— Розенкранц?

— Точно! А говорили, я не туда попал. Наш шеф никогда оплошностей не допускает.

— Это редкий случай, когда ваш босс напутал. Более не беспокойте меня.

— Ладно. Хорошо. Так что с сеном? Когда его обменяют? Очень трудно заниматься в помещении, где на паркете...

Я отключила сотовый. Зачем объединению «Современные танцы» кролики? И почему они бегают гадить в зал для репетиций?

Глава 22

«Игрушки.Ру» оказались просторным магазином, в центре которого на большом столе стояли ноутбуки и планшетники всех мастей. Покупателей бродило немного, в основном мужчины, а продавец, лохматый парень в оранжевой рубашке, был один. Я приблизилась к демонстрационной зоне, сделала вид, что очень заинтересовалась товаром, и начала осторожно поглядывать на окружающих. Ага, вон там на стене камера... На что угодно готова спорить, в подсобке установлен монитор, перед которым сидит та самая Кате Мо. Хотя почему я решила, что ник принадлежит женщине? Вполне вероятно, беседу на сайте ведет мужчина, например, продавец.

Я повернула голову. Нет, парень ни при чем, он занят с покупателями, у него нет времени на отслеживание изображения. Некто спрятался в недрах служебных помещений. Надо туда проникнуть. Но как? Попроситься в туалет? Не подходит, потенциальной покупательнице вежливо предложат воспользоваться общим сортиром в торговом центре. Прикинуться больной? Схватиться за сердце? Но и в этом случае навряд ли меня поведут в комнату с наблюдателем, могут уложить в кабинете управляющего или на диван в зале отдыха сотрудников.

— Мама, пить хочу, — заканючил дискант.

— Подожди, Леночка, — ответил женский голос.

— Пи-и-ить... — закапризничал ребенок.

Я вынырнула из мыслей и увидела слева от себя худую женщину и маленькую девочку в сильно поношенной одежде.

— Дай водички... — ныла малышка.

— Прекрати, Лена! — рассердилась мать. — Здесь нельзя шуметь. Видишь, там стул? Сядь тихо!

— Пи-и-ить! — не успокаивалась дочка. — Жарко! Ботиночки жмут...

Я вздрогнула. Обе одеты в чистые, но старые, аккуратно залатанные вещи. Голову матери прикрывает низко повязанный платок, ее глаз почти не видно. Судя по нарядам, семья необеспеченная. Малышке лет пять, ей ни к чему дорогой ноутбук, на клавиатуре которого ее мать сейчас сосредоточенно набирает какой-то текст. Такой компьютер дочке покупать рановато, да и не по карману ее матери самый навороченный вариант, ей стоит обратить внимание на модели низшей ценовой категории. Но потенциальная покупательница остановилась именно около самого крутого ноута. А на полу возле ног незнакомки стоит большая клетчатая бело-красная сумка, которыми обычно пользуются гастарбайтеры и мелкие торговцы на рынках.

— Есть хочу-у-у... — изменила требование крошка.

— Скоро покушаем, — отмахнулась женщина.

— Сосиски? — обрадовался ребенок.

— Непременно, — пообещала мать.

— С кетчупом? Как у тети Кати пробовали?

Тетка выпрямилась и огляделась.

— Что? Да-да, с томатным соусом.

— Желаете приобрести ноутбук? — поинтересовалась у женщины подошедшая к ней продавщица.

Я удивилась — откуда взялась девушка? Словно из воздуха нарисовалась. Ну-ка, что написано у нее на бейджике? «Алина».

— Фу-у, — шумно выдохнула мать малышки. — Вы пришли!

Алина быстро взглянула на меня, потом улыбнулась женщине.

— Простите, не сразу могла вами заняться, провожала другого клиента. Чем-то заинтересовались?

Я сделала вид, что очень увлечена изучением одного из гаджетов.

— Э... э... Ну да! — наконец-то догадалась ответить тетка и поправила сползающий платок.

Я подняла айпад, включила камеру и стала подсматривать за ними через экран. У плохо одетой клиентки дрожали пальцы, в какой-то момент она слишком сильно дернула платок, и он свалился на плечи, стал виден большой синяк, разлившийся на правой половине лба. Бланш захватывал висок и глаз. Я положила планшетник на место и переместилась от стола к стеллажу с аксессуарами, встала за сидящей на стуле девочкой. Теперь мне не было видно ни ее мать, ни Алину, но зато я прекрасно слышала их диалог.

— Модель можно взять в кредит.

— Э... э...

— Вы хотите купить комп в рассрочку?

— Ну... а...

— Вы хотите купить комп в рассрочку! — на сей раз уже не вопросительно, а утвердительно заявила продавщица.

— Ага, — выдавила из себя тетка. — Точно!

— Для оформления ссуды надо пройти в отделение банка.

— А-а-а...

— Вам необходимо подписать документы, иначе не получите товар.

— Э-э-э...

— Лариса, — прошипела Алина, — очнись!

— Ой! Куда? Чего? — забормотала тетка.

Я схватила со стенда два чехла для телефонов и принялась вертеть их в руках.

— Возьмите ребенка, и отправимся в офис, — распорядилась Алина.

— Лена, пошли!

— Хочу посидеть, — заканючил ребенок, — ножки устали. Пи-и-ить!

— Тетя сейчас даст тебе лимонад и сосиски, — пообещала мамаша.

Девочка слезла со стула. Я очень осторожно посмотрела вслед удаляющейся троице, повесила на место яркие чехольчики и поспешила за Алиной и ее спутницей.

Думаю, я видела Кате Мо. Отчего так решила? Любая продавщица поймет, что у плохо одетой покупательницы с подбитым глазом больших денег нет. Между прочим, ноутбук, кредит на который предложила оформить Алина, стоит семьдесят пять тысяч. Неужели продавщица настолько глупа, что не понимает: этот лэптоп — непозволительная роскошь для матери Лены? Сотрудница магазина должна была обратить внимание клиентки на товар иной ценовой категории. Вон там, над стеллажом, висит объявление «Лучшее предложение месяца. Ноутбук за 9,999». И откуда Алина узнала имя покупательницы? Нет, Лариса не собиралась ничего приобретать, она гостья сайта «Нет побоям». Наверное, несчастная Тяпкина шла тем же путем: сначала разговор в Интернете, затем «Игрушки. Ру», а потом Кате Мо куда-то ее направила. Но как Светлана с Лялей очутились в доме Козиной? Зачем они туда пришли?

Продолжая задавать себе вопросы, я, старательно прячась в толпе покупателей, следовала за продавщицей и Ларисой. Народу в торговом центре роилось много, троицу можно легко потерять из вида, но, к счастью, Лена не переставала капризничать, ее голосок громко звенел:

— Пи-и-ить! Соси-и-и-сок! С кетчупом!

И я шла на звук. В конце концов очутилась на улице и заметила, как Алина сажает мать и дочь в белый минивэн. Я стала рыться в сумке в поисках мобильного и услышала шум заработавшего мотора, отвлеклась от занимательного процесса и — прикусила губу. Автобусик резко стартовал с места, повернул налево и исчез. Мне не удалось сфотографировать его номер, зато я разглядела надпись, сделанную яркими разноцветными буквами на боку машины, — «Кексы мечты».

Глава 23

Поговорить с Егором наедине мне не удалось. Елена Львовна не отпускала его далеко от себя, а когда услышала мое выступление на тему «Как же так! Я взяла отпуск, чтобы побыть с женихом, и постоянно кукую одна...», быстро предложила:

— Степанида, хотите принять участие в увлекательном мероприятии?

— Каком? — капризно спросила я.

— Приглашаете Степоньку на занятия к Гуангу? — зааплодировала Ася.

— Ей понравится, — кивнула Алена.

Мухина прижала руки к груди.

— Уникальная возможность! Мы занимаемся древнекитайской живописью. Учит нас невероятный человек — монах Гуанг. Он гений, правда, Ника?

— Верно, — подтвердила Никитина.

— Водить кисточкой по бумаге скучно, — скривилась я.

— Странно слышать эти слова от профессионального визажиста, — усмехнулась Козина.

А кондитер засюсюкала:

— Степонька, создание такого произведения, как «ладошка», особый процесс, он изменяет художника в лучшую сторону, делает его привлекательным внешне, помогает обрести здоровье, уменьшить вес, развивает экстрасенсорные способности. У всех, кто слушает Гуанга, улучшается карма, начинается полоса удач. Учитель категорически против расширения группы, кое-кто давно просится к нам, но всегда получает отказ. А тебе дан зеленый свет. Оцени свою удачу!

Елена Львовна медленно пошла к дверям гостиной, говоря на ходу:

— Вчера у меня родилась идея — непременно сделать к наряду головной убор. Егор! Вы слышите?

Бочкин, стоявший у небольшого столика, вздрогнул.

— А? Простите, Алена, я увлекся сдобой. Никогда не ел ничего более вкусного. Кексы — моя слабость. Нашел в Москве кондитерскую, где их вроде прилично делают, но все равно во рту ощущается вкус соды.

— Большинство производителей перебарщивает с разрыхлителем, — согласилась Мухина. — Найти нужную пропорцию непросто.

— Съел четыре штуки и не могу остановиться, — облизнулся Егор. — Они у вас все разные. Степа, попробуй.

— Дорогая, съешь штучку, — тут же запела и Ася.

Я разозлилась на Бочкина. Ну и кто из нас полицейский? Разговор только что — впервые! — весьма удачно зашел о «ладошках», следовало развить тему, осторожно прояснять ситуацию, так нет же, напарник стал нахваливать кексы. Он совсем не ловит мышей?

— Думаю, маленькая «таблетка» прекрасно будет смотреться с объемным платьем, — продолжала Козина, стоя на пороге. — Давайте займемся шляпкой. А Степанида тем временем побывает у Гуанга. Она останется довольна.

Я поняла, что владелица галереи во что бы то ни стало решила увести Бочкина подальше от невесты. И она вовсе не собирается ставить меня в известность о том, что позвала парня на выставку бисквита.

— Егор, подожди... — бросила я в спину удаляющейся парочке.

Полицейский замедлил шаг, но Алена схватила его за руку и буквально выволокла в коридор. Козина сейчас походила на хозяйку, которая тащит на поводке упирающуюся собачку. Правда, «песик» не сильно сопротивлялся. Даже не оглянулся на зов напарницы.

— Степашечка, прими дружеский совет, — тихо произнесла Вероника. — Не стоит привязывать мужчину к своей юбке, он все равно изо всех сил будет стараться сбежать. Дай жениху немного свободы, иначе он призадумается, нужно ли ему оформлять с тобой отношения. Самые крепкие браки складываются у дам, что понимают: муж сродни животному, которое нужно иногда отпускать побегать по лужайке. Никуда парень не денется, поносится и вернется. И совсем уж глупо ревновать партнера к работе. Дело для мужика важнее личных отношений.

— Съешь кексик, милая, — зачирикала Ася. — Какой хочешь? Апельсиновый, ромовый, шоколадный? Вероничка абсолютно права, не дави на Егора.

— Жених меня игнорирует... — всхлипнула я. — Специально взяла отпуск, чтобы побыть вместе с Егорушкой, он обещал две недели провести исключительно со мной. А сам решил шить платье Алене! Разве это честно? Вот уже два дня ни одного ласкового слова от него не слышала.

Мухина подала мне тарелочку с кексами.

— Ну-ну, не переживай, попробуй, мои кексы — настоящие антидепрессанты. Не переживай так. Мужчины, как коты, ласкаются, только если где-то нагадили или им жрать охота.

— Сейчас пойдем к Гуангу, — перебила ее Вероника, — и твое настроение сразу исправится.

— Кексик! — пропела Ася. — Ну-ка, пям-пям...

Я взяла угощение, попробовала, быстро слопала его без остатка и наконец-то перестала лукавить:

— Полный восторг!

— Кексы мечты, — улыбнулась Никитина. — Ася гений, равных ей у плиты нет.

— Ой, не перехваливай, — смутилась Мухина.

Я же сразу сделала стойку.

— Почему кексы мечты?

— Налью тебе чаю, — захлопотала кондитер и отошла к буфету.

— У Аси сеть магазинов, — пояснила Вероника, — а еще есть несколько кафе, которые называются «Кексы мечты». Там среди прочих изделий можно приобрести такие маленькие «бабки», внутри которых лежат капсулы...

— С листочком? На нем следует написать свое желание и «посадить» в горшок с цветком? — перебила я.

— Ты посещала мои заведения? — обрадовалась Ася, подавая мне чашку.

Не стоит, конечно, уточнять, что я зарулила в кафешку для встречи с Ксенией.

— Как-то раз бежала по улице, унюхала аромат ванили и заглянула в похожий на парижский ресторанчик. Кексы потрясли меня одним своим запахом, но они слишком калорийны для фэшн-девушки. Я выпила кофе, и официантка рассказала про исполнение желаний. Не стремно предлагать это людям? Некоторые посетители могут воспринять обещание всерьез, «посеют» контейнер, поймут, что в их жизни ничего хорошего не происходит, и устроят скандал. «Бак» в свое время хотел запустить духи со слоганом «Один пшик — и все мужчины твои». Но Звягин передумал — нельзя обещать покупателям невыполнимое.

— Пока никто не жаловался, — засмеялась Ася.

— У вас еще и минивэны есть? Белые, с надписью «Кексы мечты»? Я видела один такой на Тверской, — быстро нафантазировала я.

Мухина не занервничала.

— Конечно, машины имеются. Надо же доставлять муку, масло и прочее. Все кексики пекутся на месте, поэтому они свежие, но немного разные, ведь вкус зависит от руки кондитера.

— Самые лучшие бывают по вторникам в «Бьюти-Рино-Плаза», — добавила Вероника. — Ася в этот день с девяти до часа там сама у духовки хлопочет.

— Буду знать, — улыбнулась я. — Если когда-нибудь занесет в молл в этот день, непременно угощусь. Но, к сожалению, у меня нет времени на походы по магазинам.

— А мы не опоздаем на занятие? — спросила Мухина и показала на большие часы, висевшие на стене. — Осталось пять минут.

— Побежали! — засуетилась Вероника. — Ой, Степашечка, какой у тебя интересный маникюр.

— Разноцветный френч.

— Ни у кого такой не видела, — восхитилась сваха. — Сама придумала?

Я не стала присваивать себе чужие лавры.

— Нет. Увидела на международной выставке «Красота сегодня».

Ника пришла в еще больший восторг.

— Обязательно себе такой сделаю. Ой, скорее! Гуанг строгий, еще не пустит на занятие.

* * *

В просторной комнате, которую Мухина и Никитина называли «студией», к моему удивлению, оказались плотно занавешены окна, а вместо ожидаемых мольбертов стояли парты.

— «Ладошки» пишут сидя, — зашептала Вероника. — Устраивайся в последнем ряду. И молчи. Гуанг не любит болтливых.

— Привет, — шепотом произнес Вадим, когда я проходила мимо него.

Я остановилась.

— Можно посмотреть на вашу работу?

— Конечно, — разрешил артист. — Хотя она еще далека от завершения.

— Очень красиво, — похвалила я мазню, — жизнерадостно.

— Хочется чего-то позитивного, — пояснил свой замысел Вадим. — Вокруг слишком много депрессняка, поэтому у меня преобладают желтые тона. Как цвет солнца.

Я двинулась дальше, очутилась за спиной доктора и воскликнула:

— А у вас весна!

— Зеленое настроение, — кивнул Чистяков. — Я согласен с Вадимом, надо вносить в жизнь побольше радости.

— Верно, — подхватила Ася. — А то свихнуться можно, из телевизора сплошной негатив льется. Народ злой ходит, надо при помощи творчества настраиваться на положительный лад. Лично я — за «ладошки» в розовых оттенках. И Ника тоже.

— Предполагаю углы сделать бежевыми, — пробормотала Никитина. — Гуанг объяснял, что оттенок нежного песка привносит в «ладошку» уверенности. А мне ее не хватает.

— Хотите сказать, что, создавая миниатюры, вы меняете собственное настроение? — спросила я.

— В точку, — сказал Вадим.

— Эффект самовнушения, — пояснил Юрий. — Знаешь правило улыбки? Если на душе черно, мир кажется ужасным, а окружающие уродами, начинай улыбаться. Смени унылое выражение лица, насильно растяни уголки рта и держи их в таком состоянии. Через некоторое время поймешь: депрессия отступила. С «ладошками» та же история. Чем гаже на душе, тем радужнее творчество.

Я показала на стол, придвинутый почти вплотную к стулу Чистякова.

— Не знаю, кто тут творит, но, судя по темно-бордовым мазкам, у него не получается справиться со своим мрачным настроением. Ой, какая смешная кисточка — три круглых помпончика... А ручка, похоже, из перламутра.

— Не трогай! — хором закричали Вероника и Юрий.

— Положи на место, — испугалась Ася, — а то Федор разнервничается.

Дверь приоткрылась, в студию влетели две юркие собачки и со всех лап кинулись ко мне.

Я вернула удивительную кисточку в подставку и нагнулась к песикам. Светлая собачка начала повизгивать, черненькая упала на спину и растопырила лапы.

— Что случилось с Фифой и Перлой? — поразилась Ася. — Они даже к Алене так не ласкаются.

— У Степаниды прекрасная аура, — заметил Вадим. — Животные почуяли добрые флюиды.

— Да они просто с ума сходят... — протянула Ника. — Вон чего выделывают. Признайся, Степашечка, ты прячешь в кармане кусок сырой вырезки.

В комнату вошла Аврора. Сегодня она была в узких черных брючках и снежно-белом пуловере.

— Всем добрый день, — поздоровалась она.

— Здравствуй, — после короткой паузы ответил Юрий.

Вадим, Ася и Ника хором произнесли:

— Привет.

Я выпрямилась.

— Добрый день.

Фифа и Перла начали скакать, как безумные. Аврора пошла к столу, на котором лежали чистые листы бумаги.

— Там сядет Степа, — остановила ее Мухина.

— Прикольно... — пропела Рори. — А мне куда?

В зале повисла напряженная тишина.

— Ну... может... тебе лучше... э... заняться... чтением? — нарушил общее молчание Вадим. — Алена попросила Гуанга сегодня проконсультировать гостью.

— А мне куда? — растерянно повторила дочь Козиной.

— Пусть Аврора устраивается где хочет, — сказала я. — Сяду у стены, вон там, на стуле, и просто послушаю педагога. Знаете, у меня нет способнностей к рисованию.

— Отлично! — обрадовалась Рори и живо устроилась за свободным столом.

— Ой, нехорошо, — прошептала Ника. — Рори, тебе лучше уйти.

— Почему? — поинтересовалась младшая Козина.

— Ну... помнишь... что случилось в мае... когда... — забубнила Никитина.

— Не переживай, я давно простила Гуанга, — отмахнулась Аврора. — У китайца случился заскок. С кем не бывает? Вот решила возобновить занятия, раньше времени не хватало. А сегодня выкроила часок, с удовольствием окунусь в творчество.

В зале снова воцарилась напряженная тишина, а я ощутила дискомфорт. Похоже, из-за меня Аврору не хотят допускать к занятиям, количество мест в помещении ограничено.

— Кто трогал мои кисти? — сердито спросил незнакомый голос.

Я обернулась. В зал неслышно вошел худющий парень с длинными волосами, стянутыми в хвост.

Глава 24

— Кто трогал мои кисти? — повторил незнакомец.

— Никто, Феденька, — заискивающе сказала Вероника. — Мы же знаем, что ты терпеть не можешь, если посторонние прикасаются к твоим вещам.

— Кисточка стояла в стакане, а не в дурацкой подставке, — еще сильнее нахмурился Федор. — Я не бросаю кисти где попало. Кто трогал мои кисти? А, и Аврора тут! Ты?

— Конечно, нет, — фыркнула Рори. — Спроси у присутствующих, я только секунду назад сюда вошла.

— Почему она тут? — пошел вразнос Федор. — Черный обруч Хасала налип на виски... Чернота! Грязь! Мрак! Страх! Злость! Тоска!

Парень схватился за голову. Фифа и Перла завыли, потом кинулись ко мне и прижались к ногам.

— Кто говорит про обруч Хасала? — спросил мужчина в темно-синей шелковой пижаме.

Он тоже вошел бесшумно. Наверное, потому, что был босиком.

— Я, учитель, — вдруг спокойно ответил Федор. — Аврора трогала кисть. Не могу теперь писать! Кисть унижена, на ней чужая плохая энергетика.

— Добрый день, Гуанг! — хором произнесли все.

Китаец с непроницаемым лицом приблизился к пюпитру в центре зала.

— Нельзя испытывать большую печаль из-за малой неприятности. Исходящая эмоция должна быть равна входящей. Если у тебя отняли медную копейку, не надо рыдать так, словно лишился лучшего друга. Такое поведение нарушает течение энергии и ослабляет дух. Кисть можно очистить. Я не могу проводить занятие — у нас сегодня душно, в студии плавает облако Цин. Пусть человек, от которого оно исходит, покинет зал, тогда вернется Чан, настроение творчества.

Присутствующие одновременно посмотрели на Аврору. Она сидела с непроницаемым видом.

Китаец вытянул вперед правую руку.

— В воздухе Цин, средоточие потока зла. Каждый должен спросить: не из моей ли души вырываются огненные языки? Будьте честны сами с собой, если ответите «да», уйдите, и мы начнем занятие.

Аврора медленно поднялась.

— Вы почему-то уставились на меня! Полагаете, я принесла Цин? Но это не так. Может, злость идет от других? Давайте по-честному, а? Думаете, я ничего не знаю? Ася, где твой муж? Вероника, куда подевалась Руфина Георгиевна? Юрий, ты забыл про Нину? Вадим, считаешь, что никогда не совершал безобразных поступков? Да у вас у каждого за спиной мешок с тщательно спрятанным дерьмом. И что? От кого исходит Цин?

Никитина вскочила и выбежала в коридор. Мухина изменилась в лице. Чистяков сделал вид, будто не слышит дочь Козиной, но у него резко покраснели уши. Аврора сложила руки на груди.

— Гуанг, может, туча гадости, которая мешает учителю, не моя, а общая проблема?

— Она хватала мои кисти, — голосом капризного мальчика напомнил Федор. — Накажите ее.

— Нет! — отрезала Аврора. — Неправда! Я уважаю неприкосновенность вещей брата, знаю, как она для него важна.

— Простите, — пролепетала я, — кисточку трогала я. Она такая интересная, из трех комочков, и ручка красивая, с резьбой. Не знала, что обижу вас, не хотела никому сделать плохо. Извините.

Федор одним прыжком приблизился ко мне и с силой толкнул в грудь. Я не удержалась на ногах, сделала шаг назад, поняла, что падаю, взмахнула руками... Но уцепиться было не за что, я шлепнулась на пол, больно ударившись спиной и затылком, и вскрикнула.

Чистяков испугался.

— Степанида, ты ушиблась?

Я попыталась сесть, но головокружение помешало.

— Степашечка! — занервничала Ася и направилась ко мне. — Сейчас помогу тебе встать...

Но осуществить задуманное ей не удалось. Когда она поравнялась с угрюмо надувшимся Федором, тот неожиданно выставил перед кондитершей ногу, Ася споткнулась и со всего размаха рухнула на пол. Парень схватил со стола злополучную кисть, с треском разломал ее, бросил в центр студии и убежал. Я, сумев-таки сесть, вскочила и наклонилась над Асей.

— Вы как?

— Отлично, — прохрипела Мухина. — Надо же быть такой дуррой — зацепиться за ковер!

Я опешила — паркет в зале был ничем не прикрыт.

— Ну и в ком бурлит Цин? — спросила Аврора. — Кто не способен справиться с собственной яростью? Ответьте честно! Или сейчас, как добрая Ася, сделаете вид, будто она зацепилась о невидимый палас? Маме придется разориться на новую кисть. А тебе,

Степанида, следовало раньше признаться в содеянном. Глядишь, Федя бы не превратился в бешеного слона. Иногда его удается притормозить, правда, крайне редко. Брат — граната, готовая взорваться в любую секунду. Вентилятор, в который попало дерьмо, вжик, и оно в разные стороны разлетелось, всех измазало.

— Ася, я тебя подниму! — спохватился Юрий.

— Сама встану, — прокряхтела Мухина.

— Асенька, у тебя штанина завернулась, — тихо произнесла Ника.

Я наклонилась и аккуратно одернула брючину. В глаза бросился странный опоясывающий ногу шрам. Он был белый, толщиной с мой мизинец и располагался на ладонь выше щиколотки кондитерши.

Вместо того чтобы сказать мне «спасибо», Ася резко отдернула ногу и буркнула:

— Не надо!

— Сегодня занятий не будет, — объявил Гуанг и тенью выскользнул в коридор.

— Ася, ты разбила колено, — запричитала Вероника.

— Вау! У тебя одежда в крови! — испугался Вадим. — Надо вызвать «Скорую».

— Ерунда, — сильно побледнев, ответила Мухина, — мне совсем не больно.

— Доктор уже тут, — деловито заметил Чистяков. — Ника, Вадим, берите пострадавшую под руки и осторожно ведите в ванную. Ася, не наступай на ногу. Я возьму из гостиной свой волшебный чемоданчик и прибегу туда.

Чистяков, актер, Никитина и Ася покинули комнату. Мы с Авророй остались вдвоем.

— Извини, — вздохнула она, — у меня тоже иногда нервы сдают. Всегда держу себя в руках, но порой срываюсь. Ты ни в чем не виновата. Ну откуда ты могла знать, что Федор над своими вещами трясется? У него даже чашка, тарелки и столовые приборы свои, поев, он уносит их и прячет.

— Брат старше тебя? — для поддержания разговора поинтерссовалась я. — Читала недавно в каком-то журнале интервью с Еленой Львовной, журналистка писала, что у Козиной есть дочь, про сына ни слова не сообщила.

— Федя младше меня на сто дней, хотя это, наверное, не считается, — улыбнулась Рори.

— Как такое может быть? — удивилась я. — Беременность длится девять месяцев.

— Мама усыновила Федю, — пояснила девушка. — Неофициально, бумаг не оформляли. Это запутанная история, непростая, горькая. Хочешь, расскажу?

Я кивнула.

— Тогда пошли в мою комнату, — предложила Аврора.

* * *

Спальня дочки Елены Львовны располагалась в самом конце коридора, за просторной кухней. Помещение оказалось маленьким, в нем с трудом поместились узкая кровать, тумбочка, небольшой столик, встроенный шкаф и парочка кресел.

— Тесно у тебя, — пробормотала я, садясь в кресло.

— Не люблю простора, душа радуется каморкам. Хотелось бы, чтобы еще и потолок пониже был, — пояснила Рори. — До десяти лет жила у бабушки, Фаины Андреевны, в городке Конино, это недалеко от Москвы, в Калужской области. В ее домике взрослые головой за люстру задевали и восклицали: «Избушка для гномиков!» А я была там беспредельно счастлива. Когда меня в Москву везли, рыдала. Очень хотела в столицу, мечтала жить с мамочкой, а заливалась слезами. И сейчас часто плачу. У меня подруг нет, посоветоваться не с кем. Думаю, может, надо как-то по-другому себя вести? Например, объяснить маме, что художник из меня как из баяна самолет?

Я мечтала стать хирургом, но она даже слушать о медвузе не пожелала. Может, ты подскажешь, как мне быть? Нервы совсем сдают, наговорила сейчас всем глупостей. Сама не понимаю, как это получилось.

— Если объяснишь проблему, попробую тебе помочь, — осторожно сказала я. — Правда, не знаю, получится ли.

— Попытаюсь изложить все складно, — пообещала Аврора.

Детство маленькой Рори прошло под присмотром бабушки. Мама приезжала в провинциальный городок редко, но каждый ее визит превращался в праздник. Алена притаскивала подарки, привозила дорогие продукты, каких никогда не покупала экономная старушка. Нет-нет, Фаина Андреевна не жадничала, просто считала, что сыр, колбаса, конфеты — неправильная еда.

— Чем проще кушанье, тем оно полезнее, — внушала она внучке. — От гастрономии один вред.

Фаина Андреевна была строгим воспитателем, Авроре спуску не давала. Будильник у девочки в комнате, невзирая на выходные, каникулы, праздники, всегда срабатывал в шесть. Малышке предписывалось сразу вскочить и бежать в сени, где уже стояла бабушка с ведром ледяной воды. В любую погоду — в дождь, в снег, в холод, в темноте, при солнце — Фаина Андреевна выводила голенькую внучку во двор и выливала на нее воду. Потом Рори следовало надеть спортивный костюм и пробежать до магазина и назад. На завтрак подавалась овсянка на воде, на обед овощной суп, на ужин гречка, творог, иногда рыба. Мясо не ели вообще, яйца бабуля считала отравой, мучное, сладкое и жирное в доме не появлялось. Спала Аврора даже в двадцатиградусный мороз при распахнутом окне под байковым одеяльцем и на матрасике чуть мягче доски.

А вот когда приезжала мамочка, заведенный порядок нарушался.

— Давай захлопнем рамы, — просила Алена. — Очень хорошо, когда человек закаляется, но не надо перегибать палку.

А еще мама жарила на завтрак потрясающе вкусную яичницу на сале, добавляя в нее помидоры, лук, красиво выкладывала ее на тарелку. Потом мазала кусок мягкого белого батона свежим сливочным маслом, подавала восхитительную еду Авроре и внушала Фаине Андреевне:

— Диета придумана не для детсадовцев. Организм девочки идет в рост, ему необходим полный набор белков, жиров, углеводов, витаминов, микроэлементов. Нельзя переедать, увлекаться сладким, газировкой, но раз в неделю ребенка надо баловать конфетами или пирожным. У Авроры пока нет, как у тебя, повышенного холестерина и камней в желчном пузыре. Ты очень строга к ребенку.

— С возрастом поймешь: детей надо любить, а баловать нельзя, — спокойно отвечала родительница. — Если не нравятся мои методы, забирай дочку к себе, я не стану возражать.

Мама, услышав последние слова, сразу замолкала.

Мучилась ли Аврора от строгого режима? Нет. Девочка не знала иной жизни и любила бабушку. Только когда Рори исполнилось пять, Елена Львовна увезла дочку в Москву. Сбылась мечта малышки, которая каждый вечер, ложась в кровать, шептала: «Бабуля самая лучшая, но мне хочется жить с мамочкой».

Глава 25

В большом городе все было по-другому. Обливаться из ведра девочку не заставляли, есть строго по часам тоже, еду из холодильника можно было брать в любое время, и спать разрешалось до полудня. Обязанности няни Елена Львовна велела исполнять своей домработнице Тамаре, а у той элементарно не хватало времени на ребенка. Поэтому она совала воспитаннице в руки газету и велела:

— Иди, учись читать, скоро в школу пойдешь.

Буквы никто Рори не показал, и она никак не могла понять: что такое читать? Потом Тамара уволилась, Рори сдали в садик, где она незамедлительно начала болеть всем, чем только можно: простудой, ветрянкой, свинкой... Девочку регулярно обсыпало красными пятнами, у нее начинались боли в желудке, понос, запор. Организм, приученный с пеленок к определенному образу жизни, не хотел менять привычек, но никому из взрослых не пришло в голову выплескивать на Рори ледяную воду, укладывать ее спать на доску, открывать на ночь окно и пичкать овсянкой.

Малышку лечили уколами, таблетками, сажали на разные диеты. Ей вроде делалось легче, но, как только ограничения в пище снимались, болячки возвращались. Аврора понимала, что мама из-за нее расстраивается, и тихо плакала по ночам. Ей хотелось стать здоровой и красивой, такой, как Верочка, дочь Любови Сергеевны, лучшей подруги Алены. Когда Рори пошла в первый класс, дня не проходило, чтобы мама не ставила Веру ей в пример. Разглядывая дневник дочки, полный двоек и замечаний, старшая Козина восклицала:

— Я училась на одни пятерки, почему ты не успеваешь? За что получила кол по арифметике? Неужели тебе дают решать сложные задачки? Вот Вера круглая отличница. Ее любят и учителя, и дети. Люба на родительских собраниях с гордо поднятой головой сидит, прямо цветет от похвал, которые Верочке раздают. А я позади всех, на последней парте прячусь, от стыда сгораю. Да у тебя даже по физкультуре два! Встань в угол и подумай о своем поведении.

Аврора отправлялась в угол и, давясь слезами, пыталась понять, как стать похожей на Веру, с которой, как на грех, училась в одном классе. Но время шло, а Рори никак не могла обрадовать маму. Верочка росла хорошенькой стройной девочкой, прекрасно училась, занималась в самодеятельном театре, писала стихи, все вокруг говорили о ней: какой многогранно одаренный ребенок, да еще и красавица с чудесным характером. Аврора же к девяти годам стала толстушкой с прыщавым личиком, на ней плохо сидела одежда, и никаких способностей у младшей Козиной не было. Из музыкальной школы Рори выгнали за полнейшее отсутствие слуха, из танцевальной студии тоже. И друзей у нее не было, никто не хотел общаться с угрюмой девочкой.

Любовь Сергеевна часто прибегала к подруге на огонек, и тогда Аврора, перехватывая мамин взгляд, направленный на Верочку, понимала: вот о какой дочери мечтает Елена Львовна...

Девушка на секунду прервала рассказ и грустно улыбнулась.

— Понимаешь, для мамы главное, чтобы человек был талантлив. Если ты выделяешься из общей массы, она в тебя влюбляется и оказывает всяческую поддержку, моральную и материальную. Обычных же людей считает неинтересными. При этом для нее существует четкая шкала одаренности. Одни таланты талантливее других. Извини за тавтологию, но иначе не скажешь. Ясно?

— Не очень, — призналась я.

Аврора обхватила плечи руками.

— На самом деле все просто. Главный, самый прекрасный дар — умение писать картины. Мама преклоняется перед художниками. Если находит интересного живописца, сделает все, чтобы вытащить его из мрака неизвестности. Художников, которым она помогла, много, но все, раскрутившись за ее счет, начинали зажигать звезду. Кое-кто открыто заявлял:

«Я гений, а ты всего лишь галерейщица. Выставочных площадок много, скажи спасибо, что я работаю с тобой, не ушел к конкурентам».

— Не слишком красиво, — поморщилась я.

Рори сгорбилась.

— Люди быстро забывали, кто их на вершину вытащил, начинали считать себя современными Леонардо да Винчи, хотели отстричь у мамы побольше денег. Все просто и... гадко. Мамочка, поняв, что ее любимец мерзавец, расстраивается, но быстро утешается, потому что находит себе нового фаворита. К нашему дому всегда прибивается разный люд, которому требуется покровительство Козиной. Как они влезают к ней в душу? Я уже объяснила: нужно продемонстрировать талант живописца, а если нет к этому призвания, найди у себя другой дар — и непременно горячую любовь к живописи.

Аврора отвернулась к узкому, похожему на бойницу окну.

— Мама так предсказуема! Весь ее характер как на ладони. Пообщаешься с ней недельку — и читаешь ее, словно раскрытую книгу. Вот посмотри, кто сейчас у нас в доме постоянно топчется. Ася Мухина? Гениальный кондитер! В действительности Мухина неплохой повар, готовит вкусно, но без мамы никогда бы ей бизнес не поднять. Именно она Асе денег дала и процент не попросила, всем знакомым кондитершу рекламировала, в каждом своем интервью о ней говорит. Вадим? Гениальный кукловод! Вероника? Гениальная сваха! Чистяков? Гениальный врач!

Аврора поморщилась.

— И все они — очень хитрые. Хотят пользоваться покровительством Козиной, ее финансами, любовью, поэтому старательно угождают ей, говорят, что она слышать хочет, ведут себя как ей нравится. Короче, пользуются моей мамочкой, словно червяки яблоком. А она плохого в «гениях» никогда не видит. Думаешь, почему местная тусовка «ладошками» увлекается, у Гуанга занимается? Ни у кого из них нет ни малейшего намека на художественный дар, обалденную мазню производят. Но мама увлеклась китайской миниатюрой, объявила ее гениальным направлением в живописи, нашла гениального Гуанга, который гениально объясняет, как гениально стать гением гениальных «ладошек». Вот они и стараются. За чей счет развлечение? Ответ очевиден. Кстати, знаешь, сколько стоит одна кисть, например, та, из-за которой Федя сегодня в безумие впал? Две тысячи долларов! А у «ладошечника» двенадцать кистей плюс особые краски, бумага. Мама заказывает все в Америке и раздает учащимся бесплатно.

— Извини, Рори, но перечисленные тобой люди уже стали вполне успешными, — возразила я. — Зачем им сейчас-то перед Козиной пресмыкаться? Может, ты не совсем правильно оцениваешь их? У Мухиной магазины, кафе, Вадим много выступает, Чистяков владеет медцентром, Вероника получила статус лучшей свахи России, у нее агентство. Вероятно, ты права, друзья Елены Львовны вскарабкались на гору благополучия с ее помощью. Но сейчас они всего достигли и могут преспокойно уйти. Не знаю, как обстоят дела у шамана Никиты Перфилова, я видела его один раз и более не встречала, но остальные-то крепко встали на ноги, однако по-прежнему около Алены держатся. Вот ты недавно говорила о неблагодарности раскрученных Козиной живописцев. Но

Вероника, Ася, Юрий и Вадим остались в доме, значит, они как минимум порядочные люди.

Аврора провела ладонью по подлокотнику кресла.

— Раньше всем «гениальным» грозили немалые неприятности. Кабы не мама, пришлось бы им... Извини, Степа, подробности сообщить не могу. Хоть я и не «гениальная» дочь, но имею понятие о чести и порядочности, случайно узнанные чужие тайны не выдам. Но, поверь, грязные секреты есть у всех. Даже у «гениальной» домработницы Галины. Каждого мама из большой беды выручила, поэтому они тут и крутятся, боятся уйти, опасаются, что благодетельница разозлится и скелеты из шкафов выкинет. Не понимают, что она никогда так не поступит, по себе меряют. Ты видела сегодня вдохновенно создаваемые ими «ладошки»? Скажи, ведь это мрак!

— Картинки Аси, Вадима, Юрия и Вероники не особенно хороши, — согласилась я. — Не знаю, как обстоит дело у Никиты Перфилова, его не было, но Федор... Может, тебе и неприятно это слышать, но он очень талантлив, у него яркий дар.

Рори потерла кулаком глаза.

— В один далеко не прекрасный день мать привела Федю и объявила: «Он гениальный мальчик, который, несмотря на ужасные выпавшие на его долю испытания, не растерял своих уникальных способностей. Феденька теперь будет жить с нами, окончит художественную школу, поступит в институт. Уверена, из него получится потрясающий живописец». Вот с тех пор Карманов живет с нами. Да, ему пришлось тяжело в детстве, никому такого не пожелаешь, но...

Рори втянула ноги на кресло.

— Не знаю, какие ощущения испытывает подросток, которому все в глаза говорят: «Ты уникум». Мне этого слышать не доводилось ни раньше, ни теперь. А на Федю полился дождь похвал. В школе, куда его пристроила мама, педагоги взахлеб пели ему осанну, потом то же самое было в институте, первая его выставка прошла с ошеломительным успехом, все работы Козина раскупили в первый же день.

— Погоди, ты раньше называла другую фамилию парня, — притормозила я Аврору.

— В паспорте у Федора указана фамилия «Карманов», но свои полотна он подписывает «Козин». Мама наконец получила гениального ребенка. С дочкой-то облом случился, зато появился прекрасный сын.

Глава 26

— Но официально-то Федора не усыновили, — уточнила я. — Рори, Елена Львовна любит тебя. Ты живешь с ней в одной квартире, получила высшее образование... Кстати, кем ты работаешь?

— Пока не устроилась, — нехотя пробормотала собеседница. — Мама велела идти на отделение книжной графики, я побоялась с ней спорить и послушалась, так с трудом его окончила. Толкалась по разным издательствам, но нигде не пригодилась. Надумала устроиться в музей экскурсоводом — оказалось, это тоже крайне сложно.

— Наверное, у Елены Львовны есть связи в мире искусства, — осторожно намекнула я.

— Нет, надо самой пробиваться, — еле слышно прошептала Аврора. — Хочу, чтобы мама поняла: я тоже талантлива. И наконец полюбила меня всей душой. Но пока она обожает Федю и остальную компанию. А я... Никого не обижала, не пила, не курила, ничего плохого не совершила, маме в рот смотрела, выполняла все ее указания и — не заслужила ни ласки, ни уважения. А ведь я хороший человек! В институте у меня было полно друзей, мы очень весело вместе проводили время. Но теперь они все работают, а я не у дел. Мама же... Знаешь, я тут приболела — насморк, температура, кашель, еле ноги таскала, а она велела мне сбегать в аптеку и купить лекарство для... сопливого ребенка своей подруги, которая пришла в гости. Ей плевать на плохое состояние дочери, тащи, Аврора, чужой девчонке аспирин. Маме до родного человека дела нет. Теперь у нее новая игрушка — твой Егор. Можешь быть уверена, Елена Львовна модельера в зубах на Олимп вознесет. Скажи, он в детстве никого не убил? Может, в юности людей грабил? Алена обожает тех, кто, как она выражается, «много страдал, прошел через испытания». Чем больше ты дров наломал, тем привлекательней для нее. Егор случайно бывшую жену из окна не выбросил?

— Вроде нет, — поразилась я. — И у Бочкина не было до меня браков.

— А ты проверь досконально биографию любимого, — мрачно посоветовала Аврора. — На сайт «Скелет Секрет» заходила?

— Впервые о нем слышу, — удивилась я.

— Да ну? — вздернула брови Рори. — Загляни на страницу, вбей имя, фамилию жениха. Там про многих выкладывают правду. Если Алена твоего Егора полюбит, прощайся с парнем, он станет членом ее компании, а от тебя избавятся, им чужаки поперек горла. Видела, как они меня сегодня из группы выгнать пытались? Говорили, стола нет, за свободный Степанида сядет. Не обольщайся, никто тебя искусству писать «ладошки» обучать не собирался. Гуанг не возьмет новенькую к тем, кто уже пару лет у него уроки брал. И у китайца свои закидоны, у него условие: в зале должно сидеть четное число людей. Сегодня были Ася, Юрий, Вадим, Ника, Федя и ты. Вот почему Никита Перфилов не появился? Раньше-то занятия не пропускал. А колдуну позвонили и сказали: «Не приезжай, надо Степаниду на твое место засунуть». И тут я, как на грех, приперлась, стукнуло мне за «ладошки» приняться. Раньше я в группе занималась, а потом бросила, Гуанг ко мне вечно придирался, прямо выживал из студии, мировым злом считал.

Аврора вздохнула.

— Китаец тут самый хитрый. Интуиция у него звериная, сообразил: дочка Алене не по сердцу, и, чтобы к той, кто ему щедро платит, подлизаться, стал меня в пыль растаптывать. Я и не выдержала. Хотя очень надеялась древнему искусству обучиться и маму поразить. Зря я решила снова за парту сесть. Видела, как Гуанг оскалился? Про негативную энергию завел. Остальные сразу поняли: китаец сейчас заистерит, занятие не состоится, ты побежишь жениха искать. Елена Львовна решила вплотную заняться Егором, только глупая невеста у нее под ногами путается... Хочешь дружеский совет? Убегай отсюда, прихватив любимого, наплюй на выгодный заказ. А то мамочка посулит дизайнеру раскрутку, пообещает ему деньги, славу. И не обманет, Егор все получит. Но пользоваться благами он будет без невесты. Понимаешь, Степа? Ты ему станешь не нужна. Мать любит тех, у кого личной жизни нет. Вернее, личная жизнь ее друзей — это общение с ней.

Я сообразила, что нужно резко отреагировать на последние слова Рори. Любая девушка, узнав такое, должна мгновенно сграбастать своего парня в охапку и дать деру. Но я-то не имею права поступить таким образом, нам с Бочкиным необходимо вычислить маньяка. И какие мне найти слова, чтобы Рори не удивилась, почему я не утаскиваю Гошу подальше от Алены? Ох, нелегкая задача!

Я посмотрела собеседнице прямо в глаза.

— Я очень люблю будущего мужа. Но... Если ему покажется, что брак со мной помешает его творческому развитию и Егор решит бросить меня, так тому и быть. Елена Львовна может расстелить перед ним красную дорожку на Олимп моды? Прекрасно, он давно пытается выбиться в первые ряды. Пусть у него все получится. Спасибо тебе за разъяснение ситуации, теперь я понимаю: Гоша оказался в нужном месте. Когда в душе живет любовь, она вытесняет эгоизм. Мы не поженимся? Ну и пусть! Лишь бы Егор осуществил свою мечту. Я согласна на все ради его счастья.

— Прямо-таки на все? — печально спросила Аврора.

— Да! — твердо ответила я. — Он сошьет чудесное платье для твоей матери, а Елена Львовна разрекламирует талант моего жениха.

Дочь Козиной неожиданно схватила меня за руку.

— А если его заставят убивать людей?

Я постаралась не измениться в лице.

— Ты о чем?

Аврора отшатнулась.

— Извини, так, ерунда пришла в голову...

Теперь уже я крепко схватила ее за ладонь.

— Нет, раз начала, договаривай. Какие еще убийства?

Рори вскочила.

— Просто я хотела объяснить: вовсе не на все ты готова. Как поступишь, услышав от Гоши: «Степа, я задушил человека, очень плохого, отвратительного. От его смерти всем только лучше будет»? Что ему ответишь?

— Не знаю, — пробормотала я. — Но точно не побегу в полицию. Наверное... спрячу Егора. Ну и мысли у тебя! Намекаешь, что в вашем доме кого-то лишают жизни?

Аврора выдернула ладонь из моего кулака.

— Нет. Отстань. Тебе не понять. Никому не понять! Дорога означает смерть для многих... Это невозможно объяснить.

Аврора замолчала и сжала губы.

На этот раз мне не пришлось изображать растерянность.

— Дорога? Ты о чем?

И тут, как назло, дверь в комнату приоткрылась, на пороге появилась Ася. Более неудачного момента для ее визита и представить трудно!

— Вот вы где... Чем занимаетесь? — спросила она.

— Рассматриваем каталоги галереи, — мигом соврала Аврора.

— А я как раз хотела провести Степоньку по залам, — обрадовалась Мухина. — Там столько прекрасных картин! Есть новая работа Феди. Говорят, потрясающее полотно. Я, правда, еще не видела, его только-только повесили. Рори, пойдешь с нами?

— Спасибо, голова болит, — отказалась дочь Елены Львовны.

— Сейчас принесу таблетку, — засуетилась Ася.

— Не надо, — остановила ее Аврора. — Посижу спокойно одна, и мигрень пройдет.

— Ладно, — согласилась владелица «Кексов мечты», — тогда я заберу Степоньку.

Мне пришлось прервать интересный разговор и последовать за Мухиной. А та тараторила без умолку.

— Экспозиции размещены в соседнем здании, нам придется пройти туда через кухню, Алене не удалось сделать проход в другом месте. Немного неудобно, но лучше, чем топать по улице. Что тебе рассказывала Аврора?

— Говорила о галерее, о своих планах работать экскурсоводом в музее, — пояснила я. — Похоже, она переживает, что лишена дара живописца.

— Это неправда! — горячо возразила Мухина. — Рори талантлива, но у нее нет своих идей. Картины ее неоригинальны, смотришь на них и понимаешь, что где-то уже видел нечто подобное. Неделю назад Аврора показала матери свое очередное произведение, я заметила, как она с холстом в кабинет к Алене направилась. А через полчаса, сидя в гостиной, услышала ее тихий плач. Рори по коридору к себе бежала, я девушку догнала, попыталась выяснить, кто ее обидел, и услышала: «Мама меня не любит, ее сердце отдано Феде. Полотна его нахваливает, разрешила ему без совета с ней новые картины в галерее вывешивать. А мои работы вечно критикует. Сколько ни стараюсь, угодить мамочке не получается. Как мне признание заработать, если я ничего публике не представляю? Обратиться в другую галерею не могу — вот владельцы обрадуются: дочь Козиной решила уйти от матери!» Я ей чаю налила, кексов принесла и к Алене поспешила. Передала ей разговор и от упрека не удержалась: «Неужели тебе трудно пойти Рори навстречу? Выстави ее картину, это придаст девочке уверенности в себе. А то у нее явный комплекс неполноценности, она считает себя неумехой во всех областях. Да, ее творения вторичны, но вдруг они кого-то зацепят? Или обмани дочку, дай ей денег, соври, что ее натюрморт-пейзаж кто-то приобрел. Надо вытаскивать Аврору из депрессии». Алена вздохнула, подошла к мольберту и сдернула прикрывавшую его ткань со словами: «Вот забракованный мною шедевр».

Ася замолчала, потом спросила:

— Видела картину Ван Гога «Подсолнухи»?

— Конечно, — удивилась я, — она очень известная.

— Вариантов произведения несколько, — уточнила Мухина. — Художник написал две вазы с двенадцатью цветами, три с пятнадцатью, одну с пятью и одну с тремя. Вроде я ничего не забыла и не перепутала, хотя могу ошибиться. Рори повторила работу с тремя подсолнухами один в один. Алена сказала дочери: «Хорошая копия Ван Гога, но в галерее выставляются исключительно оригиналы». Аврора заспорила: «Нет, мама, я сама придумала композицию!» Алена взяла с полки альбом, открыла его на нужной странице и продемонстрировала дочке. А та обрадовалась: «Теперь понимаешь, что ты ошибалась? У Винсента один цветок прямой, два чуть наклонены, а у меня они повернуты в разные стороны и ваза прямоугольная». Алена так и не смогла переубедить дочь, та убежала в слезах.

— А что дальше было? — заинтересовалась я. — Что еще говорила старшая Козина?

— Сейчас припомню ее слова и постараюсь передать поточнее... «К сожалению, Рори винит меня в своих неудачах, думает, что я ее презираю за бесталанность. Но ты же знаешь, что это не так. Повесить в галерее пародию на Ван Гога я не имею права. Холст вызовет шквал негативных откликов, Аврору заклюют критики, я спасаю девочку от унижения. Увы, в дочери нет божьей искры. Зря я поддалась на уговоры и позволила ей встать к мольберту, надо было направить Рори в медицину. Ну, не всем же быть художниками... Но когда я предложила девочке учиться на стоматолога, она чуть из окна не выбросилась. Пришлось протолкнуть ее в художественный вуз. А нужно было на своем настоять, сейчас бы Аврора получила полезную профессию, встала на ноги, завела друзей, а не сидела дома с чувством, что она неудачница». Приблизительно такой был разговор.

— Аврора планировала стать живописцем? — уточнила я. — О карьере врача она не мечтала? Кстати, почему ее не зовут пить чай вместе со всеми?

Мухина фыркнула:

— Боже! Аврору приглашают к столу. А она вечно отвечает: «Лучше я в комнате поем, одна. Знаю, меня никто не любит, общаться со мной не хотят. Я вам только помеха, потому что не гениальна, как некоторые. Оставьте меня в покое, не изображайте, что вам приятно рядом с бездарью находиться». У нее явный комплекс. Уж и не знаю чего. Неполноценности? Недолюбленности? Брошенности? А ведь это сплошная фантазия. Алена дочь обожает, но та чувства матери замечать не хочет. Рори нравится упиваться ощущением своей никчемности. Вот ты спросила про профессию врача... Никогда Аврора о ней не заговаривала. Зато считает, что Елена Львовна впускает в свою душу только тех, кто в руках кисти с палитрой держит, поэтому и кинулась в живопись. Понимаешь, Рори неумна, но девочка она хорошая, послушная, изо всех сил хочет показать матери свой талант. Но, увы, его нет! Вот Федя другой. У него отвратительный характер, парень не умеет держать себя в руках, не блещет воспитанием, говорит, что думает, поступает как заблагорассудится, но... он гений. Поэтому Алена прощает любые его выходки. Она считает, что одаренные люди рождаются редко и все равно, как они себя ведут. И ведь правда, если вспомнить биографии великих, все, кого поцеловал ангел, не могут похвастаться...

Мухина остановилась.

— Мы пришли, вот новая картина Федора. О, господи!

Моя спутница неожиданно покраснела, над верхней губой у нее заблестели мелкие капельки пота. Я, удивленная реакцией Мухиной, глянула на полотно, висевшее на стене. Ася же, бросив скороговоркой: «Сейчас вернусь», побежала к выходу из зала.

А я принялась рассматривать холст.

Глава 27

Сюжет картины показался мне весьма мрачным. Художник изобразил широкую, изрытую ямами проселочную дорогу. Небо над ней затянули серые низко нависшие, тяжелые тучи, из которых моросил мелкий нудный дождик. По раскисшей глине брели босиком молодая женщина в ярко-красном коротком и узком, явно с чужого плеча, пальто и трое детей мал мала меньше, тоже в одежде из секонд-хэнда. Мать держала в руке чемодан, у малышей на спинах болтались рюкзаки, из них высовывались потрепанные игрушки и какие-то тряпки. На ногах всех членов семьи были кандалы с ядрами на цепях, а на головах терновые венцы, из-под которых стекали капли крови. По левой обочине стояли полулюди-полузвери разного возраста и пола. Один держал кнут, другой пистолет, третий камень, вместо лиц — жуткие, оскаленные морды несуществующих чудовищ, такие омерзительные, что меня передернуло. На правой стороне дороги выстроились херувимы, с головой укутанные белой тканью. Они держали куски хлеба, бутылки с молоком, корзины с едой. На переднем плане, в отдалении от всех, серафим с тщательно выписанным лицом Елены Львовны сжимает топор, рядом стоит корзина с отрубленными мужскими и женскими головами.

Называлась картина «Дорога. Дорога в счастье». Я не могла оторвать от жуткого полотна глаз, не понимая, почему оно, столь мрачное и страшное, не отпускает. И поймала себя на странных мыслях. Да, Федор на самом деле талантлив. Но неужели найдется человек, который захочет повесить этот холст у себя дома? Да и где его разместить? В столовой? Взглянешь на отрубленные головы — и навсегда лишишься аппетита. В гостиной? Посмотришь на окровавленных малышей — и пропадет желание подремать под ворчание телевизора.

Можете обозвать меня безвкусной тупицей, но я скорей украшу жилье изображениями котят, щенят и пузатых младенцев, «шедеврами», которыми торгуют летом в парках и у станций метро. Да, понимаю, это кич. Но зато в момент лицезрения белого котика в розовом ошейнике у меня не откроется язва желудка. А от безусловно талантливого полотна Федора хочется зарыдать во весь голос.

Раздались шаги, в зале появились Ася и незнакомый мне мужчина в темно-синей спецовке.

— Леня, отнеси холст к Елене Львовне в кабинет, — распорядилась Мухина.

Но рабочий не поспешил выполнить ее приказ.

— А чё скажет Федор?

Ася показала рукой на окно.

— Он придет в негодование, если его работа останется здесь. На нее падает прямой солнечный свет.

— Где вы в Москве солнце видели? — не пошевелился Леонид.

— Ты в курсе, что работы Феди — акварель? — налетела на него Мухина. — Картина быстро выцветет.

Но мужик поскреб в затылке.

— На масло похоже. Водные краски другие.

— Не спорь! — затопала ногами Ася.

— Ну, если только под вашу ответственность. А Федор как раз именно сюда приказал ее повесить. Он планирует сделать холст центром инсталляции, уже притащил гору вещей, собрался их вокруг рамы скомпоновать, но чего-то не хватило, вот он и уехал на блошку, — загудел рабочий.

— Куда направился парень? — подпрыгнула подруга галерейщицы.

Леонид снова запустил грязную ладонь во взлохмаченные волосы.

— Может, я неверно его понял. Вроде на платформу «Яблочная» или «Грушевая», помню, какое-то фруктовое название. Там народ подержанным барахлом торгует.

— Где материал для инсталляции? — остановила его Ася. — Хочу на него посмотреть.

Леонид оглушительно чихнул.

— Нашли на что любоваться! Лохмотья да обувь грязная. Единственная хорошая вещь... Ща принесу, подождите.

Рабочий юркнул в небольшую дверь в стене.

Мухина начала возмущаться:

— Вот народ! Сто раз объясняли: расположение картин в экспозиции — ответственное дело. Так нет, надо же было поместить акварель в самое освещенное место, под прямые лучи солнца... Хорошо, что мы пришли. Леня, Леня! Куда ты подевался? Леонид!

Я молча слушала негодующую речь Аси. На мой взгляд, в зале совсем даже не светло, полотну, по крайней мере сегодня, ничто не угрожает. Почему Мухина впала в такой раж? Отчего бы ей не дождаться Федора и не спросить у него, по какой причине он выбрал эту стену? К тому же, учитывая непростой характер Карманова, я бы поостереглась трогать картину. И неужели акварельные краски такие нежные? Пара часов под дневным светом, и им конец?

— Леня! Леня! — продолжала надрываться Мухина.

— Чего орете? — спросил рабочий, входя в зал. — Сами за будущей инсталляцией послали. Вот эта красота, любуйтесь на здоровье.

Леонид плюхнул на пол большую картонную коробку. Мухина наклонилась над ней, я последовала ее примеру и увидела несколько женских свитеров, пару юбок, пальто, платье для девочки, джинсовый костюмчик на мальчика, разнокалиберную обувь, голубого ежика с колокольчиком на шее и розовую курточку для малышки лет трех-четырех с вышитыми золотыми и красными нитями бабочками. На воротничке была метка, какие часто нашивают на одежду детсадовцам, — белая полоска ткани со словом «Ляля», написанным черным фломастером.

— И инсталляцию отнеси к Елене Львовне в кабинет, — вспыхнула Ася.

— Федор озвереет, — поежился Леонид. — Я один раз от него по зубам получил, повторения не хочу.

Я не поверила своим ушам.

— Сын Козиной вас ударил?

— Конечно, нет, — поспешила с ответом Ася. — Федя интеллигентный человек, Леня выражается аллегорически. Феденька просто отругал нашего мастера на все руки.

Я будто вновь ощутила на своей груди руки художника, почувствовала боль в спине и голове и промолчала. А Леонид забасил:

— Ага, как же. Не словами он швырялся, а кулаком в нос заехал! Елена Львовна потом премию мне выписала в качестве компенсации. И чего Карманов взбеленился? Всего-то его пейзаж криво повесили. Не нарочно же!

Ася резко выпрямилась.

— Пойдем, Степонька, пробежим по залам. А ты, Леня, немедленно выполняй мой приказ. Вечно споришь! Иногда даже мне хочется тебя стукнуть!

* * *

Гостеприимную квартиру Козиной я покинула в десять вечера вместе с Асей и Вероникой. Вадим и Юрий ушли раньше, Аврора так и пе появилась в гостипой. Федор тоже не осчастливил нас своим присутствием, Егор и Елена Львовна где-то пропадали. Бочкин не отзывался на мои звонки.

Я приехала домой, моментально залезла на сайт «Скелет Секрет» и поняла: Аврора права. В Интернете обнаружилось море интересного про приятелей Козиной.

Я перечитала сведения несколько раз и призадумалась. Верна ли информация? Ведь компромат мог выложить любой человек. Где гарантия, что это не сплетни? Со мной, например, вышла именно такая история. Вся фирма «Бак» думает, что я сплю с Романом Глебовичем, поэтому столь быстро строю карьеру. А раньше народ полагал, что я еще и любовница Антона, сына покойной супруги Звягина.

Я встала и пошла на кухню. Попью чаю, съем бутерброд, а то на голодный желудок плохо думается. Но настойчивые звонки телефона вернули меня к столу. На дисплее «висели» три вызова от Лапушки, четыре от Кентавра и целых шесть от Огурчика. Значит, все красавцы приехали к кинотеатру, встретились друг с другом, мило побеседовали и хотят доложить мне о своих впечатлениях. Ничего, скоро им надоест искать меня, «женихи» бросят коварную «невесту». Им определенно не понравилось, что я столкнула их нос к носу.

В квартире раздалась очередная трель, но на сей раз не телефонная. В полной уверенности что это вернулся Егор, я, не посмотрев на экран домофона, открыла дверь и попятилась. На лестничной клетке стоял Лапушка с двумя помятыми красными гвоздичками в руке. Вместо «здравствуйте» я спросила:

— Как ты узнал адрес? Неужели Белка подсказала?

— Для меня нет преград в достижении цели, — ответил толстяк. — Вот, тебе букет!

Я машинально взяла чахлые цветочки. Во Франции принято дарить четное количество цветов, в России наоборот — у нас парное число кладут на гроб. Ладно, буду считать Константина уроженцем Парижа. Кстати, о парижанах. Современный д'Артаньян бережлив, если не сказать скареден, он никогда не принесет на первое свидание охапку шикарных роз, не поведет даму в пафосный ресторан, а предложит ей чашечку кофе с легкой закуской в скромном бистро. Главной темой беседы будет очередное повышение цен на электричество.

— Далеко живешь, — посетовал Константин, без приглашения втискиваясь в холл. — Когда поженимся, переберемся в другой район. Ужин готов? Дай тапки! А, вот они, надеваю. Фу, почему пластиковые? Должны быть мягкие, лучше фетровые. Немедленно купи такие. Ноги следует держать в тепле и уюте. Но раз хороших нет, я останусь в этих и... Аа-а-а-а! Кто это? Гады! Сволочи! Немедленно убери паразитов! Сейчас же! Ненавижу! Все, я ушел, ты меня потеряла навсегда... Отдавай цветы, они дорого стоят.

Лапушка выдернул из моей руки поникшие гвоздички и вылетел на лестницу, не забыв захлопнуть за собой дверь.

Я осталась одна. Что это было? Почему мужчина, явно хотевший вкусно поесть и отдохнуть у «невесты» в гостях, улетел на реактивной метле?

За спиной раздался шорох, я обернулась и увидела трех мышек. Они совершенно не испугались меня, подошли почти вплотную к моим ногам и не проявляли ни малейшего беспокойства. Я присела на корточки.

— Вы такие наглые! Почему не убегаете?

Одна из мышек, самая толстая, издала звук, похожий на тихий свист.

— Спасибо, что напугали дурака, — улыбнулась я. — Было очень мило с вашей стороны так вовремя появиться. Пошли на кухню, угощу вас. Не знаю, что вы любите, но во всех сказках мышата обожают сыр.

Глава 28

Егор ввалился в квартиру около полуночи, и я сразу налетела на него с вопросами:

— Где ты шатался? Получил мои эсэмэски? Почему не отвечал? Я узнала массу интересного!

Вместо того чтобы ответить, Бочкин принялся осматривать подставку для обуви.

— Где мои тапки? Утром поставил их сюда. У тебя гости?

— Почему ты так решил? — не поняла я. — В доме никого нет.

— А чьи это ботинки? — не успокаивался Егор. — Не ношу такие!

Я взглянула на здоровенные грязные штиблеты и подскочила:

— Лапушка забыл! Умчался в твоих шлепках!

— Отличная новость, — ухмыльнулся Егор. — Жених, устав, как гончая лошадь, возвращается к невесте и узнает, что в его отсутствие она ему изменила. Обидно, понимаешь! Однако прыткий парень твой кавалер, получил свое, да еще и мое прихватил, упер любимые тапки.

— Ну, если учесть, что жених весь день провел в компании другой женщины, то он не имеет права предъявлять претензии к возлюбленной, — в тон Бочкину отрезала я. — Хватит ерничать, лучше ответь, видел мои сообщения?

Егор кивнул.

— Да. Все сто девяносто пять посланий.

— Неправда, — рассердилась я, — послала только четыре. И где ты гулял?

— Этот вопрос надо задавать, размахивая скалкой, — хмыкнул Бочкин. — Ладно, отвечу. Сначала таскался с Еленой, потом проводил ее домой и поехал в отдел, проверил, как ты просила, информацию с сайта «Скелет Секрет». Будь другом, поставь чайник. Очень пить хочется.

— Сначала дело, потом еда, — возразила я.

Егор засмеялся.

— Степашка, ты увлеклась расследованием?

— Нет, просто хочу найти тех, кто убивает людей. И сейчас увидела некоторую нестыковку в рассуждениях Панова и Дергачева. Они твердо уверены, что маньяк — ангел-мститель. И вроде все складывается в пользу этой версии. Валерий Яковлевич Сизов врун, прикидывавшийся героем афганской войны, избивал и мучил свою семью; Жанна Сергеевна Львова, давая деньги на лечение больного ребенка, превращала его близких в своих рабов. Мститель их судил и приговорил к смерти. Как будто все логично. Но Света Тяпкина! Чем она-то провинилась? Женщина — сама жертва, в ее случае ангелу следовало расправиться с Анатолием. И бедняжка погибла не в выселенной пятиэтажке, не в комнате, оборудованной под зал заседаний справедливого суда, а в подвале дома Козиной. Что связывает эти три преступления? Сизов и Львова получили «ладошки», которые пишет Федор, а Светлана погибла в доме, где он живет.

— Убийца — Карманов? — тут же спросил Егор.

Я не ответила прямо на вопрос.

— Я поняла, как действуют преступники.

— Их много? — вскинул брови Бочкин.

Опять уйдя от ответа, я продолжила рассуждать вслух:

— Несчастная, избиваемая жестоким мужем или злым отцом женщина чувствует полную безнадежность. Дома у нее ад, на работе она никому не рассказывает правды. К сожалению, у русской бабы в генах записана поговорка «Бьет — значит, любит», и большинство третируемых считает виновными не жестоких мужчин, а себя. Муж раздает тумаки? Так ведь за дело — плохо постирала, приготовила невкусную еду, потратила много денег, неуважительно разговаривала. От подруг, коллег, начальства то, что происходит в личной жизни, тщательно скрывается.

— Тяпкину вроде не били, — влез со своим замечанием Егор.

— Анатолий патологический скряга, — напомнила я. — Он заставлял жену экономить на всем, держал ее и дочь впроголодь. Да, обошлось без тумаков, но разве от этого легче? Кому могла пожаловаться Света? Только подруге Ксюше. А куда пойти женщине, которой регулярно выбивают зубы? Только не говори, что в полицию! Твои коллеги из районных отделений спокойно говорят несчастным: «Сами разбирайтесь. Мы на семейные скандалы не выезжаем. Вот убьет вас муж, тогда и прикатим».

— Не надо считать всех моих коллег монстрами, — обиделся Бочкин. — Кое-кто идет к мерзавцу и проводит с ним воспитательную работу.

— Ага, — скривилась я, — добрый участковый погрозит ему пальцем и уйдет, а муженек накинется на супругу и изобьет ее до полусмерти за жалобу. Она станет улицу, где отделение находится, по широкой дуге обходить.

— Есть вторая сторона медали, которая тебе, видимо, не видна, — надулся Бочкин. — Очень часто, посмотрев на синяки-ссадины, полицейский предлагает: «Пишите заявление, разберемся». А потерпевшая в кусты: «Нет, вы ему так объясните, попросите, чтобы меня не трогал». Но полиция — бюрократическая система, без бумаги ничего сделать нельзя. Разве что участковый все-таки заглянет к дебоширу и, как ты выразилась, пальцем ему погрозит. Толку от подобного мероприятия круглый ноль. А женщины понимают: настрочат ябеду, затеется разбирательство, мужу могут срок дать, он сядет в тюрьму, семья лишится одной зарплаты, придется таскать передачи, ребенок без отца...

— Хорош папенька! — фыркнула я.

Бочкин налил в кружку чай и сел к столу.

— Давай не затевать дискуссию на печальную тему, лучше изложи свои соображения по поводу нашего дела.

Я устроилась напротив.

— Повторю вопрос. Куда пойти жертве жестокого обращения? Чаще всего некуда. И вдруг она узнает про сайт «Нет побоям», заглядывает туда и списывается с некоей Кате Мо, которая протягивает ей руку помощи. Добрая самаритянка велит прийти в магазин «Игрушки.Ру» и связаться с ней при помощи одного из демонстрационных компьютеров. Почему приглашают именно в эту торговую точку? Кате Мо там работает. Она через видеокамеру наблюдает за жертвой жестокого обращения и принимает решение, стоит ли с ней иметь дело. Вероятно, бедняге приходится посещать «Игрушки.Ру» несколько раз. Думаю, ее личность проверяют по базе, убеждаются, что она не имеет родни, полностью зависима от мужа-садиста. А потом Кате Мо отводит несчастную на улицу, сажает в минивэн фирмы «Кексы мечты», и ее увозят в дом Елены Львовны.

— Оригинально, — крякнул Егор. — Зачем галерейщице жертвы домашнего насилия?

Я пододвинула к себе вазочку с вареньем.

— Пока не понимаю. Вдруг их продают на органы?

— Начиталась желтой прессы? — хмыкнул жених. — Почки, сердце или печень не могут храниться вечно. Их надо срочно пересаживать больному. Знаешь, почему люди годами ждут трансплантации? Им трудно подобрать донора, должно совпасть очень много параметров. Невозможно схватить на улице первого попавшегося индивидуума и живенько отдать его внутренности другому, даже если тот заплатил за операцию миллионы.

— Сексуальное рабство? — предположила я. — Молодых женщин отправляют в восточные страны, заставляют заниматься проституцией. Несколько лет назад одна из продавщиц фирмы «Бак» прочитала в Интернете объявление о найме аниматоров в крупный отель, бросила все и укатила к теплому морю. И только недавно стало известно, что несчастную обманули — у нее в день приезда отняли паспорт и отправили не в гостиницу развлекать туристов, а в подпольный бордель.

— Случается и такое, — согласился Егор.

Я взяла печенье.

— В цоколе дома Козиной оборудован перевалочный пункт. Там беглянка проводит некоторое время, потом ее куда-то переправляют. И я уверена, что близкие друзья галерейщицы участвуют в похищении, это банда.

— Мда... — крякнул Егор. — Серьезное заявление.

— Ну, ты сам подумай. Кто-то убил Светлану, и я случайно наткнулась на ее труп. А Вадим, Ася, Юрий и Вероника разыграли целый спектакль, подменили тело куклой. Они точно все связаны, работают вместе, у них хорошо отлаженный бизнес. Не знаю, куда команда отправляет добычу, но уверена, что судьба поверивших Кате Мо незавидна. И, если считать правдой сообщения сайта «Скелет Секрет», все постоянные посетители особняка Козиной — и Мухина, и Чистяков, и Вадим, и сваха, и маг Никита Перфилов — имеют темные пятна в биографии.

— Вот здесь ты попала точно в мишень, — подхватил Бочкин и открыл ноутбук. — Я перебросил твои послания парню из отдела техподдержки и получил от него ответ. Слушай внимательно. Глеб Валерьянович Мухин, законный супруг Аси, умер от сердечного приступа. Он не был сказочно богат, но кое-какими средствами располагал, имел четырехкомнатную квартиру, дачу в ближайшем Подмосковье и иномарку. Завещания он не оставил, никаких родственников, кроме жены, у него не было, поэтому всю его собственность унаследовала Ася, которая тогда нигде не работала, была простой домохозяйкой.

— В Интернете написано то же самое, — перебила я Егора, придвигая к себе вазочку с вареньем. — Получив жилплощадь и фазенду, Мухина быстро продала недвижимость, приобрела крохотную «однушку» в Мытищах, а на вырученную сумму открыла первую кондитерскую. Между прочим, она здорово рисковала, всяких кофеен в Москве тогда образовывалось пруд пруди. Но дело неожиданно пошло, нынче Ася обеспеченная дама. Правда, Аврора в разговоре со мной упомянула, что деньги на раскрутку дала ей Елена Львовна. Но Рори не всегда можно верить.

Егор начал копаться в вазочке с конфетами.

— А в Сети сказано, что смерть господина Мухина засвидетельствовал доктор Юрий Чистяков?

Я уронила ложку с вареньем на скатерть.

— Нет! Значит, Ася и Юрий познакомились не у Козиной?

— Не могу ответить на твой вопрос, поскольку не в курсе, сколько лет их дружбе, — разворачивая фантик, ответил Бочкин. — Но в то время Юрий Алексеевич служил в поликлинике, к которой был прикреплен Мухин. Кончина совсем не пожилого пациента не насторожила доктора. Чистяков указал в заключении, что мужчина страдал ишемической болезнью, имел высокое давление, атеросклероз и семидесятипятипроцентную непроходимость сосудов сердца, к тому же много курил и страдал диабетом. А через полгода после похорон Мухина Юрий

Алексеевич сам стал вдовцом — его жена Нина покончила с собой. Что по поводу ее смерти сказано в Интернете?

— Автор публикации написал: «Нина Чистякова, внучка крупного советского чиновника, совершила самоубийство. От деда ей досталась коллекция картин. Получив наследство, Юрий распродал полотна и основал клинику». Напрямую никто врача в смерти супруги не обвинил, но это читается между строк, — фыркнула я.

Егор встал и пошел к чайнику.

— А теперь спросим: кто же помог Айболиту сбыть полотна? Я не специалист по живописи, зато у меня память носорога. Кабинет Елены Львовны украшают картины, одна мне очень понравилась — в серо-голубых тонах, такая спокойная, умиротворяющая. Я подошел к ней и впал в нирвану. Козина заметила мою реакцию и нежно пропела: «Егорушка, не хочешь заняться живописью? У тебя обостренная эмоциональность настоящего художника. Из всех полотен ты подошел к самому энергетически положительно заряженному». Я действительно испытал восторг, сказал: «Прекрасная работа, понимаю, почему вы держите ее здесь, а не продаете в галерее». Елена пустилась в объяснения. Сейчас постараюсь вспомнить ее слова...

— Такие произведения широкой публике не предлагают, их могут купить лишь богатые коллекционеры, — сказала галерейщица. — Но я пейзаж не продам. Картина эта с тяжелой судьбой, она и так натерпелась, пусть спокойно висит на одном месте. Полотно некогда принадлежало богатой еврейской семье из Берлина. Когда Гитлер пришел к власти, их всех отправили в лагерь смерти, а конфискованное имущество выставили на аукцион. Так тогда в Германии поступали с вещами уничтоженных иудеев — продавали всем, кто пожелает. Истинной ценности полотна никто не понял, его задешево приобрела семья учителя, члена компартии Германии, который умудрился выжить в годы рейха. Когда Берлин пал под натиском советских войск, в доме педагога поселился офицер Виктор Семенов, бывший преподаватель немецкого языка. Он подружился с хозяевами, а те подарили ему пейзаж. Семенов привез его в Москву и начал собирать живопись. А еще сделал неплохую карьеру — стал крупным чиновником и большим знатоком искусства, собрал великолепную коллекцию. И в конце концов понял, что преподнесенный ему в Германии сувенир — одна из работ гениального английского художника Джона Констебля. Семенов попытался найти семью антифашиста, хотел вернуть дар, и выяснил, что немец и его жена умерли, детей у них не было. Холст остался у него. После его смерти он достался внучке собирателя, потом перешел ко мне. Это подарок от близкого человека.

Егор помолчал немного, налил себе еще чаю. Наконец продолжил:

— Я выслушал эту историю, поохал-поахал и перевел разговор на другую тему. Но вспомнил серо-голубой пейзаж, когда прочитал в справке техотдела, что Чистяков унаследовал от своей супруги Нины, отца которой звали Иван Викторович Семенов, большое количество произведений искусства, и изучил фотографии полотен, приложенные к документу. На одном из снимков был тот самый поразивший меня

Констебль. Выходит, врач преподнес галерейщице очень дорогой презент. Вопрос: за что?

— За помощь в распродаже коллекции деда супруги? — предположила я.

Егор сел на место.

— Уж слишком щедрый дар, не находишь? Кто у нас следующий? Вероника Никитина. Проживала вместе с матерью, та угодила под машину...

— Родительница, стоматолог по профессии, по слухам, имела немалое состояние, — перебив напарника, быстро процитировала я информацию с сайта «Секрет Скелет». — Точный размер ее богатства никому не известен, как, впрочем, нет и доказательств того, что Руфина Георгиевна Никитина являлась зажиточным человеком. Но после внезапной кончины далеко не дряхлой маменьки Вероника открывает агентство брачных услуг. А до этого работала... дворником в доме, где была прописана. Удивительно, да? Мать — врач, а дочка метет улицы! Только я сомневаюсь, что Ника наводила чистоту во дворе, она просто числилась рабочей, а на самом деле занималась чем-то другим. Так часто поступают домашние хозяйки — оформляются на малопрестижную должность и отдают зарплату тому, кто выполняет за них обязанности, не хотят терять трудовой стаж из-за пенсии. Актер Вадим тоже получил наследство, стал владельцем дома.

— Точно, — кивнул Егор. — Правда, ему досталась всего лишь деревенская изба отца. Тот утонул во время рыбалки, на которую пошел вместе с сыном.

Мне стало душно, захотелось распахнуть окно. Но я продолжила:

— Никита Перфилов воспитывался приемными родителями, у коих была еще дочь. В восемнадцать лет парень влюбился в нее, хоть та и была намного старше, Ирине исполнилось тридцать. Они расписались, прожили вместе почти десять лет. Потом случился пожар. Отец, мать, Ирина — все погибли. Никита же в тот день уехал на рынок, где семья торговала мясом. А после трагедии быстро переехал в Москву, обзавелся собственной квартирой и начал шаманить. Сайт задает вопрос: «Откуда у Перфилова деньги?» И тут же помещен ответ: «Никита нашел заначку мясников, ее не тронул огонь». В поджоге «Скелет Секрет» колдуна не обвиняет, но осадочек остается.

— По моим данным, к Перфилову претензий со стороны полиции не было, — отметил Егор. — Но! Не успел он уехать из родного края, как у начальника местного отделения полиции появилась новенькая машина. А до этого отец семи детей на велосипеде ездил. Оно и понятно: зарплаты в провинции невелики, ребята есть просят, жена не работает... Вдруг — опаньки! И тут осадочк остался.

— Автомобиль.

— Точно-точно, они преступники, — занервничала я. — Сначала убили родных, заполучили деньги, потом сбились в банду, похищают женщин и продают их.

— Версия шаткая, доказательств нет, хотя и она имеет право на существование, — согласился Бочкин. — Но тогда возникают вопросы. Например: зачем убивать Сизова и Львову? И с какой стати лишать жизни Тяпкину? Товар нужен живым. Куда мерзавцы девают детей? У Светланы была дочь Ляля. У Кати, пропавшей дочери Сизова, сын Андрюша. У тетки, за которой ты наблюдала в магазине «Игрушки.Ру», маленькая девочка. Если идет речь о торговле женским телом, то дети ни при чем. Можно легко найти девушек, не обремененных потомством.

— Малыши тоже товар, — предположила я. — Их можно выставить на торги иностранцам для усыновления.

— На черном рынке в основном пользуются спросом младенцы, — возразил мой напарник. — С ними меньше хлопот, они никогда не вспомнят биологических родителей. Увезут их в другую страну, они вырастут, считая себя американцами или немцами, и даже не узнают, что появились на свет в России.

— Ляля совсем маленькая, девочка из магазина тоже, — уперлась я.

— Ну, тогда не знаю... — протянул Егор. — Это странно и совершенно нелогично. Если мы имеем дело с «ангелом-мстителем», то он не стал бы лишать жизни жертв насилия. А коли у нас синдикат, передающий за границу живой товар, то какого черта им устраивать спектакли с Сизовым и Львовой?

— Вдруг Валерий Яковлевич проследил за дочерью? — предположила я. — Это, в принципе, не так и трудно. Сизов понял, что затеяла Катя, поехал за белым минивэном, увидел, куда отвели дочь с Андрюшей, ввалился в дом Козиной, устроил скандал, и его пришлось убить. А Жанна как-то выяснила, чем занимается галерейщица, и занялась шантажом...

— И до того, как прикончить Сизова со Львовой, им отправили «ладошки»? — хмыкнул Гоша. — Этому есть хоть мало-мальски разумное объяснение?

— Может... это предупреждение, — забормотала я. — Намекали: перестаньте за нами следить, иначе будет плохо...

Бочкин закрыл ноутбук.

— Если Козина и ее товарищи действительно похищают женщин и детей, то они — часть большой организованной группировки. Отправка живого товара за рубеж — сложное дело, занимаются им жесткие профессионалы. Они не станут рисовать картинки, а быстро и тихо шлепнут человека, угрожающего раскрыть их прибыльный бизнес, и обставят все как несчастный случай. Сизов, например, легко мог упасть под поезд метро. Он же инвалид, ходит на протезе. Ну не устоял увечный в толпе, которая ринулась к вагону... Сама знаешь, как люди себя ведут, когда к станции приближается состав, — словно слоны на охоте. А Львова угодила бы в аварию, у ее машины могли, скажем, отказать тормоза. Зачем спектакль с судом? Я могу предположить, что не все убийства связаны. Да, у нас есть «ангел», который мстит негодяям, это один из тех, кто рисует «ладошки». Он убрал Сизова и Львову. Остальные члены банды не в курсе его деятельности. А Светлану убил другой человек, но тоже из числа людей, приближенных к Козиной.

— Почему Тяпкину убили? И тебе не кажется странным, что «ангел», состоя в группе, которая похищает матерей с детьми ради отправки первых в бордели, а вторых усыновителям, мстит негодяям, обижавшим этих самых женщин? — начала я задавать вопросы. — Где Анатолий? Куда подевался он с дочерью?

Бочкин молча отвернулся к окну.

Меня затрясло в ознобе.

— Зато я поняла, кто написал «ладошки», оставленные на местах преступлений.

Глава 29

— Назови имя! — потребовал Егор.

Я отодвинула пустую чашку на край стола.

— Федор, приемный сын Елены Львовны. Меня отвели в зал, где должны были состояться занятия с Гуангом. Там на партах лежали незаконченные работы учеников китайца. Я на них полюбовалась и убедилась: никто из присутствующих не блещет особым даром, они работают в манере «палка-палка-огуречик, вот и вышел человечек». Но миниатюра, над которой трудится Федор, меня поразила. Молодой человек очень одаренный художник. И сразу стало ясно: он автор тех двух «ладошек». Незавершенная картинка очень на них похожа: много бордовых красок, любовно выписана ажурная рамочка.

— «Земную жизнь пройдя до половины, я очутился в сумрачном лесу», так говорила нам преподаватель по криминалистике, — вздохнул Егор. — Чаща густеет, свет пропадает. Федор член преступной группировки и заодно гений.

— «Каков он был, о, как произнесу! — Тот дикий лес, дремучий и грозящий, чей давний ужас в памяти несу», — процитировала и я. — До твоего педагога строчки про лес сказал Данте Алигьери. Вернее, он их написал в своей поэме «Божественная комедия». Не думаю, что Федя причастен к похищению женщин. Елена Львовна восхищается его картинами, считает приемного сына великим творцом и не стала бы впутывать его в преступления. Но именно про Федора в Интернете поместили самый зловещий рассказ. В десять лет он задушил брючным ремнем спящего отчима. От колонии мальчика спас возраст. Убийцу отправили в детдом, неродной отец был его единственным родственником. Еще в Сети указано, что Федя с восьми лет наблюдался у психиатра, страдал припадками ярости, поколотил соседку, которая усыпила свою больную собаку, громко пообещал ночью воткнуть ей в сердце нож за то, что она лишила жизни пса. Через год он напал на учительницу, которая постоянно придиралась к его однокласснице, ставила той незаслуженные двойки. Карманов с детства являлся борцом за правду и наказывал тех, кто, по его мнению, издевался над другими. Тебе не кажется, что перед нами идеальный «ангел-мститель»? Елена Львовна обсуждает в кабинете, как похитить очередную жертву, Федор подслушивает под дверью и убивает тех, кто избивал или еще как-то мучил несчастных.

Бочкин снова открыл ноутбук.

— Интересно, откуда «Секрет Скелет» берет информацию?

— Ты не понял? — удивилась я. — Люди выбрасывают ее туда анонимно, стучат на друзей, знакомых, коллег.

— Странно, — не успокаивался полицейский.

— Да нет, — возразила я. — Белка мне рассказывала, что в советские времена народ писал доносы в отдел кадров, в партком, в КГБ, а сейчас появился Интернет, и все дерьмо полилось в Сеть.

— Я о другом говорю, — перебил меня Егор. — Если почитать сообщения на сайте, то они в основном такие: «Маша Иванова, сука крашеная, спит с моим мужем». Или: «Мой начальник берет взятки». То есть примитивный компромат, хотя подозреваю, что не всегда честный. Например, как тебе заявление: «Крутиков Николай не платит шесть лет алименты, он давно болен сифилисом»?

Я усмехнулась.

— Женщина не получает никакой материальной помощи от бывшего мужа, обозлена на него, отсюда и фраза про венерическое заболевание.

— Вот-вот! А про компанию Козиной правда выложена, — продолжил напарник. — Кто-то проделал большую работу. Но самое интересное другое. Инфа о Вадиме, Веронике, Юрии, Асе, Никите не скрывается, на всех дружков Козиной есть компромат. А о самой Елене Львовне ни слова! Про грешки хозяйки галереи сайт помалкивает.

— Может, она безгрешна? — предположила я.

Бочкин пробежал пальцами по клавиатуре.

— Елена Львовна Козина, по первому образованию медсестра, вышла замуж за Григория Петровича Михайлова, художника-инвалида, за которым до брака ухаживала. Михайлов развелся с первой супругой и расписался с заботливой Козиной. Через семь месяцев после регистрации брака Елена родила дочь Аврору. Григорий ребенка не признал, девочку записали Козиной, но с женой он не развелся. Через шесть лет художник умер, Елена получила половину особняка, где он жил и в которой проживает по сию пору она, и большую коллекцию картин, ставшую основой открытой ею галереи. Первая жена Михайлова попыталась опротестовать завещание, заявила, что Елена разбила ее семью, охмурила Григория, женила его на себе, изменяла ему и в конце концов убила инвалида, чтобы заполучить его богатство. И вообще Михайлов, принимавший большое количество лекарств, в последнее время сошел с ума, его завещание недействительно. Но у первой жены ничего не вышло, Козина стала известной галерейщицей. Так почему «Секрет Скелет» умолчал об этой истории?

— Не знаю, — растерялась я. — Вероятно, доносчики о ней не знают.

— Я не психолог, — протянул Гоша, — но тексты про эту компашку все похожи, в них встречаются одинаковые фразы, обороты речи, и автор совершает идентичные грамматические ошибки. Вот, например, в кляузе на Мухину есть слова: «Она очень стараеться». И те же в сообщении про Чистякова: «Он очень стараеться».

— Их писал один человек! — подпрыгнула я.

Бочкин оперся локтями о стол.

— Вернемся к твоей версии о Федоре. Предположим, Козина и К° устраивают совещания, обсуждают на них свои жертвы, их окружение, а Федя их подслушивает и таким образом узнает, кто мучает женщин. Это возможно. Но художник не идиот, он должен был понять: его приемная маменька с дружками зарабатывает денежки, не только выставляя картины на продажу, но и торгует живым товаром. Почему Федя сделал объектом своего мщения отца Кати Сизовой и Жанну Львову, а не взялся за Мухину, Никитину и остальных?

— Ну... он же маньяк... значит, сумасшедший, — после небольшой паузы ответила я. — У него своя логика, нам ее не понять.

— И нет доказательств, — развел руками Егор. — Да, ты увидела в студии неоконченные «ладошки». Молодец! Но, вероятно, тебе, человеку далекому от живописи, миниатюры просто показались идентичными, а эксперт скажет: «Нет, ребята, Федор не имеет отношения к тому, что подсунули Львовой и Сизову».

— Федя точно знает об убийствах! — закричала я. — Он написал картину с названием «Дорога. Дорога к счастью». Жуткий сюжет, сейчас постараюсь в подробностях описать его тебе...

Бочкин молча выслушал мой рассказ, потом уточнил:

— Ася велела убрать полотно?

— Спела песню про акварельные краски, которые прямо сразу выцветут, если на них упадет хоть один солнечный лучик, — засмеялась я. — А Леонид утверждал, что Федор сам выбрал стену для размещения картины, потому что хотел сделать холст центром инсталляции. И рабочий приволок ящик с вещами, которые художник собрался развесить вокруг своей картины, — старые платья, блузки, обувь...

— Странная идея, — не дал мне договорить Егор. — Кому интересно таращиться на барахло?

— Это инсталляция, — повторила я, — не ищи в ней смысл.

— Но он должен быть, — уперся полицейский.

— Нынешним летом в одном выставочном зале появилась женщина только в ошейнике и поводке, который держал в руках второй участник представления. Он был непонятного пола, замотан с головой в ярко-красное одеяло с надписью «Ух». Сбежавшимся журналистам стоящая на четвереньках голая особа сообщила: «Наша инсталляция посвящена смерти эмоционального начала внутри оболочки вселенского рацио».

— И их не забрали в психушку? — поразился Егор.

Я пожала плечами.

— Вроде нет. Их выходка — творческое самовыражение. Тетка заявила: «Я живая картина...» Стоп!

— Что такое? — насторожился Егор.

— Да вот в голову неожиданно пришло... — пробормотала я. — Вдруг место преступления — тоже инсталляция?

Ну ты даешь! — поморщился Бочкин.

Я вскочила.

— Почему нет?

— Сядь, — попросил Гоша. — Убийца судит своих жертв, он ангел-мститель.

— Хорошо, — кивнула я. — Но предлагаю посмотреть на ситуацию еще и под другим углом. Если наш маньяк художник, то его инсценировки и есть проявление того самого пресловутого творческого самовыражения, перформанс под названием «судебное заседание».

— За уши притянуто, — отрезал напарник. — Но ты не договорила по поводу старой одежды. Что еще Федор собрался крепить к стене?

— Там было много вещей, — произнесла я, — разного размера и качества.

На кухне стало тихо, потом Бочкин закрыл ноутбук.

— Полагаешь, женщин, похищенных бандой, было много?

— На мой взгляд, то, что я увидела в картонном коробе, могло принадлежать восьми-десяти человекам, — прошептала я. — Обратила особое внимание на детскую розовую курточку с вышивкой золотыми и красными нитями. Ксения, соседка Светланы, упомянула, что Анатолий перед встречей с Евгением, своим двоюродным братом из Германии, приобрел Ляле дорогой костюмчик, щедро украшенный вышитыми бабочками. Я тебе уже говорила, что комплект сделан фирмой «Папийон». Курточка в коробке явно от того же бренда и очень напоминает вещь, описанную Ксенией. К тому же подходит к туфельке, которую я видела в подвале. И, между прочим, с изнанки к курточке пришита метка с именем «Ляля». Ася, бросив взгляд на составные части инсталляции, затряслась, схватила коробку и утащила, несмотря на возмущение Леонида. Почему она так поступила? За ответом далеко ходить не надо: преступники не выбрасывали шмотки похищенных женщин, складировали их в чулане, а Федя на них наткнулся и решил выставить на всеобщее обозрение.

Егор взял батон и отрезал от него кусок.

— Верх идиотизма хранить тряпки. Это же улики. И с тех пор как изобрели анализ ДНК, доказать, кому принадлежит одежда, очень легко. Ну а теперь дай внятное объяснение: почему Карманов, знающий о том, чем занимается преступная группировка, которой верховодит его приемная мать, решил использовать одежду жертв? Совсем дурак, что ли? Вдруг в галерею придет кто-то из близких тех матерей с малышами, узнает юбку, кофту, бросится в полицию, заварится каша...

— А если он именно этого и хотел добиться? — предположила я. — Сам побоялся сдать Козину, решил пойти другим путем. Понадеялся, что родственники жертв обратят внимание на его перформанс.

— Глупее ничего в жизни не слышал, — скривился Бочкин. — Хотя, может, ты и права. Карманов художник, что у него в голове, нормальному человеку не понять. Я недавно пошел к дантисту, полистал в приемной журнал, наткнулся на снимок картины какого-то мужика. Фамилия у него странная... Бокс? Факс? Что-то похожее. Короче, чума! Слом мозга! У меня после разглядывания его работы в придачу к зубам еще желудок, спина и голова заболели. Полная шиза.

— Наверное, ты имеешь в виду художника по имени Иероним Босх, — уточнила я.

— Во, точно! — обрадовался Гоша. Затем сменил тему: — И где эта коробка сейчас?

— Понятия не имею, — вздохнула я. — На месте Мухиной я бы все немедленно сожгла.

— Надеюсь, она этого не сделала. Надо попытаться отыскать улики! — оживился полицейский.

— Замечательное предложение, — согласилась я. — Вот завтра и начнешь.

Бочкин стал намазывать масло на ломоть нарезного.

— Завтра в полдень я должен устроить Козиной первую примерку платья. В девять утра надо забрать у нашей портнихи кофр с раскроенным материалом и привезти его в дом Елены Львовны.

— Ваши спецы нашли шелк! — обрадовалась я.

Егор положил хлеб на тарелку.

— Разве я не сказал тебе? Владелица галереи слегка приврала — тряпка совсем не эксклюзивная.

И не китайская, а итальянская, продается в Москве, правда, только в одном месте. Поступим так. Я затею примерку, позову местный народ для обсуждения, задержу всех у Козиной, а ты тем временем поищешь вещи для инсталляции.

Я захлопала в ладоши.

— Чудесное задание! Ты знаешь, сколько квадратных метров в доме? Их не успеть обшарить и за неделю.

— Надо же с чего-то начать? — возразил Гоша.

— Лучше придумай, как удалить всех из дома надолго, а самим там остаться, — посоветовала я.

Бочкин придвинул к себе поближе блюдечко с мелко нарезанным сыром.

— Может, нам завтра повезет? Елена Львовна наконец-то будет одна, а ее приятели займутся своими делами?

Я выхватила у него из руки тарелочку.

— Не трогай. Это для мышей!

Глава 30

Егор откинулся на спинку стула.

— Для кого? Ты прикармливаешь грызунов? Вроде трясешься от ужаса при их виде.

Я отнесла сыр на подоконник.

— Никого я не боюсь, просто мне не нравятся непрошеные гости. Но эти оказались милыми — прогнали Лапушку. Тот, едва их увидел, затрясся и удрал без оглядки.

— Твой распрекрасный ухажер падает в обморок при виде мышек? — заржал Бочкин. — Степа, ты достойна лучшего. Правильно поступила, что натравила мышат на мужика. На фига тебе трус?

Я собралась достойно ответить «жениху», но у того затрезвонил телефон. Гоша схватил трубку и со словами: «Нет, конечно, не сплю, вспоминаю чудесно проведенный с тобой день», — выскочил в коридор.

Я села на стул. Егор и Алена перешли на «ты»? Роман модельера и галерейщицы стремительно развивается. Но почему Бочкин сейчас вылетел из кухни?

Большинство мужчин, если им позвонила любимая девушка, живо покинет офис, чтобы поболтать там, где никто не подслушает их разговор, — представители сильного пола стесняются нежничать при посторонних. А подружка начинает хныкать: «Милый, почему у тебя такой тон? Сердишься? Разлюбил? Ответь немедленно! Мне плохо! Ты решил разорвать отношения? Твоя мама добилась чего хотела! Оо-о-о!» В этот самый момент парень, успевший достичь укромного уголка, запыхавшись, говорит: «Зая, успокойся! Я же на работе. Ты лучшая, чмок-чмок, моя кисонька».

Но мы-то с Гошей вовсе не жених с невестой, напарники, у нас общее дело, а Козина преступница. С какой стати Бочкину стесняться меня? Наоборот, ему надо вести переговоры с хозяйкой галереи при мне.

Я быстро вышла из кухни. Вся история с так называемым ангелом-мстителем с самого начала была танцами на граблях. Я говорила, что оказалась в похожей ситуации ранее, когда помогала Якименко и выдавала за своего жениха-стилиста Михаила

Невзорова. Причем она очень плохо закончилась[1]. И с этой, в которую я попала сейчас, похоже, не все ладно. Неужели Елена Львовна понравилась Егору? Она же намного его старше!

Войдя в ванную, я включила воду и влезла под душ, продолжая размышлять.

Собственно, и не важно, что галерейщица старше. Елена Львовна интересная, обеспеченная женщина, а некоторые молодые мужчины в восторге от дам, которые годятся им в мамы. Но Козина преступница! Руководит бандой! И опять же — ну и что? Я недавно видела фильм, любовную драму, ее главный герой, американский полицейский, влюбился в убийцу, за которой охотился, и помог ей скрыться от правосудия.

В дверь ванной постучали, раздался голос Егора:

— Степа, ты здесь?

Я живо накинула халат и толкнула створку.

— Чего тебе?

— Алена звонила, примерка на завтра отменяется, — слишком быстро заговорил Бочкин. — Она нашла другую ткань, говорит, лучше того шелка...

— Какая непредсказуемая, — перебив его, хмыкнула я.

— В полдень едем с ней в магазин, — закончил фразу Егор. — Козина просила тебя с собой не брать.

— Ну, конечно, — скривилась я, — понимаю. Невеста же помешает ей охмурить своего жениха.

---

[1] Ситуация, о которой сейчас вспоминает Степанида, описана в книге Дарьи Донцовой «Укротитель медузы Горгоны», издательство «Эксмо».

— Еще одно подобное заявление, и я подумаю, что тебя грызет ревность, — рассмеялся напарник.

Я постаралась весело улыбнуться.

— Точно. Готова волосы разлучнице выдрать. А что прикажешь делать мне?

Гоша сложил руки на груди.

— Сиди дома. Как только мы с Аленой двинем к ней домой, я сообщу тебе. Дальше действуем по уже намеченному плану: я задержу всех, кто окажется в апартаментах, увлеку их беседой о платье. А ты выскользнешь из комнаты и попытаешься сообразить, куда Ася оттащила ящик со старой одеждой.

Я быстро-быстро закивала, не произнося ни слова, но в душе поднялась буря. Ага, гениальная идея! Так мне и позволят беспрепятственно бродить по дому! Если я исчезну из гостиной больше чем на десять минут, преступники забеспокоятся. Нет, надо пролезть в жилье Козиной незаметно.

— Слышь, посоветуй, чего надеть, — смущенно попросил Егор. — Совсем забыл! Надо сбегать к приятелю, я обещал ему полку на кухне повесить. Розовая рубашка с джинсами годится?

— Похоже, ты решил произвести на Козину наилучшее впечатление, — хихикнула я, — розовая рубашка, вау! А Егора не смущает, что Елена Львовна преступница?

Гоша отвел глаза.

— Ну... Трудно верится в ее причастность. Скорее всего, кто-то просто использует галерейщицу в своих целях. Она такая милая, беспомощная, наивная, очаровательная.

— Просто аленький цветочек, — ехидно отметила я.

— Да, — неожиданно обозлился Егор, — верно, аленький цветочек!

Мне не захотелось продолжать глупый разговор.

— Пошли к шкафу, — велела я. — Составим комплект.

Бочкин потопал по коридору, я последовала за ним. Надо же, еще сегодня утром Егорушка тяжело вздыхал и демонстрировал недовольство, когда я подбирала ему одежду, а сейчас сам решил сменить наряд... Полку надо повесить приятелю? А время, между прочим, позднее, работать дрелью нельзя, только ее включишь, соседи немедленно застучат по батарее... И уж совсем странно, что ехать к другу парень решил — предварительно нарядившись по полной программе! — сразу после неожиданного звонка Козиной. Ох, не нравится мне все это.

* * *

Утром меня разбудил телефонный звонок. Я пошарила рукой по тумбочке и нащупала мобильный.

— Алло.

— Спишь? — удивилась Поветкина. — Скоро полдень!

Я села и уставилась на часы.

— Ой, правда! Вот это фокус! Давно так долго не валялась в кровати. Чего тебе надо?

— Это тебе надо, — парировала Настя. — Пришла эсэмэска от мошенников, о которой ты меня вчера предупредила.

Я ринулась в ванную.

Ночью никак не могла заснуть, строила планы, как незаметно пролезть в дом Козиной в отсутствие хозяйки и ее друзей, но так ничего и не придумала, а заснула часов в пять утра. Но сейчас в голове за одну секунду оформился план.

— Настя, ты где?

— На работе, — удивилась Поветкина.

— Я в отпуске, Арни улетел в Прованс к друзьям, чем там ты одна занимаешься?

— Сижу дура дурой, — вздохнула Настя, — журналы читаю. Вообще ничего не происходит.

— Где твой паспорт?

— Заграничный у Виктора, мы хотим в Китай в отпуск двинуть, — начала выкладывать свои планы Настя. — Витюша собрался анкеты для консульства заполнять, а я в сомнениях. Как думаешь, нам дадут визу? Брак-то гражданский, не зарегистрированный. Может, лучше порознь документы подавать? Ну, типа, мы одинокие.

— Где российский? — перебила я Настю.

— В сумке.

— Можешь его срочно привезти мне?

— Зачем тебе понадобился мой документ? — поразилась Настя.

— Поветкина, сейчас расскажу всю правду, — зашептала я. — Ты права, Бочкин козел, осел, баран и прочие животные в одном наборе. Только полная идиотка могла с ним связаться!

— Хорошо, что у тебя глаза раскрылись! — обрадовалась Настя. И напомнила: — А ведь злилась, когда я пыталась тебя вразумить.

— Спасибо, ты лучшая подруга, — заверила я Поветкину. — Позавчера встретила такого парня! Рост метр девяносто, глаза голубые, брюнет.

— Вау!

— Совладелец банка.

— Вау!!

— Ездит на самом дорогом «Бентли», последней модели.

— Вау!!!

— Предложил мне слетать с ним на Мальдивы. Бизнес-классом.

— Вау!!!!

— Я согласилась.

— Кто бы отказался...

— Но не хочу пока сообщать ему свои настоящие имя-фамилию. Вдруг он по жизни такой же кретин, как Бочкин? Егор-то ведь тоже в первые дни совсем другим казался, прямо супер. Короче, дам для покупки билетов твой паспорт, а дальше посмотрим.

И тут до меня дошло, какую глупость я несу. Сейчас Поветкина поинтересуется: «Козлова, зачем просишь российский документ, если летишь на Мальдивы? И зачем прикидываться мной? Нас ведь никак за близнецов не принять? Что за идиотство ты придумала?» Надо спешно исправлять ситуацию. Для удачного осуществления моей затеи срочно требуется внутригражданский документ, а мой собственный использовать нельзя. Может, объяснить Насте, что я стесняюсь имени Степанида? Не очень гламурно звучит и фамилия не аристократическая...

— Уже еду! — закричала Настена. — Несусь!! Скачу!! Вау!!!

Я перевела дух. Хорошо, что некоторые люди не отличаются сообразительностью. Хотя не следует мне подсмеиваться над Поветкиной, сама сейчас ляпнула потрясающую глупость. Анастасия бежит меня выручать, надо сказать ей «спасибо».

Через три часа в зал магазина «Игрушки. Ру» вошла сутулая шатенка, старательно прячущая лицо под широким козырьком бейсболки. Ее торчащие из-под кепки волосы были неаккуратно пострижены, на плечах висла заношенная зеленая курточка, размера эдак на два больше, чем нужно, под ней виднелась застиранная серо-синяя футболка, заправленная в ужасную черную юбку годэ, на ногах — плотные черные колготки и разбитые кроссовки. Картину дополняла блестящая розовая сумочка с изображением кошек на боках. Такие аксессуары обожают девочки лет семи-восьми. Шаркая подошвами, женщина добралась до демонстрационного стола и принялась тыкать пальцем в кнопки дорогого ноутбука. Покупателей вокруг не было. Продавец, бросив равнодушный взгляд на посетительницу, продолжал играть на своем телефоне. А шатенка вошла на сайт «Нет побоям» и написала:

— Я тут.

— Хорошо, — ответила Кате Мо. — Где твой муж?

— На работе.

— Он спокоен?

— Да, ничего не подозревает.

— Нам надо обсудить твои дела.

— Спрячьте меня.

— Так сразу не получится.

— Я не вернусь домой.

— Не глупи.

— Не вернусь.

— На подготовку твоего побега нужно время.

— Не вернусь домой. Никогда. Я ему отправила эсэмэску.

— Кому?

— Гражданскому мужу. «Прощай. Ушла навсегда». Обратного пути нет. Спрячьте скорей. Не то он найдет меня и убьет.

— Жди.

Я застыла у стола.

Хорошо, что неподалеку от моего дома открыт дешевый секонд-хэнд, там буквально за десять минут удалось найти подходящую одежду. Прекрасно, что у меня есть широкий выбор париков, а в моих бьюти-кейсах полным-полно самых замечательных средств, с помощью которых я могу так изменить внешность человека, что его никто не узнает. Ну, например, особые тончайшие пленки. Наклеиваете их в любое место — под глаз, на щеку, шею, — проводите влажным спонжиком — и, опля, имеете роскошный синяк, кровоподтек, шрам, родинку. Потом можете плакать, умываться, отметина не отвалится. Конечно, она не вечная, но продержится неделю. Сдирается исключительно при помощи специальных средств, и придется изрядно потрудиться, чтобы привести кожу в первозданное состояние. А тональная пудра, придающая человеку вид мертвеца? Помада, враз превращающая розовые губы в бледно-серые? Капли для глаз, от которых краснеют белки? Хитрые тени с эффектом заплаканных век?

Зачем главному визажисту фирмы «Бак» все эти штучки-дрючки? Я же должна делать модели красивыми, а не уродовать их! Но я не всегда занимаюсь подготовкой манекенщиц к выходу на подиум, есть еще другая работа. Например, «Бак» была одним из спонсоров съемок фильма «Зомби на охоте», и я гримировала главного героя, юного графа, который из красавчика-блондина по воле сценариста должен был превратиться в живой труп. А потом накладывала актеру особый макияж перед премьерой в кинотеатре. А еще мы весной готовили к показу пятнадцать «вешалок» для кутюрье из Канады. Тот шьст одежду в стиле гранж[1] и захотел, чтобы платья-брюки демонстрировали девушки с синяками и кровоподтеками на лице, с подбитыми глазами.

На экране компьютера появилась новая надпись:

— Ты здесь?

— Да.

— Иди ко входу в супермаркет. Встань у ларька с газетами. К тебе подойдут.

— Кто?

— Мужчина.

— Как я его узнаю?

— Он сам тебя найдет.

Я поспешила выполнить указание. Но не успела дойти до ларька, как услышала:

— Настя?

Ко мне приближался... Иван, личный шофер Елены Львовны.

— Пошли, — скомандовал он.

— Не вернусь домой, — на всякий случай пропищала я.

— Не бойся, отвезу тебя в безопасное место, — пообещал водитель. — Видишь минивэн?

— «Кексы мечты»? — обрадовалась я.

---

[1] Г р а н ж (от амер. grunge — «отвратительно, противно, неприятно») — этот стиль эклектичен, совмещает несовместимое, противопоставляет себя гламуру. В стиле гранж рваные джинсы, потертые куртки, мятые платья, вытянутые свитера, грубая обувь.

— Ага, — кивнул Иван. — Лезь внутрь, садись на скамейку и ничего не бойся.

Я занырнула в автомобиль, шофер тщательно закрыл дверь, через пару минут машина бодро поехала. Окошек в фургоне не было, я вцепилась пальцами в жесткую лавку.

Мой план удался на сто процентов. Кате Мо, правда, не вышла из укрытия, но «Поветкину» передали бывшему спецназовцу. Вот вам первое доказательство того, что Елена Львовна замешана в похищении женщин. Разве водитель может отлучиться с работы без ведома хозяйки? Нет, я молодец! Официально Настя не замужем, в документах не указывают наличие гражданского мужа.

И вот вам самое интересное: Поветкина — дворник. Да-да, я не оговорилась. Настя работает у Арни недавно. В свое время ее взяли всего на одно мероприятие, ей поручили встречать-провожать моделей, отводить их в гримерки, выполнять техническую работу. Сколько таких помощниц я нанимала, и все они оказывались откровенно ленивыми, выполняли обязанности через пень-колоду. А Настя продемонстрировала рвение, поэтому я позвала ее второй раз, третий, пятый... Официально ее никто не оформлял, деньги временной работнице выдавали в конвертике. Но постепенно Поветкина стала своей в нашем отделе, понравилась Арни, и он потопал к Звягину с просьбой взять Настю на оклад. Роман Глебович ответил:

— Ставок нет.

— Придумайте что-нибудь, — не сдался Франсуа. — Нам необходима простая помощница. Не творческая личность, а технический работник.

В результате настойчивости француза Поветкину оформили... дворником. По ведомости она получает три копейки, остальное ей в бухгалтерии дают наличкой. Ну, да вы, думаю, знаете про такой фокус.

Минивэн подпрыгивал на неровном асфальте, я схватилась за приделанную скобу. Надеюсь, я не ошиблась в своих расчетах. Сейчас меня привезут в дом Козиной, проведут в цоколь, где, наверное, оставят на ночь. Да-да, беглянку точно на некоторое время поселят в подвале. Потому что она буквально потребовала помощи, прямо-таки заставила себя увезти, ее похищение не готовили заранее, и преступникам понадобится время, чтобы организовать отправку очередной жертвы в Египет, Турцию или куда там еще увозят похищенных. А я дождусь, пока обитатели дома заснут, выйду из комнаты и обыщу помещения. Бочкин не будет нервничать, не увидев меня в квартире, — я оставила ему записку: «Уехала к бабушке, вернусь утром». Я молодец, все учла. Добуду улики, докажу, что под вывеской галереи работает группа бандитов.

Фургон ехал долго, наконец затормозил. Раздался хлопок, скрежет, двери открылись.

— Укачало? — спросил Иван.

— Нет, все нормально, — ответила я.

— Вылезай, — велел парень.

Я выпрыгнула из автомобиля и увидела крохотный дворик. Шофер взял меня за руку.

— Пошли.

Мы занырнули в узкую дверь, миновали какое-то техническое помещение, потом очутились в коридоре, где пол устилала плитка. Я шла с непроницаемым лицом, но в душе играли фанфары. Ура! Это же точно подвал квартиры Козиной! Я просто гений! Идеально составила план!

— Сюда, — распорядился Иван, вводя меня в узкую спальню. — Не бойся, ты у друзей. Сейчас тебя накормят. Потом помогут.

Глава 31

Минут через пятнадцать, которые я провела в одиночестве, на пороге с подносом в руках появилась Ася.

— Ты Настя?

Я кивнула.

— Попей чайку, — защебетала Мухина, — съешь кексики. Скоро тебя осмотрит доктор.

— Зачем? — насторожилась я.

— Предстоит долгая дорога, — закурлыкала Ася. — Нужно убедиться, что ты выдержишь ее.

Я решила на всякий случай изобразить страх:

— А если врач решит, что здоровье слабое, меня выгонят?

— Конечно, нет, — успокоила кондитер. — Поживешь тут, наберешься сил. От кого ты убегаешь?

— От гражданского мужа, — сообщила я.

— Хорошо, что детей нет, — вздохнула Мухина. — А вот и наш врач! Он замечательный, никому не делает больно. О, и Ника пришла! Ну что? Начнем?

Мне стало тревожно: зачем в крохотную спальню набилось столько народа? По какой причине троица уставилась на меня злыми взглядами? Ладно, продолжу игру.

— Терапевт собирается меня осматривать при посторонних?

— Нет, Степанида, — мрачно ответил Чистяков, — не вижу необходимости использовать стетоскоп, ты молодая, здоровая девушка.

Я задохнулась от ужаса.

— Меня зовут Настя Поветкина.

Ася рассмеялась.

— Анекдот.

— Лучше умойся, — велела Никитина, — сними грим и парик.

— И объясни, кто тебя сюда послал, — потребовал Юрий.

Я села на кровать и отвернулась к стене.

— Не выйдешь отсюда, пока мы не узнаем правду, — пригрозила Мухина. — Останешься здесь надолго, не отпустим без объяснения.

— Меня все равно найдут! — заявила я.

Троица переглянулась.

— Если вы меня только тронете, — стараясь говорить уверенно, продолжила я, — попытаетесь переправить в бордель за границу, у вас ничего не выйдет. Вот не позвоню в шесть вечера начальникам особого отдела по поимке серийных преступников Вадиму Панову и Николаю Дергачеву, они всполошатся и примчатся сюда. Шефы знают, куда я двинулась. Это они меня направили сюда! На улице у дома Козиной дежурит группа захвата, я сотрудник полиции. Одно дело — похищать насчастных бесправных женщин, и совсем иное — причинить вред следователю особого отдела Козловой. Вас посадят навечно. Всех!

Чистяков расхохотался.

— Господи, просто цирк! Ты откуда такая взялась?

— Не смешно, Юра. Вдруг она не врет? — возразила Ника. И вдруг выпалила: — Вау! Она журналистка! Разнюхала про дорогу, решила материал собрать. А Алена-то вместе с ее дружком сейчас. Козину предупредили?

— Пошли в гостиную, — вдруг мирно предложила Ася, — тут душно.

Я вцепилась пальцами в матрац.

— Нет! Шага не сделаю!

Чистяков снова рассмеялся.

— Девочка, ты не имеешь отношения к полиции. Решила собрать факты для репортажа? Неужели не понимаешь, какую гадость собралась сделать? Кто рассказал тебе про дорогу? Нет бы честно спросить у нас, мы бы тебе кой-чего объяснили.

— Юра! — хором воскликнули женщины. — Замолчи!

— Но она уже что-то накопала, — возразил врач. — И, похоже, у дурочки ложная информация.

Меня охватило негодование.

— Не надо разговаривать так, словно вы имеете дело с детсадовкой!

Юрий скривил рот.

— Извини, Степанида, на взрослого человека ты не похожа.

— Это почему? — спросила я.

— По всему, — усмехнулась Ася. — Что ты имела в виду, когда воскликнула: «Если попытаетесь переправить меня через границу в бордель»?

Чистяков сел около меня.

— Считаешь, что мы отправляем бедных женщин в публичные дома? Тебе о нас такое наврали? Скажи, кто дал эту информацию?

Я стиснула губы. Все, больше ни слова не произнесу.

Врач встал.

— Хватит изображать партизана перед лицом врагов. Пошли в гостиную.

— Нет! — буркнула я.

— Включи логику, — попросил Юрий. — Если бы мы хотели причинить тебе боль, то лучшего места, чем подвал, не найти. Придушили бы тебя, вытащили во дворик, увезли труп и быстро вымыли комнату. Спросишь, зачем мыть? Но ведь когда человек умирает, он ходит под себя, приходится потом помещение убирать. Тут везде плитка, проблем нет, а в гостиной ковры, мягкая мебель, то есть сплошная морока с чисткой. Я бы на твоем месте галопом наверх поскакал.

— Вот почему возле кресла Гортензии пахло хлоркой! — догадалась я. — Вы уволокли тело Светланы Тяпкиной, привели в порядок кресло, усадили в него куклу...

— Она считает нас монстрами, чудовищами, — тихо сказала Ника. — Козлову хорошо обработали. Интересно, кто? Понимаете размер катастрофы? Если она напишет статью, будет большой скандал.

— Есть способ разрулить проблему: надо рассказать ей про дорогу, — протянул Юрий. — Ася, задери брючину.

— Вот еще! — фыркнула Мухина.

— Асюша, он прав, — прошептала Вероника. — Степанида узнает, как обстоит дело, и мы избежим огласки. Она не похожа на подлую тварь, готовую на все ради гонорара, ей просто промыли мозг. Нужно узнать, кто именно. У тебя шрам, это свидетельство.

Мухина подняла штанину.

— Видишь след? — спросил Чистяков. — Рубец чуть повыше щиколотки?

— Да, — кивнула я, успев сообразить, что бандиты почему-то не собираются причинить мне зло. — Заметила его еще раньше, когда Ася упала в зале занятий живописью.

— Догадываешься, что оставило отметину? — тихо спросила Ася. И сама ответила: — Кандалы. Муж меня, когда уходил, приковывал к батарее. «Браслеты» он специально узкие подобрал, чтобы любое движение боль причиняло, рана никогда не заживала.

— Жуть! — ахнула я. — Поэтому вы его убили?

Кондитер опустила брючину.

— Глеба? Нет, он умер от инфаркта.

— Кто тебе сказал, что Мухина виновата в смерти супруга? — нахмурилась сваха.

— Информация вывешена на сайте «Скелет Секрет», — пояснила я. — Там еще указано, что вдова получила наследство, поэтому и смогла открыть первую кондитерскую.

— «Скелет Секрет»? — поразился Чистяков. — Впервые о таком слышу.

— Там и о вас есть сведения, — продолжила я. — Именно вы подписали свидетельство о смерти Глеба Мухина.

Доктор не стал отрицать.

— Верно. А прежде пытался лечить его, но он оказался очень сложным пациентом. Приходил с жалобами на боли в загрудинной области, я направлял его на обследование, но Мухин его не делал. Выписывал ему лекарство, он его не пил. Я недоумевал: зачем человек на прием записывается, если лечиться не хочет? В конце концов больной попросил... наркотики. Дескать, так сердце болит, что терпеть нельзя. Мотор у него и впрямь барахлил, но я понял, что Мухин наркоман. Конечно, никаких таких средств он от меня не получил. С Асей мы встретились позже. Соседка, услышав крики из квартиры Мухиных, велела своему сыну взломать дверь. Асюшу нашли на полу у батареи, в луже крови. Глеб, как всегда, приковал на ночь жену, сам лег спать и умер. Несчастная просидела так почти сутки, потом рискнула зашуметь. Люди бросились вызывать медиков, звонить в милицию. А я тогда подрабатывал на «Скорой». Приехал, опознал Мухина, помог Асе. Вот так мы с ней и познакомились.

— Кошмар, — прошептала я. — На сайте совсем другое написано. А в официальной информации ничего про садизм мужа не сказано, там лишь есть сообщение о смерти совсем не старого человека. А ваша жена Нина? Она покончила с собой, и вы стали наследником коллекции картин.

— Нина была сумасшедшей, — вмешалась Ася, — с редкими просветлениями. Юра ее в психушку не сдавал, потому что знал, какие там порядки, ведь даже в очень хороших клиниках применяют насилие. Нина жила дома, в специально оборудованной комнате, за ней прекрасно ухаживала нанятая медсестра. Однажды она, забыв запереть дверь спальни, побежала в магазин, а когда безответственная баба вернулась, ее подопечной уже нельзя было помочь.

— Провели расследование, смерть Нины квалифицировали как самоубийство, — сухо уточнил Чистяков. — Нам всем досталось. Вадиму от отца, Алене от мужа. Ее супруг был патологический ревнивец, не признал Аврору, обвинял Елену Сергеевну в измене, бил чем ни попадя, запрещал работать, не разрешал дочку домой приводить.

— Зачем же Козина с таким жила? — возмутилась я. — Надо было стукнуть идиота скалкой по башке и уйти!

— Тебе этого не понять, — сказала Ася. — Мы другое поколение. Нас воспитывали мамы-вдовы, они твердили: «Мужчина в семье главный, терпи и молчи».

— Отвратительно, — буркнула я.

— Вот Ника... — хотела продолжить рассказ Мухина.

Но сваха тронула ее за плечо.

— Про меня не надо, не хочу вспоминать. Понимаешь, Степа, у каждого из нас своя тяжелая история. И все же мы выжили, встали на ноги, сумели побороть свой страх перед жизнью, добились успеха. Нам всем повезло: Алене, Юре, Вадиму, Никите, Асе, мне. Наши мучители умерли, оставив нам наследство — кто деньги, кто квартиру, кто коллекцию картин. Но еще нам подфартило в другом — мы нашли друг друга.

— И подумали: а сколько таких, как Ася или Ника, были убиты мужьями, отцами? — добавил Юрий. — Сколько несчастных осталось без помощи? Умерло в ужасе? Поэтому мы создали дорогу...

— Что это? — не поняла я.

— Пошли в гостиную, — в очередной раз предложил Чистяков. — Здесь душно, и лучше поговорить за чаем.

Я встала.

— Хорошо.

Глава 32

Съев три изумительных кекса Аси, выпив две большие чашки кофе и внимательно выслушав рассказ доктора, я наконец-то узнала правду о том, что происходит в доме Козиной. Дорога — это путь, по которому уходят несчастные, решившиеся убежать от садистов. Помогает им довольно большое количество людей. Козина и ее ближайшие друзья руководят организацией.

Как все происходит? Женщина обращается на сайт «Нет побоям», с ней разговаривает Кате Мо. Под этим ником прячутся несколько психологов, которые работают по очереди. Кате Мо узнает, как зовут беднягу, и велит ждать эсэмэску от «мошенника». Если у просящей о помощи нет мобильного телефона, ее сразу приглашают через сутки приехать в «Игрушки. Ру». Зачем ждать двадцать четыре часа? У организации есть друзья в полиции, которые оперативно собирают информацию о жертве насилия и посылают Кате Мо ее фото.

Когда женщина впервые приезжает в магазин, психолог внимательно рассматривает ее через видеокамеру, сравнивает внешность со снимком, задает много вопросов и делает вывод: действительно ли она находится в тяжелом положении или ее обращение на сайт «Нет побоям» просто фортель дамочки, муж которой, узнав про ее неверность, в порыве вполне понятного негодования разок двинул изменщицу по носу. Если ясно, что обратившейся на сайт реально плохо и она готова на все, лишь бы стать свободной, ей велят через пять дней снова явиться в «Игрушки. Ру», прихватив с собой самые необходимые вещи, всего одну дорожную сумку, не более. За пять суток беглянке и ее ребенку делают новые документы, подбирают место жительства и работу.

В назначенный срок жертву насилия привозят в фургоне Аси в дом Алены, проводят через заднюю дверь в цокольный этаж, где оборудовано нечто вроде мини-гостиницы. Тут они проводят около суток. К ним приезжает парикмахер, он же гример, который меняет прическу, цвет волос и внешность подопечных, а Юрий их осматривает. Если у постояльцев со здоровьем совсем плохо, организуется их госпитализация, если нет, им вручаются новые документы: паспорт, свидетельство о рождении малыша, аттестат об образовании; а также билеты на самолет-поезд, некая сумма денег. Затем волонтер отвозит беглецов в разные города России. Впрочем, кое-кто остается в Москве. У организации большое количество помощников из всех слоев общества. В частности, есть владелец крупного агентства по найму прислуги. Некоторых несчастных, не имеющих образования, устраивают на работу горничными, нянями. Люди, которым помог сайт «Нет побоям», потом сами становятся волонтерами и протягивают руку помощи тем, кому плохо.

Не всегда побег проходит гладко. Маленькие дети часто простужаются, и из-за этого их матери задерживаются в подвале на несколько дней. Так получилось со Светланой Тяпкиной — у Ляли были насморк, кашель, и Чистяков велел отложить отъезд семьи. Один раз в «Игрушки. Ру» ворвался муж беглянки и устроил в магазине дебош. А год назад психолог, беседовавший с очередной жертвой насилия, допустил ошибку, дав добро на то, чтобы девушку взяли на дорогу. Ее привезли в аэропорт и вручили билет на самолет до Перми. Подопечная попросилась в туалет, волонтер (это был мужчина) довел красавицу до двери, а сам сел на скамейку в зале ожидания. Минут через пятнадцать сопровождающий забеспокоился, начал искать девицу, увидел ее на остановке такси и схватил за руку. «Несчастная жертва» призналась: она актриса, которой предстоит сыграть роль дочери, которая убегает от отца-садиста. Про «Нет побоям» она узнала на одном из женских форумов и решила получше вжиться в образ. Теперь лицедейка одна из активисток организации.

— А почему перевалочный пункт находится в доме Алены? — удивилась я. — Можно ведь снять коттедж в Подмосковье или квартиру. Вдруг одна из спасенных вами разболтает, что ей помогала Козина?

— Подопечные не знают наших имен, не встречаются с Аленой, имеют дело лишь с волонтером, — пояснила Вероника. — Неизвестен женщинам и адрес дома, где они временно живут. Здесь у нас есть свой внутренний дворик, в особняке всего две квартиры, второй жилец давно обитает за границей, в Москву не наведывается. Тут мы сами себе хозяева, не опасаемся любопытных глаз. А в деревне или коттеджном поселке люди постоянно подглядывают за соседями, кто-то может увидеть женщин, вылезающих из фургона. И, кстати, перевалочных пунктов несколько, этот, у Козиной, был первым, он самый маленький.

— Похоже, вы потеряли бдительность, — с укоризной заметила я. — Кто-то не запер дверь, ведущую в помещение, где пряталась Светлана Тяпкина, а ее муж проник в дом Алены. Как такое возможно?

Из ваших прежних разговоров я поняла, что у Козиной часто бывают вечеринки. Неужели вы не опасались гостя, который запутается в коридорах или от излишнего любопытства спустится в цоколь и удивится, застав там женщину с ребенком? Я же вот ошиблась, вместо кабинета Алены двинулась вниз и беспрепятственно прошла прямо к спальне, где находилось тело Светланы. Вы, конечно, изо всех сил постарались убедить меня, что в кресле сидела Гортензия. Пока я приходила в себя, кто-то быстро протер дезинфекцией место убийства, посадил в кресло марионетку, и мне продемонстрировали куклу. Но кое-какие детали подсказали: в первый раз я видела реальную женщину. Мертвую. Кто ее убил? Куда вы спрятали труп?

Юрий встал.

— Откуда ты знаешь Светлану? Мы открыли карты, теперь твоя очередь. Работаешь на желтую прессу? Но если в тебе осталась хоть капля порядочности, ты должна понять: материал о дороге рассекретит нас и лишит жертв насилия помощи — мы будем вынуждены прекратить работу. Хочешь опубликовать «бомбу»? На чужом несчастье сделать карьеру?

— Ты кто? — тихо спросила Ася.

— Главный визажист фирмы «Бак». И помогаю полиции поймать серийного маньяка, — призналась я. — Егор вовсе не мой жених, а сотрудник особого отдела. Нас привели к вам «ладошки».

— Картинки? — удивилась Мухина. — Они-то тут при чем? Да, мы занимаемся с Гуангом, это наш способ расслабиться.

Я посмотрела на Юрия.

— Знаете, что случилось со Светланой? Кто ее убил? Теперь я уверена, вы не лишали Тяпкину жизни.

— Нет, — громко сказал Егор, появляясь в гостиной, — они не убийцы.

Я подскочила.

— А ты откуда здесь?

Бочкин недобро взглянул на меня.

— Здорово замаскировалась, узнать можно лишь по голосу. Алена, иди сюда скорй!

В комнату вошла Козина.

— Та-ак... — протянул Бочкин. — Компания, правда, не вся в сборе, но можем потолковать и в узком кругу. Для начала, Степанида, знай: тебя, Штирлиц ты наш, раскусили в магазине, и Кате Мо сразу сообщила новость Елене Львовне. Психолог сильно разволновалась, сбросила Козиной эсэмэску: «У нас просит убежища невеста Гоши». Сообщение пришло в тот момент, когда мы с Аленой были в кафе. Она пошла в туалет, а сотовый оставила на столике. Я прочитал новость и обалдел: у нас такого плана не было. Ты решила действовать самостоятельно! Алена вернулась, увидела текст, переменилась в лице... В общем, мы сначала поругались, а потом поговорили по душам. Давай, глава организации, объясни про Ксанья или Ксанью, не знаю, как правильно сказать.

Елена Львовна села на диван рядом с Вероникой.

— Я наняла в помощь своей постаревшей домработнице молодую горничную-тайку. Агентство, которое подбирало прислугу, давно на рынке труда, у него прекрасные рекомендации. Я попросила, чтобы девушка вообще не владела русским языком, ни у кого до меня не служила, а только что появилась в Москве. Клерк заверил, что Ксанья наиболее подходящая кандидатура, прилетела из Таиланда, и я поверила. Девица оказалась тихой, незаметной, ходила по дому тенью, ужасающе изъяснялась на английском, но понять ее было можно. Естественно, в выходные дни она уходила погулять, никто свободу передвижения Ксаньи не ограничивал. Когда Степанида рассказала о своей встрече с мужчиной, который спрашивал «Где тяпка?», мы сразу поняли, что речь идет не о садово-огородном инвентаре, а о Свете.

Козина закашлялась, Юрий подал ей свою чашку с чаем и продолжил вместо хозяйки дома:

— Светлана не представляла интереса для мужа, а вот Ляля, наследница дома, земельного участка и парикмахерской в Мюнхене, была ему крайне необходима. Тяпкин каким-то образом (мы не знали, как ему это удалось) выяснил, что дочь и супруга в доме Козиной, и подкупил Ксанью, предложив ей большую сумму.

— Мы посовещались и быстренько нашли ответ на вопрос, кто мог нас предать, — вновь заговорила Алена. — Сейчас мы с Егором не сразу вошли в гостиную, постояли у двери, слышали ваш разговор и фразу Степаниды: «У Козиной часто устраивают вечеринки». Дело в том, что все мероприятия, кроме личных, например дня рождения Феди, проходят исключительно в галерее, здесь посторонние редкость.

— Но нас с Егором вы мигом пригласили на частную территорию, — напомнила я.

Козина опустила голову и спросила:

— Вы же с Гошей не жених с невестой?

— Нет, — поспешно ответил Бочкин, — просто напарники. Я свободен.

Хозяйка галереи исподлобья глянула на меня.

— Тот, кто готовил вас, понимал: я обязательно обращу внимание на сверхоригинальное платье Степаниды и непременно поинтересуюсь у нее, кто его автор. Всем известно, что я преклоняюсь перед талантливыми людьми и обязательно захочу познакомиться с кутюрье.

— А еще Егор ваш тип мужчины, — безжалостно добавила я. — Вам, Елена Львовна, нравятся именно такие парни.

Надо отдать должное галерейщице — она не возмутилась.

— Верно. Конечно, я посмотрела на Гошу с интересом, ведь в его случае сошлось два фактора: гениальность и внешняя красота. Я не устояла и пригласила начинающего модельера в свой дом, но вместе с ним пришлось принимать и его спутницу. Как сейчас понимаю, именно на это и был расчет?

Я кивнула. А Егор, заметно смутившись, начал оправдываться:

— Алена, я же не знал тебя. Речь шла о поимке маньяка, на совести которого не одна человеческая жизнь...

Чем дольше и невнятнее бормотал Егор, тем четче я понимала: галерейщица нравится ему. И как в полиции относятся к сотрудникам, которые заводят романы с людьми, которые находятся в разработке? У врачей считается неэтичным устанавливать близкие отношения с пациентами, преподавателю вуза тоже настоятельно не советуют затевать шашни со студентами, а если вы начальник, который женился на подчиненной, то в большинстве случаев услышите от вышестоящего шефа: «Твоей супруге нужно сменить место работы».

— Нам скоро стало ясно, — снова взял слово Чистяков, — что некто помог Анатолию, впустил его в дом, и дверь в подвальное помещение не случайно осталась незапертой. Всегда была закрыта, и вдруг — входи кто хочет! Ну и кто предатель? Все присутствующие работают в команде не первый год. Кандидатура на роль предателя была одна: Ксанья.

— Мерзкая девчонка оказалась не только жадной, но и на удивление глупой, не подумала, что ее сразу заподозрят. Мы прижали пакостницу к стенке, и выяснилась дурно пахнущая правда. Ксанья действительно недавно прибыла в Москву. Но! Ее отец русский, он прилетел в далекий Таиланд в конце восьмидесятых и с тех пор живет на острове Пхукет. Члены его семьи свободно говорят по-русски. Ксанья отправилась в Россию с двойной целью — познакомиться с родиной отца и заработать денег на хорошее жилье. Родственники девушки нищие, ютятся в убогой лачуге. Одна из подруг пакостницы пятый год служит в богатом московском доме и обеспечила своих родителей, братьев-сестер всем необходимым. Ксанья обожает папу с мамой и готова ради них на любые подвиги, согласна даже какое-то время пожить в Москве, которая ей категорично не нравится — здесь холодно, нет солнца, вкусной еды, люди злые... Зато — деньги, деньги, деньги! Стоит ли удивляться, что тайка соблазнилась суммой, которую ей предложил Тяпкин? «Дружба» с владельцем супермаркетов завязалась мгновенно. Ксанья понесла к баку мусор, ее остановил мужчина и сказал: «Если сейчас впустишь меня в дом хозяйки, получишь тысячу долларов. Вот задаток, пятьдесят баксов. Моя жена убежала из дома, украв ребенка, я хочу вернуть дочь». Тайка так обрадовалась, предвкушая «левый» доход, что ни на секунду не задумалась. И шепнула: «Подождите тут, вернусь в дом, открою дверь в подвал, проверю, чтобы никого в коридоре не было, и проведу вас куда надо». Мы все полагали, что горничная не понимает по-русски (скрыть знание языка Ксанье посоветовала подруга, мол, так легче устроиться на работу к обеспеченным хозяевам), и спокойно обсуждали свои дела при новой служанке. Ксанья живо поняла, что в цоколе часто кого-то прячут, видела, как старшая домработница ходит по лестнице вниз с подносом еды, знала, где висит ключ от двери убежища, и, не колеблясь, помогла Анатолию.

Никитина задохнулась от возмущения. А Мухина добавила:

— Когда Степанида упала в обморок и начался переполох, Ксанья испугалась, но понадеялась, что ее никто не заподозрит.

— И зря! — отрезал Юрий. — Мы допросили тайку, та в конце концов разрыдалась и призналась, что все сложилось не совсем так гладко и просто, как она рассчитывала. Предательница собиралась проводить Тяпкина до лестницы, ведущей в подвал, пошла по коридору, Анатолий следовал за ней. Но тут из гостиной раздался звон и крик: «Ксанья!» Горничной пришлось мчаться на зов — Ася уронила чайник с заваркой на пол, прислуге велели срочно убрать в комнате.

— Точно! — воскликнула я. — Лежала в объятиях пуфика и видела, как мимо сун мо пронеслась девушка азиатской внешности в черном комбинезоне.

Юрий побарабанил пальцами по подлокотнику кресла.

— О дальнейшем можно лишь догадываться. Анатолий расписиховался, затем увидел Степаниду и, не справившись с нервами, налетел на нее. Потом прошел вперед, увидел лестницу... Может, владелец супермаркетов принял Степу за прислугу? На ней был черный костюм с брюками, как на Ксанье.

— Вовсе нет, — возразила я. — Мой наряд кардинально отличался от одежды горничной, он в ином стиле, из другого материала.

— Мужчины не разбираются в шмотках, — пробормотал Егор. — Цвет черный, верх сшит со штанами? Значит, комбез, и точка.

Я решила прояснить ситуацию до конца.

— А как Тяпкин ушел?

— Через заднюю дверь, — вздохнула Ася. — Она слегка перекосилась, образовалась щель, из которой здорово сифонит.

Я посмотрела на Юрия.

— Говорила же, что по ногам дует.

— Небось мерзавец по сквозняку понял, что рядом есть выход или открытое окно, — предположила Мухина, — и понес Лялю туда. А ключ от черного хода мы не прятали, он всегда торчит в замке.

— Единственная хорошая новость — это то, что Ксанья не получила тысячу долларов, ей досталось всего пятьдесят, — скривилась Вероника.

— Сомневаюсь, что Тяпкин намеревался отдать такие деньги, — усмехнулся Бочкин.

Глава 33

— Если вспомнить о судьбе Светланы, то радоваться нечему, — резко остановила я сваху.

Состоянис у нсс тяжелое, — кивнул Юрий, — но мы надеемся.

— На что? — оторопела я. — Вы весьма оригинально назвали смерть «тяжелым состоянием». Куда дели тело несчастной Тяпкиной? Почему не вызвали полицию?

Козина потерла ладони.

— От холода пальцы сводит...

— У тебя нервный спазм, — поставил диагноз Чистяков. — Мы не могли обратиться в полицию, нас бы сразу спросили: что Тяпкина делала в цоколе.

— Дорога оказалась бы под угрозой, — подхватила Мухина. — Из за расследования ссех обстоятельств пришлось бы прекратить работу. Несчастные женщины остались бы без помощи.

— Светлане не повезло, — еле слышно сказала Вероника. — Когда они с Лялей оказались у нас, девочка затемпературила. Нужно было лечить малышку от простуды, поэтому мать задержалась в подвале, а не уехала, как следовало, вот Анатолий и застал ее здесь.

— Самые подходящие слова «не повезло»! — возмутилась я. — Значит, ради спасения других вы решили оставить на свободе убийцу?

— Светлана жива, — огорошил меня сообщением Юрий. — Она сейчас в реанимации.

— Я видела труп! — воскликнула я. — Она не моргала, не дышала.

Чистяков потер затылок.

— Истерический паралич. Явление, описанное еще медиками древности. Случается из-за сильного волнения, испуга, возможно и как реакция на резкое охлаждение. Светлана дышала, но очень редко. Ты смотрела на нее короткое время, увидела широко открытые, неподвижные глаза и приняла Тяпкину за мертвую. Но она не погибла во многом благодаря как раз тому, что тебе стало дурно. Мы стали оказывать помощь тебе и услышали про труп в цоколе. Не наткнись ты на бедняжку, к ней бы до момента подачи ужина никто не заглянул бы. Сейчас Светлана постепенно приходит в себя, уже рассказала, как испугалась, когда совершенно неожиданно в спальню влетел Анатолий и схватил ее за горло. Думаю, именно в ту секунду бедняжку парализовало. Мерзавец увидел маскообразное лицо, решил, что жена мертва, схватил Лялю и удрал. Света лежит в моей клинике, в хорошо охраняемой палате.

— Я выгнала Ксанью, сообщила в агентство, что она обманщица, владеющая русским, и решила впредь никогда не нанимать прислугу через разные конторы, — устало произнесла Козина. — Но, к сожалению, мы так и не поняли, каким же образом Тяпкин выяснил, где находится его жена.

Мне почему-то тоже стало холодно.

У Светы Тяпкиной не было компьютера, зато он есть у соседки — у школьной подруги Ксении. Меня банковская служащая сначала уверяла, что понятия не имеет, куда подевалась жена Анатолия, потом нехотя призналась, что ее сестра Людмила разрешила Светлане пользоваться ноутбуком. Но, думаю, Люся тут ни при чем. Несчастная женщина пришла к той, кого считала единственным близким человеком, —

к Ксении. Она заглянула на сайт «Нет побоям», стала переписываться с психологом, и у нее появилась надежда на лучшую жизнь. Наверняка Света рассказывала подруге о своих планах, та знала про «Игрушки. Ру», Кате Мо и предстоящий побег. Поняв, что жена и дочь исчезли, Анатолий пошел к соседке. Да, он патологический скряга, но ради получения наследства мог пойти на траты, например, перед приездом из Германии двоюродного брата купил жене и дочке дорогую одежду, снял хорошую квартиру, водил всех в ресторан. Я уверена, что владелец супермаркетов предложил Ксении денег, и та сдала подругу, открыла скряге ее переписку на сайте. Вот как он узнал про «Игрушки.Ру». Ксюша позавидовала бывшей однокласснице! Я это поняла, когда она в конце беседы со мной воскликнула: «Разве справедливо, что я останусь жить в одной комнате с сестрой, а Светка уедет в Германию?»

Я обвела присутствующих взглядом.

— Вы не очень-то пеклись о безопасности, и я на вас быстро вышла. Приехала в «Игрушки.Ру» до того, как меня туда позвали, увидела Ларису с ребенком, заметила, как их посадили в фургон «Кексы мечты». Если бы у меня была своя машина, я бы покатила за минивэном. Думаю, Анатолий поступил так же, как я, — несколько дней ходил в магазин, увидел, как какую-то женщину сажают в микроавтобус, и незаметно последовал за ним. Пока Ляля болела, у вас еще кто-то жил в подвале?

— Да, — ответила Ася, — Тамара с сыном. Но они провели в убежище только сутки.

— Анатолию хватило этого времени, — продолжила я. — Он заметил, во двор какого дома вкатился фургон, ну а дальнейшее известно. Тяпкин бы-стренько выяснил, кто живет в особняке, и подкупил Ксанью. Меня даже удивляет, что владелец супер-маркетов оказался первым из мучителей, нагрянув-шим сюда. Говорю же, вас легко вычислить.

— Нашлась самая умная... — по-детски обиделась Ася. — Мы тоже сразу сообразили, что в магазине ты. Психолог в секунду разобралась...

— Стоп! — скомандовал Егор. — Выясните отно-шения потом. Сейчас всем присутствующим необхо-димо проехать со мной. Где Перфилов и Курбатов?

— Никита уехал в Тверь, мы хотим там открыть отделение дороги, — после небольшой паузы ответил Юрий. — Вадим на корпоративе, у него сегодня три выступления.

— А Рори? — продолжил Бочкин.

— Не знаю, — пожал плечами врач. — Она авто-номная система. Живет, как кот, сама по себе.

— Аврора не имеет отношения к дороге. Она эго-истичная девушка, — вступила в разговор Вероника, — озабочена исключительно своими пережива-ниями на тему несуществующих проблем. Помогать людям ей скучно.

— Федор? — не утихал полицейский.

— Мальчик ни при чем! — испугалась Козина. — Не надо его впутывать!

— Хотите убедить нас, что гений ничего не слы-шал про дорогу? — хмыкнула я. — Не пытайтесь. Новая картина Феди рассказывает о том, чем зани-мается его приемная мать. Похоже, молодой человек преклоняется перед вами, изобразил вас в виде глав-ного ангела. Правда, почему-то поместил около ги-льотины. Но у парня такая болезненно-извращенная фантазия, что не стоит ничему удивляться. Восхищает и его идея сделать инсталляцию с вещами тех, кто побывал в убежище. Вы переодевали беглянок, чтобы их не узнали по одежде, но тряпки не выбрасывали, стирали, складывали и спустя время отдавали другим женщинам. Дорога существует на благотворительные пожертвования, приходится экономить.

— Федор попал сюда после специнтерната, в который десятилетним угодил после убийства отчима, — подхватил Егор.

Елена Львовна вскочила:

— Приемный отец замучил мать Феди и его старшую сестру, ежедневно их бил! Мальчик защищался! Был вынужден схватить нож! Садист хотел задушить пасынка! Ни учителя в школе, ни соседи не замечали, что ребенок покрыт синяками, ходит голодный. Федюша не планировал лишить жизни изверга, просто ткнул в него лезвием и попал в шею.

Я подняла руку.

— Поэтому Федя и решил стать ангелом-мстителем. Ваш приемный сын убивает тех, кто мучает беззащитных. И я сообразила, что связывает Катю Сизову и Жанну Сергеевну Львову, поняла, каким образом Федор узнал об их страданиях. Тетя Екатерины, Галина Гренкина, увлекается живописью. В разговоре со мной она упомянула, что посещает кружок рисования в одной художественной галерее. А Ольга Бирюкова, мать больной девочки Сони, на лечение которой давала деньги Львова, пожаловалась: у нее, вынужденной ежедневно устраивать праздники для благодетельницы, не оставалось времени на себя. Но больше всего Ольга расстраивалась, что не могла слушать лекции по искусству в частной художественной галерее. Я внимательно читала материалы, которые собрали Вадим Панов и Николай Дергачев, но сначала не обратила внимания на слова Гренкиной и Бирюковой. А сейчас понимаю: нужно проверить, где они обе бывали на занятиях. Стопроцентно уверена, что у Елены Львовны Козиной.

— Но Федя отродясь не читал народу лекций, — рьяно принялась защищать парня Ася. — И в кружке он не преподает. Карманов необщительный человек со сложным характером.

— Я успела это понять, получив от гения удар в грудь, — язвительно напомнила я. — Могу показать шишку на затылке и синяк на спине. Вы просто отмазываете парня. Елена Львовна и присутствующие считают Карманова великим живописцем, а гениям позволительны любые поступки, не так ли? Уж простите, господа, но ваши «ладошки» ужасны. Занимаетесь с Гуангом, а толка нет. То ли китаец — отвратительный педагог, то ли вы необучаемы. Зато неоконченная миниатюра Феди завораживает мрачной красотой, и она один в один похожа на те, что отправлял своим жертвам «ангел-мститель».

— А можно на них посмотреть? — попросила Козина.

— Оригиналов у меня с собой нет, есть лишь фото в компьютере, — тут же откликнулся Егор, доставая из сумки ноутбук.

— Это работа не Федора, — пробормотала Ася, глядя на экран. — Подделка под его манеру. Неплохая, старательная. Федя не использует накин.

— Накин? — повторила я.

Вероника показала пальцем на рамку картинки.

— Неофиту трудно это понять, но мы видим. И эксперт, которому вы продемонстрируете «ладошку» Феди, сразу поймет: он тут ни при чем. Верхние завитки сделаны кистью под названием «накин». А Федор скорей умрет, чем прикоснется к ней.

— Он говорит, что всем набором кистей пользуется только криворукий человек, — пояснила Ася. — Настоящий мастер способен сотворить шедевр одной.

— И ваш гений уже достиг такого мастерства? — полюбопытствовал Бочкин.

— Пока нет, но быстро идет к цели, — вступила в беседу Елена Львовна. — Федя сейчас работает с помощью лансэ, коха, трена и фуго, у остальных же в ходу полный ассортимент кисточек.

— Знаю, кто сделал «ладошку» из их компьютера... — прошептала Ася. — Ой! Знаю.

— Немедленно назовите имя, — велел Егор.

Присутствующие не вымолвили ни слова, стало слышно, как на запястье Юрия тикают механические часы. Наконец Мухина резко, словно человек, собравшийся нырнуть в ледяную воду, выдохнула:

— Аврора.

Меня охватило глубочайшее возмущение.

— Неужели вам не стыдно? Рори не умеет так рисовать. Девушка, чтобы завоевать любовь обожаемой мамы, отправилась учиться на живописца, но ничего путного из нее не вышло, Козина никогда не вывешивает полотна бесталанной дочери в своей галерее, зато восхищается приемным сыном. Вот тому разрешено даже без согласования с Еленой Львовной размещать собственные работы в залах. Ася, вы в курсе, как много Федя значит для Козиной, понимаете глубину разочарования матери, чье родное дитя не имеет крупицы таланта, и сейчас готовы утопить Аврору, чтобы спасти гения. Вы монстр! Да и остальные тоже хороши — молчите!

Галерейщица стиснула кулаки.

— Нет! Мы помогаем людям, защищаем их. Какая судьба ждала Екатерину и Андрюшу Сизовых? А теперь они навсегда свободны и счастливы. Навсегда! Если закроется дорога, кто протянет руку несчастным? Аврора же...

Елена схватила диванную подушку, прижала ее к своему животу и замолчала. Юрий пересел к Козиной, обнял ее за плечи и повернулся ко мне.

— Степа, постарайся понять. Алена ради Рори терпела издевательства мужа, понимала, что ей с ребенком бежать некуда, они умрут с голоду. Мать Лены, человек очень строгих, ею самой придуманных правил, вроде бы помогала дочке, но, с другой стороны, третировала ее.

— Старуха замучила Рори диетой, ледяными обливаниями, сном на досках, — встряла Мухина.

— Погоди, — остановил ее доктор. — Мать Елены повторяла дочери: «Нельзя уходить от мужа, вы венчались в церкви. Ты обязана терпеть. Иначе что люди скажут? Надо жить правильно. Если убежишь, на меня не рассчитывай, помогать не стану, поселиться в моем доме не разрешу, забирай тогда Рори и отправляйся куда хочешь! Не желаю стыда перед соседями».

— Вот гадина, — вырвалось у меня. — Бабка-гоблин.

— Алена любит Аврору, — продолжал Юрий, — что не мешает ей понимать: дочка лишена таланта живописца. Рори стала хорошим копиистом, но создать оригинальное произведение она не способна. Вывесить в галерее лажу Лена не может, на Аврору мигом налетят критики, растопчут ее.

— У Рори комплекс, — затрещала Ася. — Она всем, кому можно и нельзя, твердит, что является нелюбимым ребенком. Мы пытались привлечь ее к работе на дороге, но не получилось. Аврора ревнует мать к нам, к Феде, к несчастным беглянкам. Когда в цоколе поселилась больная Ляля, Рори устроила феерический скандал. Алена в очередной раз решила занять дочурку делом, ведь та нигде не работает, получила диплом и мается от безделья. Попросила: «Милая, сбегай в аптеку, у Риточки высокая температура, купи лекарства». Что тут началось! В Рори словно бес вселился, она заорала: «Только о посторонних и думаешь! Они любимые, не я! Дочь кашляет, а ты не видишь, гонишь своего больного ребенка на улицу ради чужого. Ваша дорога означает смерть для многих моих мечтаний. Хочу видеть дома только тебя, одну, без приятелей и Федьки. Ты только моя! Ненавижу вашу дорогу, она моя смерть, отнимает мамулю!» Потом упала на пол, забилась в истерике. Еле ее успокоили. Да, Рори не в состоянии создавать оригинальные картины, но подделаться под Федю может. Вот только его мастерства у нее нет, пришлось брать накин, с помощью лансэ ей завиток не написать.

Я молча слушала Асю. Когда в разговоре со мной Аврора сказала: «Дорога означает смерть для многих...» — и прикусила язык, я подумала, что она имеет в виду смерть беглянок. Оказывается, я ошибалась. «Дорога означает смерть для многих моих желаний», — вот что она хотела сказать на самом деле.

— Когда убили Сизова? — спросил вдруг Чистяков.

— Он погиб семнадцатого января, — ответил Бочкин.

— У нас у всех алиби! — обрадовалась незаметно вошедшая Вероника. — Стопроцентное! Семнадцатого января праздновали день рождения Феди. В доме собралась уйма гостей. Вы утверждаете, что отца Кати и Львову убил один маньяк. Раз мы не совершали преступления семнадцатого января, то и ко второму не причастны. Народ веселился, поздравлял Федю, все находились здесь.

— Кроме Авроры, — тихо, но четко произнесла Ася. — Вот ее тут не было. Она знает о наших делах, а еще до безумия хочет понравиться матери. Да, Рори ненавидит дорогу, но, похоже, решила угодить Алене, убивая тех, кто мучил людей. Прости, Елена, что напоминаю, однако вынуждена сказать это. Юра ведь не раз говорил тебе — у девочки непорядок с психикой. И всегда слышал один ответ: «У нее просто дурной характер». К сожалению, мы не можем спасти Аврору, покрывать ее. Мы попросим начальников Степаниды с Егором не рассекречивать организацию. Надеюсь, они нас поймут. Должны понять, насколько важна наша работа.

— Надо во что бы то ни стало спасти дорогу! — воскликнула Ника. — Вы же учтете, что мы отдали вам убийцу? Накажите ее как-нибудь по-тихому, чтобы никто не узнал про помощь жертвам насилия...

Елена закрыла лицо руками, Юрий отвернулся к окну, Вероника стиснула кулачки и прижала их к груди. А я почему-то подумала: «Неужели Козина ничего не скажет? Мать должна найти хоть какое-то оправдание для родного ребенка».

У Бочкина затрезвонил телефон. Егор поднес его к уху, послушал минуту собеседника и отрывисто сказал:

— Понял. — Потом встал и скомандовал: — Попрошу всех пройти на выход, едем в отдел.

* * *

Спустя три дня я вошла в подъезд уютного старого московского особняка, где находился офис Панова и Дергачева, получила пропуск, миновала охрану, подошла к лестнице на второй этаж — и меня чуть не сбила с ног летевшая вниз по ступенькам Аврора. Чтобы не упасть, я машинально схватила ее за руку.

— Ловишь убегающую убийцу? — воскликнула Рори. — Не старайся! Меня отпустили.

Я попятилась.

— Правда?

Аврора показала мне язык.

— Нельзя арестовать человека, который ничего дурного не совершил. Съела?

— Как же так? — пробормотала я. — Семнадцатого января все праздновали день рождения Федора у Елены Львовны, а тебя там не было...

— Верно! — засмеялась Рори. — На фига мне торчать на чужом празднике? Смотреть, как все Федьке подарки вручают? В тот день я вместе с одногруппниками пошла в ресторан, отмечали конец зимней сессии. Думаешь, у меня друзей нет? Ошибаешься! Вот...

Аврора потащила меня вверх по ступенькам, остановилась у большого окна на площадке между первым и вторым этажами, вытащила айпад, водрузила на подоконник и заявила:

— Когда твои боссы эти фотографии увидели, вопросы у них отпали. Можешь тоже полюбоваться. Обрати внимание на дату — как раз семнадцатое января! Листай, не стесняйся. Кстати, там еще и видео есть в запасе.

Я стала рассматривать снимки. Аврора вместе с компанией в клубе; сидит у стойки бара, потом за столиком; корчит рожу, глядя в зеркало в туалете; обнимается с какими-то людьми... Взгляд ее делается все более нетрезвым, платье превращается в мятую тряпку... А вот и обещанное видео: Рори пытается весело скакать по танцполу, ноги подгибаются, она падает. Еще одно «кино» с чьим-то комментарием — Аврору вытаскивают из малолитражки двое парней, а некая девушка, безостановочно смеясь, говорит за кадром:

— Внимание, материал для истории! Авка Козина приехала домой после того, как провела вечер в библиотеке... Хи-хи! Сережка, не урони ее! От огромного количества прочитанных книг у Авроры подкашиваются ноги... Ха-ха! Ленька, остановись на секунду...

— Наташка, отвали, — попросил один из тех, кто тащил совершенно пьяную Рори по двору. — Вау, сколько машин — всю улицу заставили... У них дома гости!

— Верно, Серега, у Федьки день рождения, — неожиданно вполне адекватно отвечает Аврора. — Народу в квартире — тьма! Мать ради своего любимчика постаралась... А ради меня ей влом даже пальцем шевельнуть.

— Да она вроде трезвая, — удивляется Сергей. — Не блюет, разговаривает.

— Только ноги не ходят, — хихикает младшая Козина.

— Хорош притворяться, сама иди! Ленька, отпускай ее, Авка нас дурит, — командует Сергей.

Парни отходят от Рори, та делает два шага, взмахивает руками и падает. Раздается радостный смех девушки-оператора. Юноши тоже ржут, но наклоняются поднять Аврору. Камера показывает улицу, в объектив попадает большой джип с номерным знаком, под которым прикреплен еще один, без цифр, со словом «Козина». На капоте слишком агрессивного, на мой взгляд, и поэтому не очень подходящего Елене автомобиля спит дворовая кошка. Дальше видно ярко-красный седан, украшенный аэрографией, — на его боку нарисованы разноцветные кексы.

— Поставь Авку прямо, — командует Сергей. — Только я не буду звонить в дверь.

— Я тоже, — вторит ему Леонид. — Наташка, давай сама вручай свою подругу родным.

— Вот вы какие хитрые, — сопротивляется девица, продолжая снимать безмятежно спящую кошку. — Думаете, мне хочется услышать от них «ласковые» слова? Небось у Авки в сумке ключи есть, посмотрите.

Сергей роется в ридикюле Авроры, вытаскивает связку, открывает входную дверь. Потом они с Леонидом впихивают Рори в прихожую. Камера послушно записывает не только изображение, но и звуки — отчетливо слышна музыка, крики: «Ура! Ура! Торт!»

— Во зажигают, — с легкой завистью произносит Серега. — Три часа утра, а люди еще десерт не ели.

Аврора пытается снять сапожки, падает. В прихожей появляется Ася, ее лицо показано крупным планом. Студенты живо вылетают на улицу и бегут прочь от дома. Изображение скачет, и наконец запись обрывается.

А в моей голове почему-то всплыло воспоминание: к нам с Егором, сидящим в машине, подходит гаишник, который решил оштрафовать Бочкина за парковку в неположенном месте...

Я схватила Рори за плечо.

— Почему ты на записи в шубе?

— Так холодно же, январь, — удивилась она. — В чем еще ходить? В бикини?

— Значит, семнадцатого был мороз... Пошли скорей к Вадиму Олеговичу! — велела я.

— Зачем? — удивилась Рори. — Меня отпустили, ничего плохого я не делала. Никуда не пойду! Отстань!

Она оттолкнула меня и бросилась бежать. А я помчалась наверх и без стука влетела в кабинет Панова. Следователь оторвался от бумаг, быстро захлопнул папку и убрал ее в стол.

— Степа? Привет! Рад тебя видеть.

— Эксперт дал заключение, что «ладошки», найденные у Гренкиной и Львовой, написаны Авророй? — забыв поздороваться, зачастила я.

— Ну да, — кивнул Вадим Олегович. — Младшая Козина очень хочет, чтобы ее полюбила мать. А Елена Львовна...

— Знаю, — перебила я, — галерейщица преклоняется перед гениальными людьми. У дочери комплекс, она уверена, что мать презирает ее, поэтому пытается пробудить в Алене любовь. Аврора хороший копиист, но Елена Львовна не собирается вывешивать копии в галерее. Готова спорить, что на ваш вопрос, зачем Рори написала «ладошки» в манере Федора, та ответила: «Мама обожает приемного сына, я подумала, что она и меня полюбит, когда увидит мои миниатюры».

— Угадала, — кивнул Панов.

— И вы, конечно, спросили, почему девушка посылала свои работы убитым, — продолжала я.

— Она утверждает, что рисунки пропали из ее комнаты, — пояснил следователь, — и назвала имя предполагаемого вора — Федор. Карманов в конце прошлого года устроил Авроре скандал за то, что она один в один повторила его холст «Смерть веселья», а потом залез в ее спальню, устроил там обыск, искал другие копии своих работ, нашел «ладошки» и унес их. Рори обнаружила в комнате беспорядок, пожаловалась матери, но Елена Львовна сказала: «Перестань придираться к Федяше. Мальчик — гений, ему твои картины не нужны».

— Значит, оригиналы, по словам девушки, создал Федор? — усмехнулась я. — А она их просто повторила?

Панов кивнул.

— Получается, что наш маньяк не кто иной, как Федя, — продолжала я. — Именно он изобразил суд.

— У парня алиби — семнадцатого января в доме с помпой праздновали его день рождения, — напомнил Вадим Олегович. — И молодой человек твердит, что никогда не рисовал ничего даже отдаленно похожего на те «ладошки». Да, манера его, выбор красок тоже, но тема — нет. Вот картина, выставленная в музее, — творение Карманова, этого он не отрицает. И подтверждает, что знает, как Елена Львовна и ее друзья помогают жертвам садистов.

Вроде мы забрели в тупик. У Авроры, Федора и всех остальных алиби на день смерти Сизова.

И тут я, опершись руками о стол, заявила:

— Знаю, кто убийца. У Авроры есть видео ее возвращения домой семнадцатого января, которое все объясняет.

— Интересно, кто же, по-твоему, злодей? — хмыкнул Панов. — Я тоже видел ту запись, но ничего из ряда вон выходящего не заметил. Просто доказательство того, что девушка весь вечер провела вместе с друзьями и напилась.

Я села на стул.

— Почему Ася сдала Аврору? По какой причине Мухина тогда в гостиной заявила нам с Егором, что «ладошки» нарисовала Рори? Ей бы следовало защищать девушку, она же дочь Елены. Но нет, Ася поступила иначе. Да все просто! Мухина вошла в прихожую, когда приятели вталкивали туда плохо стоявшую на ногах Рори. Лицо Мухиной крупным планом запечатлела камера. Выходит, она знала, что студентка не могла никого убить семнадцатого, у нее есть алиби, и ее однокурсники его подтвердят. Зачем же она столь настойчиво подставляла под обвинение Аврору? Затем, что Ася старательно уводила нас в сторону от настоящего преступника. Мухина знает, кто он, давно догадалась, чем занимается один из тех, кто спасает женщин и детей. Знала и молчала, потому что одобряла действия убийцы. Рори сама нарисовала «ладошки». Да, стилизовала их под миниатюры Федора, но композицию придумала лично. И это Аврора бросила в почтовые ящики Сизова и Львовой конверты с картинками.

— Чего ради она это сделала? — удивился следователь.

— Сейчас объясню. Между прочим, на той видеозаписи, где Аврора падает у подъезда, есть доказательство того, что один из людей, уверявших, будто самозабвенно веселился на дне рождения Феди и никуда не выходил, врет! Преступник покидал квартиру! Думаю, он отсутствовал часа полтора, вернулся минут за пять-десять до приезда Рори с приятелями. Прикати студенческая компания чуть раньше, она могла бы застать маньяка у входной двери.

— Какое доказательство? — подскочил Панов.

Эпилог

В среду утром ко мне приехал Егор и, забыв поздороваться, прямо с порога спросил:

— Как ты это проделала?

— Что? — не поняла я.

Бочкин сбросил ботинки и пошел на кухню. Я увидела его носки и чуть не застонала. Ярко-желтые, с двумя синими полосками на резинке. Ну просто катастрофа!

— Включи чайник, — попросил парень и полез в шкафчик. — Кофе купила?

— Не стесняйся, чувствуй себя как дома, — ехидно предложила я.

Мои слова никак не смутили полицейского, он спокойно открыл холодильник.

— Почему бы тебе не купить сливок? — спросил нахал.

— Они слишком калорийные, — ответила я. — Возьми обезжиренное молоко.

— Вот уж гадость, — поморщился приятель, но вытащил бутылку. — Анатолия Тяпкина поймали.

— Здорово! — обрадовалась я.

— Мужик — полный идиот, — хмыкнул Гоша. — Домой вернуться боялся, снял квартиру, поселился там вместе с Лялей и отнес документы в посольство, попросил визу в Германию.

— И правда глупо, — согласилась я.

— Взяли его на выходе из консульства, — продолжил Бочкин. — Признался сразу. Ты и в его случае оказалась права. План побега Светланы Тяпкину продала Ксения. Мерзавец уверяет, что не хотел убивать жену. Мол, потерял от ярости рассудок, вот и вцепился ей в шею. Когда Свету от ужаса парализовало, скряга подумал, что задушил супругу, схватил дочь и смылся. Хотел улететь в Мюнхен на полгода, а там, глядишь, все забудут про смерть Светы. Вот кретин! Как такие люди бизнесом занимаются и вполне, между прочим, преуспевают?

— Очень уж ему хотелось заполучить наследство, — протянула я. — Ради него он даже наступил на горло собственной жадности, дал денег Ксении и Ксанье.

— Тайка получила копейки, — уточнил Егор.

— Для Анатолия и один доллар — большая сумма, — возразила я.

Бочкин отхлебнул кофе.

— Ты в курсе, когда и почему «ангел-мститель» начал убивать?

— О многом догадалась, но это осталось загадкой, — призналась я.

Гоша отодвинул чашку.

— Четыре года назад к Кате Мо обратилась Ира Савина. Но ей не успели помочь. Вечером того дня, когда Ира впервые поместила на сайте «Нет побоям» свой крик о помощи, ее супруг уехал в командировку, заперев дверь квартиры. Ирине негде было переночевать, и она отправилась на вокзал. Утром ее нашли с проломленной головой. У мужа железное, стопроцентное алиби: когда бедняжку убивали, тот летел в Америку. Из самолета, как понимаешь, не выйти. Вероятно, на Савину напал наркоман, преступника не нашли. Но если вспомнить, что поздно вечером она оказалась на улице, потому что Савин запер дверь, то муж тоже виновен в ее гибели. Однако наказать его нельзя. Ира сказала Кате Мо, что муж не разрешает ей иметь ключи от квартиры. По заведенному им правилу утром она должна уходить раньше Петра, а вечером ждать его в подъезде. Навряд ли мерзавец рассчитывал, что супругу убьют, он просто, как всегда, решил ее помучить. И самое главное: за два года до гибели Ирины от Савина по дороге спасения ушла его первая жена. Вот ей повезло — удалось сбежать. Но Петр быстро нашел новую спутницу жизни и принялся мучить ее. Тогда наш маньяк и понял: мало помочь жертве, надо убирать самих садистов.

— Четыре года назад? — ужаснулась я. — Сколько же людей он уничтожил?

— Много, — мрачно произнес Егор. — Но «ангел-мститель» совершенно не раскаивается. Наоборот, твердит: «Мир стал чище».

— Просто сумасшествие, — прошептала я. — И как же преступник справился с Сизовым? Ладно Львова, хрупкая маленькая женщина. А Валерий был, несмотря на возраст и увечье, человеком физически сильным.

Бочкин вновь потянулся к банке с кофе.

— Как ты и предполагала, о том, что Жанна мучает родителей больных детей, мстителю стало известно от Оли Бирюковой, которая посещала лекции в галерее Козиной. Ольга никогда не хотела идти по дороге — у нее прекрасный муж, чудесные дети. Но она поняла, что не сможет более посещать любимые занятия, и предупредила об этом лектора, с которым у нее установились хорошие отношения. Расплакалась, пожаловалась на Львову. Ну а про Сизова всю правду тем, кто ей помог, рассказала его несчастная дочь Катя.

— Я задала вопрос не об этом, — перебила я Егора.

А тот снова не ответил. Пошел к чайнику, продолжая начатую тему.

— «Ангел» каждый раз действовал по-разному. Валерию позвонил и сказал, что Екатерина любовница богатого мужчины, который решил увезти ее за границу. Законная жена богача готова показать Сизову убежище, где прячутся Екатерина с Андрюшей, при условии, что он потом запрет дочь покрепче, накажет ее за связь с женатым человеком. Садист обрадовался, сел в машину мстителя. Тот привез Сизова в заброшенную пятиэтажку, ввел в заранее подготовленную комнату, усадил на стул, сказал: «Сейчас придет Катя», — и быстро воткнул ему в руку шприц с сильным транквилизатором, про который врачи говорят «отключает на игле».

— Дальше была сцена суда, — прошептала я. — Стук молотка и новый укол, на сей раз большая доза сердечно-сосудистого лекарства.

— Львову пригласили на супервечеринку, — продолжал Бочкин. — «Ангел» ей сказал по телефону: «Сюрприз, сюрприз, сюрприз. От Оленьки и детей. Скорее спускайтесь, жду вас в машине». Жанна Сергеевна, патологически любившая праздники, поспешила на зов. Понимаешь ведь, почему ни у нее, ни у Сизова не возникло ни малейшего опасения при виде шофера?

— Конечно! За рулем дорогой иномарки сидела хрупкая, хорошо одетая Елена Львовна Козина, — ответила я. — Разве такая может причинить зло? Интеллигентная речь, дорогие украшения... Она четыре года убивала людей!

Бочкин насыпал в кофе гору сахара.

— Трупы она оставляла в заброшенных домах, в разных районах, находили их не сразу, быстрое обнаружение Сизова и Львовой — исключение, большинство тел разложилось, визуально их невозможно было опознать. Мебель и занавески полицию не удивляли, все считали, что их бросили жильцы, уезжавшие на новые квартиры.

Я отняла у Егора сахарницу и стала делиться своими мыслями:

— Она бы и дальше сама вершила суд, но Аврора поняла, чем занимается мать. Девушка испугалась: пойти в полицию она не могла, сказать Елене Львовне о своем открытии тоже. Бедная Рори! Она обожает мать, а та и бровью не повела, когда Ася объявила, что «ладошки» рисовала ее дочь, промолчала и когда Аврору заподозрили в убийстве. Елена Львовна считает, что выполняла свою миссию, спасала мир от зла. И если ради благой цели надо пожертвовать Рори, то пусть будет так. Сильно сомневаюсь, что она на самом деле любит дочку. Знаешь, я никак не могла понять, почему «ангел» подкладывал жертвам «ладошки». На них же нарисована сцена казни! Зачем отправлять такие миниатюры тем, кого собрался лишить жизни? А потом до меня дошло. Нет, конверты Сизову и Львовой принес не преступник, а человек, который хотел их предупредить: вас собираются убить, будьте бдительны. Миниатюры писала

Рори. А кого она любит больше всех на свете? Маму. Аврора надеялась, что Валерий и Жанна поймут ее послания, не поедут с Еленой. Но из почтового ящика Сизова конверт достала Катя, посчитала содержимое рекламной открыткой, вставила в рамку и подарила своей тете, Галине Гренкиной. А Жанна Сергеевна, думаю, просто не поняла, что нарисовано на небольшом листке плотной бумаги. Или посчитала картинку чем-то вроде спама и бросила на кухне на подоконнике среди бесплатных газет. Глупая идея пришла в голову Авроре. Почему бы не позвонить жертвам и прямо им не сказать: «Вас собрались отправить на тот свет»?

— Согласись, твой вариант тоже не отличается оригинальностью, — хмыкнул Егор. — Рори пыталась спасти мать, но выбрала не самый удачный способ. Ты можешь предложить что-то лучшее?

— Ну... она могла бы... поговорить с Еленой, — неуверенно произнесла я.

— Это бы не помогло, — вздохнул Егор. — В общем, девчонка поступила так, как поступила. Вопрос: почему? Ответ: хотела спасти мать. А уж тупо она себя повела или нет, не имеет значения.

— А как она узнала правду? — остановила я бывшего напарника. — Как выяснила планы матери?

— Подслушала ее разговор с Мухиной, — ответил Егор. — Аврора ночью захотела перекусить, вспомнила, что в гостиной остались кексы, пошла туда, приоткрыла дверь и услышала диалог. Ася просила владелицу галереи: «Нам пора остановиться».

— Нам... — протянула я.

— Мухина все знала, — подтвердил Бочкин. — Именно она покупала мебель, занавески, оборудовала «зал суда». Но в последнее время Асе стало страшно, и она сказала: «Хватит. Вдруг нас поймают?» А Елена Львовна ответила: «Наш долг — не только помогать жертвам, но и спасать тех, с кем садисты могут познакомиться в дальнейшем». — «Ты права», — тут же переменила мнение Мухина, и женщины стали обсуждать план убийства Сизова. С того дня Аврора начала следить за мамой и Асей. Те соблюдали осторожность, девушке нечасто удавалось стать свидетельницей откровенных бесед, услышала она только про Жанну Сергеевну Львову. Сразу скажу: остальные члены организации не знали, чем занимались Козина и Мухина. Но кондитер сама никого не лишала жизни, только создавала антураж. И еще. Информацию на сайт «Скелет Секрет» выбросила Аврора. Дочь галерейщицы знала о прошлом лучших друзей и соратников матери и решила их опозорить. Зачем? А почему мать разрешает им постоянно бывать в доме? Юрий, Ася, Ника, Вадим, Никита, Федя не дают Рори общаться с любимой мамочкой, так пусть получат комья грязи в лицо. Вот прочитают правду их пациенты, клиенты, заказчики, ужаснутся, перестанут обращаться к преступникам, и потеряют мерзкие людишки свое честное имя, бизнес, общение с Козиной. Так им и надо!

— Бедная дурочка, — вздохнула я. — Такое ощущение, что Авроре двенадцать лет. Вывалила в Интернет смесь лжи и правды, пыталась с помощью «ладошек» предупредить Сизова и Львову... Слушай, мне ее жаль.

— У тебя еще остались невыясненные моменты? — спросил Гоша.

— Да! — воскликнула я. — Каким образом Кате Мо вычислила, что к ним пришла я? Я же отправила на сайт паспортные данные Поветкиной, тщательно загримировалась.

Егор поставил брови «домиком».

— Первая ошибка. Тебе хотелось срочно попасть в подвал Козиной, поэтому ты, когда психолог сказала, что надо подождать, уперлась, стала настаивать, пугать Кате Мо самоубийством, проявила настойчивость и как раз этим насторожила душеведа. Жертвы садистов так себя не ведут. Они пугливы, нерешительны, не способны ничего требовать. Кате Мо сделала твой снимок, отправила его Веронике и тут же позвонила ей, сообщив: «Эта женщина не та, за кого себя выдает. У нас проблема». Ника глянула на фото... Ба! Степанида!

— У свахи вместо глаз томограф? — закричала я. — Как она меня узнала?

Бочкин открыл свой ноутбук, повернул его экраном ко мне.

— Вот изображение, которое получила Никитина. Ничего не замечаешь? Подсказка: маникюр.

Я уставилась на свои пальцы.

— Разноцветный френч! Его пока никто не делает! Перед началом занятий у Гуанга Ника, обратив внимание на его оригинальность, спросила у меня: «Сами это придумали?» Как я могла забыть снять лак!

Бочкин расхохотался.

— Козлова, ты коза. Ой, прости, случайно получился каламбур.

На меня накатила злость. Может, сообщить Егору, что не так давно Поветкина тоже обозвала меня козой, потому что я показала в офисе фирмы «Бак» своего «женишка»? Нет, лучше не буду.

— Пусть я коза, овца и прочие зверушки, но, в отличие от вас всех, я увидела в видеозаписи Авроры доказательство того, что Елена Львовна выезжала из дома семнадцатого января и вернулась незадолго до пьяной Рори. А вот ты так ничего и не понял!

— И правда не понял, — промямлил полицейский. — Вадим тоже не объяснил. Только сказал: «Поинтересуйся у Степы. Это ее догадка, пусть сама тебе о ней и расскажет».

— Помнишь, к нашей машине подошел гаишник? — начала я. — Хотел содрать штраф за парковку в запрещенном месте.

— Не-а, — пробурчал Егор.

— А глупая коза не забыла! — воскликнула я. — Еще милая козочка, просматривая «кино», вспомнила, как дорожный полицейский в ответ на мои слова: «Почему вы к нам привязались? Вон впереди машина давно стоит, на ней даже кошка уснула», — сказал, что животное не стало бы на холодном дрыхнуть, а значит, «Жигули» тут недавно.

— И что? — не понял Бочкин.

Я довольно улыбнулась.

— Ни одна киска, тем более зимой, не ляжет на капот, если он ледяной. А на джипе с номерным знаком «Козина» котик сладко кемарил. Значит, мотор недавно выключили, он не успел остыть. Елена соврала, что не покидала дом! Она уехала убивать Сизова, а Мухина ее прикрывала, небось говорила гостям, которые интересовались, где хозяйка: «Она тут. Хочешь коктейль?» На таких вечеринках всегда присутствует тьма народа, никто не помнит, кто где был, никому в голову не пришло, что владелица галереи отсутствует. Но теперь почти у всех телефоны с камерами, и я посоветовала Панову изъять у приглашенных снимки, сделанные на празднике, а потом сложить их лентой по времени. Вадим Олегович послушался, и выяснилось, что примерно с полперво́го ночи до двух сорока утра Козиной нет ни на одном фото. Козе продолжать? Или умный полицейский понял?

— Ну... э... кошка... джип Елены Львовны... — забубнил Егор. — Вообще-то ее машину мог кто-то взять...

Я улыбнулась.

— Конечно, такая возможность не исключена. Но снимки-то! До ноля тридцати личико Алены есть на всех кадрах, после трех тоже. Где была галерейщица, а? Ладно, пусть я коза! Но не простая! А умная, красивая, внимательная, сообразительная, гениальная козочка.

— А ты, между прочим, был в восторге от Елены Львовны, отлично помню наш разговор, когда ты с придыханием сказал: «Козина такая милая, очаровательная». Я не удержалась, съехидничала: «Просто аленький цветочек, да?» А ты согласился: «Да, аленький цветочек». И что, Гоша, у нас получилось? Елена Львовна-то хищный аленький цветочек, решивший лично вершить правосудие.

* * *

Прошел месяц. Елена Львовна и Ася сидят в следственном изоляторе. Доктор Чистяков, актер Вадим Курбатов, колдун Перфилов, сваха Вероника, Федор и Аврора пока на свободе, под подпиской о невыезде.

Чем закончится эта история, я не знаю. Вадим Олегович и Николай Михайлович сдержали данное Звягину обещание — налоговики отвязались от нашей фирмы, и Роман Глебович ввел меня в Совет директоров. Языки наших сплетников заработали в режиме нон-стоп. Одни по-прежнему считают, что я сплю с хозяином фирмы «Бак», а вот другие уверены: жених Козловой — миллиардер и купил для нее престижную должность. Уж не знаю, какой слух злит меня больше. Впрочем, есть еще одно обстоятельство, из-за которого мне нет покоя. Константин Лапушка! Толстяк оборвал мой телефон. Он всерьез решил жениться на внучке Белки, зовет меня на свидания и совершенно не смущается, получив отказ.

Сегодня, поняв, что от назойливого Кости так просто не избавиться, я согласилась встретиться с ним и сейчас спешу в кафе. Лапушка ликовал, а зря. Вот сяду за столик и твердо скажу ему: «Оставь меня в покое. Если не прекратишь домогательства, попрошу своего любимого человека сделать из тебя котлету». Около меня нет мужчины, который может меня защитить, но ведь Лапушке это неизвестно. Впрочем, была я знакома с таким человеком... Нет-нет, нельзя вспоминать ту историю!

Я ускорила шаг, приказав себе: никаких мыслей о Филиппе Корсакове! Лучше зайти в зоомагазин — вот он, прямо передо мной, — и купить милым мышкам домик, поилку и кормушку. Им неудобно питаться из старого блюдечка. Да-да, я приручила серых разбойниц, которые стали ходить за мной буквально по пятам, и назвала их Наф, Нуф, Ниф.

Странное дело, но в последнее время я вообще очень нравлюсь всем грызунам. Стоило мне пару недель назад заглянуть на склад фирмы «Бак», как не пойми откуда появилась парочка хвостатых, и у заведующей хранилищем случилась форменная истерика. А позавчера я ездила к подруге, которая завела хомяка Кирюшу. Едва я подошла к клетке, как Кирюша со всех лап бросился ко мне и стал демонстрировать полный восторг.

Я вошла в лавку и спросила у продавца:

— Что можно купить для мышек?

— У нас огромный выбор! — обрадовался парень. — Замок многокомнатный, подстилки экологические, автопоилки, кормушки с музыкой, сбалансированное питание, игрушки.

— А где выставлен дворец? — заинтересовалась я.

— На стеллаже слева, — засуетился юноша. — Давайте покажу.

Мы прошли к полкам, я увидела сооружение из пластмассы, смахивающее на средневековую крепость, а рядом на другом стенде маячил большой баллон с надписью «Stop». Точь-в-точь из такого, только другого цвета, меня опрыскали духами с феромонами перед началом амурсейшена.

— Вы торгуете парфюмом? — удивилась я.

— Нет. Перед вами безопасное средство избавления от домовых грызунов, — пояснил торговец. — Мы против убийства животных. Но не каждый готов жить в мире и дружбе с мышами. «Stop» вообще-то выпускает отличную дезинфекцию. И они же придумали отпугиватель. Берете любую вещь: тряпку, коробку, опрыскиваете ее и оставляете в доме на ночь. Утром смотрите, а там тусуются все ваши непрошеные соседи. Их приманивает аромат, они не уйдут. Ну прямо как коты и валерьянка. Хозяин преспокойно выносит всю орду на улицу и закрывает дверь. Гениально и просто. Все целы, невредимы, квартира обезмышена.

Я попятилась.

— А если обрызгать человека?

— Ну... думаю, он станет царем полевок и их родственников до сотого колена, — заржал парень. — Подданные к нему из всех щелей примчатся.

Я постаралась сохранить приветливое выражение лица. Вот что выходит, когда фирма, успешно производящая средства дезинфекции, решает выпустить духи с феромонами — у нее все равно получается приманка для мышей! Интересно, как долго продлится этот эффект? Прошло уже много времени после того, как меня опшикали на амурсейшене, а я по-прежнему притягиваю грызунов.

— Берете замок? — занервничал юноша.

— Да, — вздохнула я. — И еще мисочки для еды и упаковку сладостей. Наверное, Нафу, Нифу и Нуфу они понравятся.

* * *

Увидев меня, Лапушка потер руки.

— Как дела?

Я повесила на спинку стула сумочку и села за стол.

— Константин, я пришла сюда лишь для того, чтобы сказать: отстань от меня навсегда!

Толстяк заморгал.

— Не понял.

— Перестань мне звонить.

— А-а, ты кокетничаешь, — «догадался» Лапушка. — Можешь не стараться. Кстати! Принесла мои ботинки?

— Нет, выбросила их, — отрезала я. — А ты можешь оставить себе домашние тапки. Считай их моим прощальным подарком. И давай на этой красивой ноте завершим наше общение. Ты мне не нравишься.

— Но такого не может быть! Все хотят за меня замуж, — удивился собеседник.

— А я нет.

— Да ладно, успокойся. Будешь суп?

— Нет! — сказала я. — Повторяю, я пришла, чтобы объяснить, что у нас ничего не получится.

Лапушка погрозил мне пальцем.

— Не ерунди. Я купил билеты в кино.

— Никуда с тобой не пойду.

— Почему?

— Ты мне не нравишься, — попугаем твердила я. И услышала все то же:

— Не может быть!

Я вздохнула. Ну и как разговаривать с таким идиотом?

— Простите, господа, — сказала, приближаясь к нашему столику, официантка. — Мужчина, вам бутылка в подарок.

— О! — обрадовался Лапушка. — От кого?

— Друг передал, — улыбнулась девушка. — Или Коров. Сказал, вы ему очень помогли, на каком-то... э... сейшене. Имя у него странное, я сначала подумала «Илья», а он поправил: «Нет. Запомните, пожалуйста, правильно: я Или Коров».

— Супер! — обрадовался толстяк. — Налейте нам со Степой по бокалу. Парень один из тех, кто благодаря мне устроил свое личное счастье. Имен участников я не помню, но они меня всегда и везде узнают. Видишь, Степа, я очень популярен. Любая за меня замуж пойдет. А повезло тебе.

Я наблюдала, как официантка разливает напиток по бокалам. Один раз Филипп сказал мне: «Дай честное слово, что никогда не станешь пробовать ничего из съестного, присланного незнакомым человеком». Нет, надо постараться не вспоминать больше Корсакова... Подумаю о другом. Как объяснить Лапушке, что меня надо оставить в покое? Уже прямо сказала толстяку: «Ты мне не нравишься», но тот, удивительно самовлюбленный тип, считает мои слова кокетством.

Лапушка взял бокал.

— Сейчас выпьем, поедим, сходим в кино, потом покатим к тебе домой. У меня мама, при ней не очень удобно с девушкой... того самого... Ну, давай! Чин-чин!

Я ухмыльнулась. Ладно, я хотела расстаться по-дружески, но, как видно, не получится. Константин насладится подарком, мы сделаем заказ, я скажу, что хочу помыть руки, и мирно уйду из кафе. Если вскочу сейчас, прилипала схватит меня за плечо, не драться же с ним в трактире...

— Эй, не попробуешь винцо? — спросил толстяк.

— Спасибо, нет, — ответила я. — У меня аллергия на красные напитки.

— Не повезло, — прокряхтел Костя. — Ну тогда и твоя порция моя!

Лапушка быстро осушил фужеры, икнул, поморщился, потом вскочил и со словами:

— Ща вернусь, живот взбунтовался, — помчался в сторону туалета.

Я рассмеялась и начала снимать со спинки стула сумочку. Похоже, обжора никогда не слышал про данайцев, дары приносящих. Выпивка-то оказалась испорченной! Длинный ремешок сумки запутался в завитушках резного стула, пришлось потратить чуть ли не пять минут, чтобы размотать его. Наконец я двинулась к выходу — и замерла, увидев Лапушку, вышедшего из сортира.

— Черт, у меня жуткий понос, — простонал организатор амурсейшенов, — от толчка не отойти. Что такое? Никогда ничего подобного не случалось. Вау! Опять!

Костя снова исчез в сортире, а я расхохоталась. Вот и славно! Спокойно отправлюсь по своим делам, Лапушка обезврежен.

Обезврежен? Даже очень плохое вино сразу не привяжет человека к унитазу. Должно пройти некоторое время, пока токсины поступят в кровь. А у Лапушки мгновенный эффект. Тот же Филипп говорил... Стоп! Бутылку подарил Или Коров. Уберем из имени Филипп первую и две последние буквы, из фамилии Корсаков середину — и получим... Или Коров.

Я бросилась назад, к официантке.

— Как выглядел мужчина, который передал для моего спутника подарок?

Девушка пожала плечами.

— Обычно.

— Какой у него рост, телосложение, цвет волос, глаз, есть ли особые приметы? — не утихала я.

— Не разглядывала парня, — равнодушно ответила подавальщица. — Вроде темненький. Он мне тысячу дал.

Я резко повернулась, выбежала на улицу и стала озираться. Может, где-то тут стоит джип, в котором сидит Филипп, одетый в пуловер брусничного цвета?

Вокруг меня бурлила толпа, люди спешили к станции метро, к остановкам маршруток, толкались у дверей супермаркета. Я отошла к большому торговому центру, сделала вид, что разглядываю одну из витрин, и попыталась прийти в себя. Степа, ты дурочка! Филипп давно выбросил тот пуловер, пересел из внедорожника в другую машину, и я не знаю, как он теперь выглядит. Может, лысый мужик в дешевой мятой куртке, стоящий чуть поодаль от меня, это он?

В носу защипало. Огромным усилием воли я подавила желание заплакать. И тут зазвонил телефон, на экране высветился незнакомый номер.

— Слушаю, — тихо сказала я.

— Девушка, сено, которое мы у вас купили на корм кроликам...

Я сделала глубокий вдох.

— Вы уже слышали от меня, что набираете неверный номер. Пожалуйста, больше мне не звоните.

— Объединение «Современные танцы» из-за вас не может репетировать! — взвизгнул голос. — Наш главный балетмейстер господин Или Коров очень недоволен!

Мне показалось, что рядом ударила молния.

— Как зовут балетмейстера?

— Ладно, больше мы вас не побеспокоим, — скороговоркой ответила трубка. — Ешьте свой гнилой корм для кроликов сами.

Онемев, я уставилась на замолчавший телефон, потом нажала пальцем на экран. Мобильный послушно набрал контакт только что звонившего человека.

— Номер не существует, — донеслось из сотового.

Я повторила действие раз десять, слышала все те же слова, но никак не могла остановиться. Филипп в Москве! Он знает, что происходит в моей жизни! Корсаков избавил меня от Лапушки, Фил не даст меня обидеть. Он вернулся! Что теперь будет? Мы встретимся?

Мобильный тихо звякнул, кто-то прислал эсэмэску. Я прочитала сообщение и невольно улыбнулась. Однако у некоторых фирм более чем креативные пиарщики! Они придумали для спам-рассылки весьма оригинальный текст: «В магазине «ККК» распродажа брюк. Помните, штаны важнее жены. Полно мест, куда вы легко попадёте без женщины, а теперь назовите хоть одно, куда вас пустят без брюк».

Я положила трубку в сумку и пошла к метро, слушая тихий внутренний голос, который твердил: «Все будет хорошо. Все непременно будет хорошо. Никогда не плачь. Сквозь слезы мир кажется кривым».

Литературно-художественное издание

ИРОНИЧЕСКИЙ ДЕТЕКТИВ

Донцова Дарья Аркадьевна

ХИЩНЫЙ АЛЕНЬКИЙ ЦВЕТОЧЕК

Ответственный редактор *О. Рубис*
Редакторы *И. Шведова, Т. Семенова*
Художественный редактор *С. Груздев*
Технический редактор *О. Лёвкин*
Компьютерная верстка *И. Ковалева*
Корректор *З. Харитонова*

ООО «Издательство «Эксмо»
123308, Москва, ул. Зорге, д. 1. Тел. 8 (495) 411-68-86, 8 (495) 956-39-21.
Home page: **www.eksmo.ru** E-mail: **info@eksmo.ru**

Өндіруші: «ЭКСМО» АҚБ Баспасы, 123308, Мәскеу, Ресей, Зорге көшесі, 1 үй.
Тел. 8 (495) 411-68-86, 8 (495) 956-39-21
Home page: www.eksmo.ru E-mail: info@eksmo.ru.
Тауар белгісі: «Эксмо»
Қазақстан Республикасында дистрибьютор және өнім бойынша арыз-талаптарды қабылдаушының
өкілі «РДЦ-Алматы» ЖШС, Алматы қ., Домбровский көш., 3«а», литер Б, офис 1.
Тел.: 8(727) 2 51 59 89,90,91,92, факс: 8 (727) 251 58 12 вн. 107; E-mail: RDC-Almaty@eksmo.kz
Өнімнің жарамдылық мерзімі шектелмеген.
Сертификация туралы ақпарат сайтта: www.eksmo.ru/certification

Оптовая торговля книгами «Эксмо»:
ООО «ТД «Эксмо». 142700, Московская обл., Ленинский р-н, г. Видное,
Белокаменное ш., д. 1, многоканальный тел. 411-50-74.
E-mail: **reception@eksmo-sale.ru**
**По вопросам приобретения книг «Эксмо» зарубежными оптовыми
покупателями** обращаться в отдел зарубежных продаж ТД «Эксмо»
E-mail: **international@eksmo-sale.ru**
*International Sales: International wholesale customers should contact
Foreign Sales Department of Trading House «Eksmo» for their orders.*
international@eksmo-sale.ru

Сведения о подтверждении соответствия издания согласно законодательству РФ
о техническом регулировании можно получить по адресу: http://eksmo.ru/certification/

Өндірген мемлекет: Ресей
Сертификация қарастырылмаған

Подписано в печать 06.02.2014. Формат 80x100 ¹/₃₂.
Гарнитура «Ньютон». Печать офсетная. Усл. печ. л. 14,81.
Тираж 30 100 экз. Заказ № 5041.

Отпечатано в ОАО «Можайский полиграфический комбинат».
143200, г. Можайск, ул. Мира, 93.
www.oaompk.ru, www.оаомпк.рф тел.: (495) 745-84-28, (49638) 20-685

ISBN 978-5-699-69291-0